Matteo La Grassa

L'italiano all'università 1

A multimedia Italian course

Beginners-Elementary

www.edilingua.it

Matteo La Grassa

L'italiano all'università 1

A multimedia Italian course

Beginners-Elementary

for English speakers

EDILINGUA

www.edilingua.it

MATTEO LA GRASSA is a researcher at the University for Foreigners of Siena with experience of teaching Italian as a foreign language in various state and private establishments. He is involved in several areas of research relating to the teaching of Italian as a foreign language and to the creation of educational material. He has produced educational material as part of the University for Foreigners of Siena's Language and Citizenship projects: *Insegnamento di italiano L2 per cittadini stranieri* (awarded the European Language Label 2010) and *Lingua italiana e comunicazione bancaria* (awarded the European Language Label 2009).

I would like to thank Professor Andrea Villarini for writing the preface to the book, where he painted a clear and concise picture of the current general state of the Italian language.
I would also like to thank all the students and the university course leaders who allowed me to try out the activities contained in this book, thereby making it possible for me to make any necessary adjustments.
Finally, my sincere thanks go to the editorial team at Edilingua for its careful proofreading and, more generally, for its constant constructive support.

© Copyright edizioni Edilingua
Headquarters
Cola di Rienzo Street, 212 00192 Rome, Italy
Tel. +39 06 96727307
Fax +39 06 94443138
info@edilingua.it
www.edilingua.it

Edilingua supports actionaid

Thanks to the adoption of our books, Edilingua adopts at distance children that live in Asia, Africa and South America. Because together we can do a lot against poverty! Learn more on what we do on our website ("Chi siamo").

Depot and Distribution Centre
Moroianni Street, 65 12133 Athens, Greece
Tel. +30 210 5733900
Fax +30 210 5758903

First Edition: May 2013
Editing: Antonio Bidetti, Laura Piccolo
Layout and graphics: Edilingua, Edigraf
Illustrations: Alessandro Baldanzi
Recordings: Autori Multimediali, Milan
ISBN: 978-960-693-124-6

The author would welcome your suggestions, feedback and comments about the book (to be sent via email to redazione@edilingua.it).

All rights reserved worldwide. No part of this publication may be translated, reproduced, adapted, transmitted or stored in a retrieval system, by any means, mechanical or electronic (including microfilm and photocopies).

The editor is happy to hear from anyone we were unable to contact whose interests have been infringed; the editor will also put right any omissions or inaccuracies in referencing sources that are brought to our attention.

Preface

The destiny of our language is a strange and fascinating one.
On the one hand, Italian is the object of recurrent, ominous prophecies that suggest it is destined to deteriorate, impoverish and degrade relentlessly before finally succumbing to the immense power of the English language. On the other hand, however, it continues to shine and flourish, expanding its contexts of use and attracting new groups of learners.
To casual observers, who are perhaps influenced by reading research in the press that is hardly ever carried out by experts, the whole thing could be very confusing and they wouldn't know what to believe.
In reality the Italian language, like every other world language for that matter, is a language in continuous evolution. The feature that distinguishes it, as it were, from other great cultural languages is the pace of the change given that Italian is subject as never before to relentless pressure and new trends. This pressure and these trends derive from what could be defined, without fear of exaggeration, as a revolutionary phenomenon of momentous proportions in how Italians use language.
For the first time since Italy's unification, in fact, we can say that Italian is no longer merely the language of officialdom or the one used to communicate in writing and in formal situations, but that it is now also a language used with friends, family, and in all situations whether formal or not. In other words, we can use Italian to order coffee in a bar or to put the world to rights with friends and still be understood, anywhere in Italy and regardless of the regional provenance of the person we are talking to.
At the same time, our achievement of a standard language continues to coexist alongside strong centrifugal forces that ensure that the use of dialects persists (especially in certain communication situations and with family and friends). Equally, the presence of foreign languages is increasingly visible due to the globalisation of communication (Internet, foreign language satellite television broadcasts that reach us wherever we are, etc.) and to the presence of immigrants with their languages (over a thousand of them) that echo through the streets and squares of every one of our cities. These are phenomena that, rather than undermining the very foundations of Italian, enrich it and prepare it for the linguistic challenges that modern life puts before us.
As you can see, the picture is a very complex one. And, perhaps, it is this very complexity that disorientates most people and leads to the formation of controversial opinions as to the state of health of the Italian language.
As for us, we believe that it is this very complexity, this intertwining of different uses, this emergence of new forms in response to new communication demands, that is the unequivocal measure of the excellent state of health of our language. This is also supported by the fact that our language appeals strongly to foreigners.
But it is also this very complexity that makes teaching Italian to foreigners tough. Rather than conveying a picture that is stable and consolidated, we need to transmit 'a work in progress' whose finished state is, in some cases, unknown and uncertain.
These difficulties become even more evident when one sets about producing teaching materials that need to work in harmony with the transformations underway. In other words, materials that are capable of providing an up-to-date and reliable picture of language use as can be heard or read in our conversations or in our writing. In order to achieve this, ideas are needed for the sort of teaching that is not afraid to confront the changes, that is not afraid to travel the line between the rules and usage – a line that is always difficult to find and, above all, difficult to negotiate. At the same time the teaching needs to incorporate the most current second-language acquisition theories and theories from all those disciplines that study how a foreign language is learned.
Finally, the teaching needs to be capable of engaging learners by offering activities that are not only pertinent and with targeted learning outcomes, but also captivating and stimulating.
In short, a difficult task, but one that *L'italiano all'università* handles pretty well.
Indeed, the author has created the sort of material that best facilitates the teaching approach described; namely, one that conveys the structures and uses of Italian that have developed over recent years and, at the same time, passes them on to students by inspiring them, thus making the path towards our language as trouble-free as possible.

It's a teaching approach that the author has managed to develop through his studies and his work at the University for Foreigners of Siena and that he himself has already put into practice as part of the numerous courses of Italian as a foreign language that he has been involved with in recent years.

Andrea Villarini
Head of the School of Italian as a Foreign Language
University for Foreigners of Siena

Introduction

The growing presence of foreign university students of every nationality, studying Italian in the language departments of universities in Italy and abroad, attending the numerous university courses throughout Italy or attending private language schools, has made it necessary to create specific teaching material for these learners. *L'italiano all'università* caters primarily for these students, meeting their learning and linguistic needs.

The need to identify both what motivates students to study and the situations in which university students will use the Italian language knowledge acquired is, therefore, central to the rationale behind the book. This does not however mean that we have focussed exclusively on communication within an educational context; at the early stages of learning (the stages dealt with in this book) it is particularly important to consider other situations in which university students will find themselves using Italian, all the while remembering to include the topics that truly interest learners.

The book consists of a *Student's book* divided into 12 units, a *Workbook* (also in 12 units) with solutions, six tests to check on linguistic aptitude and six self-evaluation tests. The work is completed by a *Teacher's guide*, which provides an analytical description of the various sections of the book; it explains clearly the objectives of the exercises and suggests a way to complete each. In other words, the guide provides a more detailed introduction to this book and helps users to get the most from it. This introduction only provides a short summary of the information.
The Workbook exercises, along with extra material and digital tools for both students and teachers, are available in interactive form on the *i-d-e-e* multi-platform.

Every unit of the book is divided, with the help of pictures and graphics, into clearly identifiable sections. This structure allows students to have a clear understanding of the main aim of the exercises they are undertaking, thereby respecting the recognised need of adult learners to know where the teaching is heading. At the same time, the structure allows a logical division of the work, to facilitate courses that are conducted by more than one teacher.

The texts used vary in terms of topic and genre. Texts are considered central to the course as it is from (and around) these that all the linguistic and communicative exercises are developed – exercises that never lose sight of the needs of the learner. Special attention has been paid to ensuring that the exercises are varied, the aim being to respect potential variations in learning style.

Becoming proficient is seen from both a sociopragmatic and linguistic perspective, as these aspects are considered interlinked and not mutually exclusive. In the book, therefore, attention is paid to both the communicative aspects of the language and to the metalinguistic aspects. University students, for whom Italian is almost invariably not their first foreign language, are undoubtedly capable of analysing the language closely and, in most cases, expect to be able to do so. It was therefore decided to pay due importance to language analysis, properly balancing metalinguistic exercises with those that are more distinctly communicative, and adopting the inductive method that leads students to learn the rules in an active way.

The book pays a lot of importance to aspects relating to Italian culture, dealt with in a specific section at the end of each unit and within the various information boxes. Although cultural understanding is a long-term goal and one that is not easily achieved, we believe that using a book that pays attention to presenting aspects of Italian culture can contribute towards this aim.

One last point regarding the book's pictures and graphics. *L'italiano all'università* contains a large number of exercises and progressively develops the topics presented; it does this in a way that is consistent with the sociolinguistic and cultural profile that is typical of university students. This was not achieved at the expense of the graphics, however, as these are captivating and undoubtedly contribute to making the book more pleasant and motivating to use, without ever being tiresome or educationally inappropriate.

For all the reasons we have tried to outline (succinctly) above, I hope that *L'italiano all'università* will serve as a useful tool for those who choose to use it as part of their learning/teaching of the Italian language.

Matteo La Grassa

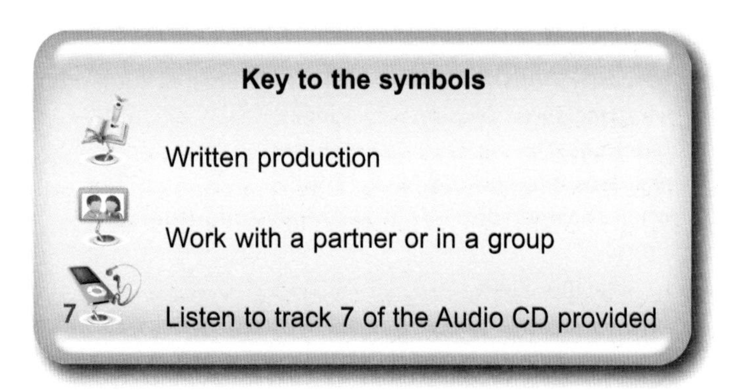

Index

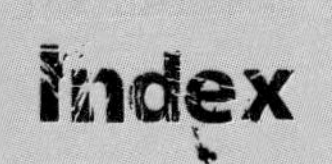
Index

Ciao, io sono Anna. E tu?

Entriamo in tema

Look at the picture.
Where do you think the people are?
What are they saying?

Comunichiamo

1. Listen to the dialogue and answer the questions.

1. Quanti anni ha Alexis? Alexis ....
2. Quanti anni ha Anna? Anna ....
3. Qual è il cognome di Antonia? ....

2. Listen to the dialogue again and read the text. Check your answers to exercise 1.
Nella classe di italiano gli studenti si presentano.

Anna: Ciao. Io sono Anna. E tu?
Alexis: Piacere, Anna, io mi chiamo Alexis.
Anna: Quanti anni hai, Alexis?
Alexis: Ho venti anni. E tu, quanti anni hai?
Anna: Io ho ventidue anni.
Alexis: E Lei signora, come si chiama?
Antonia: Mi chiamo Antonia. Antonia Sanchez.
Anna: E di dov'è?
Antonia: Sono argentina, di Buenos Aires.

3. Reread the dialogue and find the expression used for the following:

to say hello ....
to ask someone their name in an informal manner ....
to say your own name ....
to ask someone their name in a formal manner ....
to ask someone their age ....
to say how old you are ....

4. Say hello to three classmates and ask them their names and ages.

5. Listen to the dialogue and complete the table. Be aware: not all the answers are in the conversation.

	nome	età	nazionalità	città
insegnante				
studente 1				
studente 2				
studente 3				

6. Listen to the dialogue again and read the text. Check your answers to exercise 5.

insegnante: Salve ragazzi!
ragazzi: Buongiorno!
insegnante: Mi presento: mi chiamo Francesco, ho 45 anni e sono l'insegnante di questo corso. E tu?
Megan: Io sono Megan e ho 22 anni.
insegnante: Di dove sei, Megan?
Megan: Sono americana, di Portland.
John: Io mi chiamo John, sono inglese di Londra. Ho 25 anni.
insegnante: E tu come ti chiami?
Alexandra: Mi chiamo Alexandra.
insegnante: Puoi ripetere, per favore?
Alexandra: Alexandra.
insegnante: E il tuo cognome?
Alexandra: Robbins.
insegnante: Come si scrive?
Alexandra: Erre, o, bi, bi, i, enne, esse.
insegnante: Sei americana?
Alexandra: No, non sono americana. Sono canadese, di Toronto.
John: E Lei di dov'è, professore?
insegnante: Io sono italiano, di Roma. Bene... ragazzi, quanti siete in questa classe?
John: Siamo quindici.
insegnante: Avete tutti il libro?
ragazzi: Sì!

UFFICIO INFORMAZIONI

Many of the foreign students studying ...lts. ...s come to ...Rome and ...ties they

come si scrive? How do u spell that?
Di dov'e sei? Where are you from?
E tu come ti chiami? And what's ur name?
Puoi ripetere, per favore? Can you repeat that pls?
E il tuo cognome? And your last name?
Io mi chiamo John, sono inglese di Londra. Ho 25 anni
my name is John, I am from England London. I'm 25 yrs old.

7. Reread the conversation and find the express...

to ask someone their nationality in an informal manne...
to ask someone their nationality in a formal manner
to say what your nationality is and give the name of y...

① informal manner - Di dove sei tu?
② formal manner - Di dove lei?
③ sono ~~di~~ canadese di Brampton

8. Listen to and repeat the letters of the alphabe...

9. Ask one of your classmates how their name is ...

Pedro: Come ti chiami?
Alexandra: Mi chiamo Alexandra.
Pedro: Puoi ripetere, per favore?
Alexandra: Alexandra.
Pedro: Come si scrive?
Alexandra: A, elle, e, ics, a, enne, di, erre, a.

Impariamo le parole - Nazionalità

10. Match the nationalities to the correct flag.

brasiliana | irlandese | argentina | tedesca | francese

1. .... 2. .... 3. .... 4. ....

5. .... 6. .... 7. .... 8. ....

Facciamo grammatica

11. Read the dialogue on page 12 again and complete the following.

Francesco è italian.....; John è ingles.....; Megan è american.....; Alexandra è canades.....

When are masculine and feminine endings the same? When the adjective that describes nationality ends in the letter..... .

12. *Di dov'è?* Complete the sentences as in the examples.

Esempi: Luigi è di Roma. Luigi è italiano. Jane è di Sidney. Jane è australiana.

1. Mark è di Berlino. Mark è ....
2. Loren è di Parigi. Loren è ....
3. Josè è di Rio. Josè è ....
4. Matthew è di Washington. Matthew è ....
5. Anne è di Buenos Aires. Anne è ....
6. Roby è di Dublino. Roby è ....

13. Make sentences as in the example. Don't forget the masculine and feminine agreements!

Esempio: Luigi/Roma. Luigi è italiano, di Roma.

1. Caterina/Berlino ....
2. Pierre/Parigi ....
3. Jessica/Londra ....
4. Claudia/Rio ....
5. Virginia/Boston ....
6. Nino/Buenos Aires ....

2

14. Listen to the dialogue on page 12 again and complete the following sentence.

- Sei americana?
- .... sono americana. Sono canadese di Toronto.

This is a negative sentence. (Non + verb)

15. Work with a partner. Take it in turns to ask and answer the questions, as in the example.

Esempio: • Mark è francese? (Germania)
• No, non è francese. È tedesco.

1. Caterina è tunisina? (Marocco)
2. Josè è italiano? (Spagna)
3. Claudia è americana? (Italia)
4. Nino è spagnolo? (Portogallo)
5. Pierre è inglese? (Francia)
6. Jessica è irlandese? (Australia)

16. Reread dialogues 2 and 6 and complete the tabl

io	mi chiamo
....	ti ....
lui/..........	si ....

(16) io | mi chiamo
tu | ti chiami
lui/lei | si chiama

17. Complete the sentences using one of the words p

chiama | mi | ti | lei

1. Ciao! Come .... chiami?
2. Signora, Lei come si ....?
3. Ciao, io sono Marta. .... sei Mike?
4. Ciao a tutti, io .... chiamo Jack e ....
chiama Anne.

(17) ciao! come ti chiami?
signora, Lei come si chiama?
ciao, io sono Marta. tu sei, Mike?
(4) mi, lei, si

18. Reread the dialogue on page 12 and complete the

pronomi	essere	avere
io	....	....
tu	sei	hai
lui/lei/Lei	è	ha
noi	....	abbiamo
voi	....	....
loro	sono	hanno

19. Complete the sentences with the present tense of a

1. Io e mia moglie (essere) .... italiani.
2. Mark e Lisa (avere) .... venti anni.
3. Francesco (essere) .... insegnante.
4. Ragazzi, quanti (essere) .... in classe?
5. Lisa (avere) .... un orologio costoso.
6. Io sono Matteo. Tu (essere) .... Megan?
7. Io e Mark (avere) .... fame!
8. Ragazzi, (avere) .... una penna in più pe
9. • Luigi, tu (essere) .... sposato? • No, (e
10. • E voi quanti anni (avere) ....? • Noi (c

(19) 1) siamo
2) hanno
3) è
4) siete
5) ha
6) sei
7) abbiamo
8) hai
9)

Comunichiamo

20. Listen to the dialogue and complete the following sentences.

1. Pablo chiede ad Alexis una .... e una ....
2. Alexis .... la penna ma non ha la ....
3. Tamir dice che la matita è sul .... accanto al ....

21. Listen to the dialogue again and read the text. Check your answers to exercise 20.

Pablo: Alexis, hai una penna, per favore?
Alexis: Sì, certo.
Pablo: Grazie. Ehm... scusa, hai anche una... Come si dice "pencil" in italiano?
Alexis: Matita.
Pablo: Giusto. Hai una matita?
Alexis: No, mi dispiace. Chiedi a Tamir.
Pablo: Tamir, scusa, hai una matita?
Tamir: Sì... guarda è lì sul tavolo, accanto al libro.

Impariamo le parole - Oggetti della classe

22. Do you know what these objects are called in Itali

(1) tavolo
(7) orologio
(8) zaino
(9) telefono
(2) sedia
(4) penna
(5) matita
(3) porta
(6) finesta
lavagna - blackboard
(10) carta
(11) taccuino / libretto
(12) libro

1. .... 2. .... 3. .... 4. ....

5. .... 6. .... 7. .... 8. ....

9. .... 10. .... 11. .... 12. ....

Comunichiamo

23. Study the names of the classroom objects for two minutes. Then, with a partner, make up some conversations as in the example, choosing a different object each time.

- Come si dice "pencil" in italiano?
- Si dice matita.
- Giusto. E come si scrive?
- Emme, a, ti, i, ti, a.

Facciamo grammatica

24. Complete the table by listing, under the appropriate heading, the singular and plural forms of the names of the classroom objects.

maschile singolare	maschile plurale	femminile singolare	femminile plurale
tavolo	tavoli	sedia	sedie

Comunichiamo

5

25. Listen to the dialogue. Are the statements true (Vero) or false (Falso)?

	Vero	Falso
1. Pablo ha un telefono fisso a casa.		
2. Pablo abita in Via Pantaneto.		
3. Megan ha un numero di telefono italiano.		

5

26. Listen to the dialogue again and read the text. Check your answers to exercise 25.

Megan: Pablo, qual è il tuo numero di telefono?
Pablo: 329 658907. Questo è il numero del cellulare. Non ho un telefono fisso a casa.
Megan: E qual è il tuo indirizzo a Siena?
Pablo: Via Pantaneto, 32. E il tuo indirizzo?
Megan: Il mio è Via Banchi di Sopra, 15.
Pablo: Hai un cellulare?
Megan: Sì, ma ho un numero americano. Il numero è 001 459372.

6

27. Listen to and repeat the numbers.

28. Ask a classmate to tell you their...

- Indirizzo.
- Numero di telefono.

29. **Write short paragraphs about these foreign students living in Siena outlining the information provided.**

1.

Nome:	Mark
Cognome:	Tafuri
Nazionalità:	Americana
Città:	Los Angeles
Età:	22
Indirizzo a Siena:	Via del Colle, 4
Numero di telefono:	055-345786

Lui si chiama ....,
il suo indirizzo è ....
.... e il suo numero
di telefono ....

2.

Nome:	Frank
Cognome:	Smith
Nazionalità:	Inglese
Città:	Cambridge
Età:	17
Indirizzo a Siena:	Via Ciacci, 15
Numero di telefono:	055-458921

Lui ....
....
....
....

3.

Nome:	Judie
Cognome:	Denueve
Nazionalità:	Francese
Città:	Parigi
Età:	20
Indirizzo a Siena:	Via Bandini, 3
Numero di telefono:	334-357893

....
....
....
....

4.

Nome:	Lauren
Cognome:	Divito
Nazionalità:	Australiana
Città:	Camberra
Età:	25
Indirizzo a Siena:	Via Enea, 23
Numero di telefono:	347-875411

....
....
....
....

30. Fill in the application form below for an Italian language course.

Centro di Cultura per Stranieri
Via Francesco Valori, 9 - I 50132 Firenze
Tel. +39 055 5032703-01-02 - Fax +39 055 5032705
E-Mail: cecustra@unifi.it - Sito web: www.unifi.it/ccs/

CORSO DI LINGUA ITALIANA

❑ **Propedeutico** ❑ **Medio** ❑ **Medio avanzato** ❑ **Superiore**

Cognome........................ Nome........................
Nato a........................ il (giorno/mese/anno)........................
Nazionalità........................ Professione........................
Titolo di Studio........................ Indirizzo a Firenze........................
E-mail........................ Telefono........................
Lingue conosciute........................

Allegare copia autentica del certificato di studio in lingua italiana, francese, inglese, spagnola o tedesca
Pagamento quota di iscrizione

Bonifico su:
c/c n. 000041126939
Unicredit Banca di Roma S.p.A., Via de' Vecchietti 11, I 50123 Firenze
cod. IBAN: IT 57 03002 02837 000041126939
Le tasse di iscrizione non possono essere rimborsate per nessun motivo

DATA........................ FIRMA........................

(adattato da http://www.ccs.unifi.it)

Conosciamo gli italiani

31. In your opinion, what is most likely to motivate people to study Italian?

- Interesse per la cultura italiana classica
- Studio
- Partner italiano
- Famiglia di origine italiana
- Lingua musicale
- Interesse per la cultura italiana moderna
- Viaggio in Italia
- Lavoro

32. Now read the text and answer the questions.

Gli studenti di italiano nel mondo sono 450.000. La maggior parte studia in America Latina, ma molti studiano anche nei paesi orientali dell'Asia e in America del Nord.
La prima ragione per lo studio dell'italiano è «Tempo libero», cioè l'interesse generale per la cultura italiana classica e moderna (la storia dell'arte, la letteratura, la musica, la cucina ecc.).
La seconda ragione è «Motivi personali» (famiglia di origine italiana, partner italiano).
Un grande numero di studenti ha una motivazione di lavoro e il lavoro è attualmente la terza ragione allo studio dell'italiano.
L'ultima scelta per lo studio della lingua è lo studio. Infatti, la percentuale è abbastanza bassa: soltanto il 19%. Generalmente gli insegnanti di italiano nei paesi stranieri sono quasi tutti madrelingua e hanno una Laurea italiana in Lettere o in Lingue.

1. Quanti sono gli studenti di italiano?
2. Qual è la prima regione del mondo per lo studio dell'italiano?
3. Qual è la motivazione più importante nello studio dell'italiano?
4. Qual è la percentuale degli studenti che hanno come motivazione lo «studio»?
5. Di dove sono gli insegnanti nei paesi stranieri?

Parliamo un po'...

- Quanti sono gli studenti di italiano nella tua università?
- Qual è la tua motivazione per studiare l'italiano?
- Hai una motivazione forte o debole?
- ...

Si dice così!

Here are some useful expressions to...

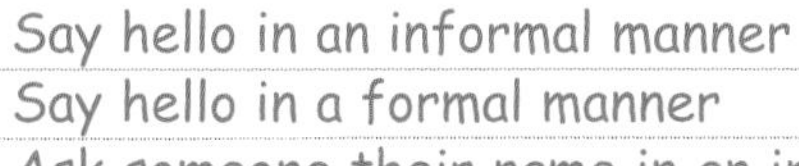

Say hello in an informal manner	Ciao./Salve!
Say hello in a formal manner	Buongiorno!
Ask someone their name in an informal manner	Come ti chiami?
Ask someone their name in a formal manner	Come si chiama?
Say your name	Mi chiamo Alexia.
Ask someone their age	Quanti anni hai?
Say how old you are	Ho 22 anni.
Ask someone where they are from in an informal manner	Di dove sei?
Ask someone where they are from in a formal manner	Di dov'è?
Say what your nationality is and give the name of your town/city	Sono americano, di Portland.
Ask someone for their telephone number	Qual è il tuo numero di telefono?
Ask someone for their address	Qual è il tuo indirizzo?

In addition...

Non ho capito.
Puoi ripetere per favore?
Come si scrive "..."?
Che vuol dire "..."?
Come si dice "..." in italiano?

Sintesi grammaticale

- **The alphabet (*L'alfabeto*)**

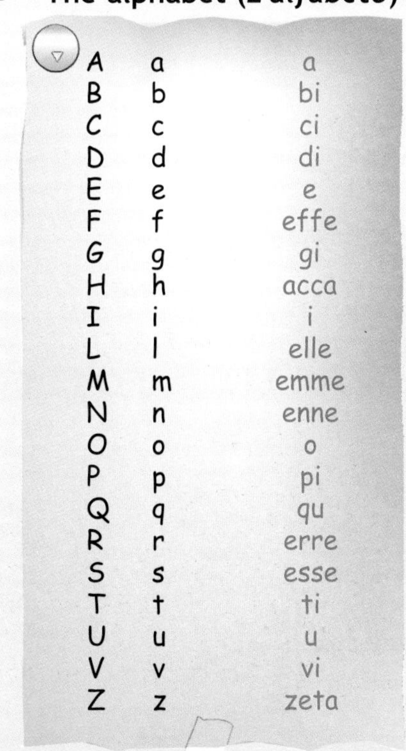

A	a	a
B	b	bi
C	c	ci
D	d	di
E	e	e
F	f	effe
G	g	gi
H	h	acca
I	i	i
L	l	elle
M	m	emme
N	n	enne
O	o	o
P	p	pi
Q	q	qu
R	r	erre
S	s	esse
T	t	ti
U	u	u
V	v	vi
Z	z	zeta

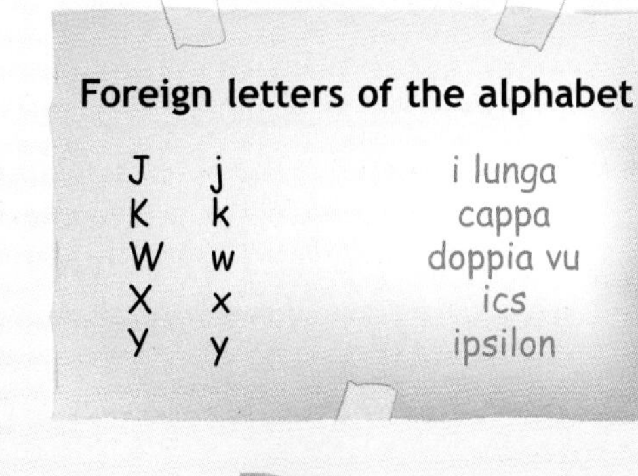

Foreign letters of the alphabet

J	j	i lunga
K	k	cappa
W	w	doppia vu
X	x	ics
Y	y	ipsilon

- **Numbers from 0 to 100 (*I numeri da zero a cento*)**

zero	0	dodici	12	trenta	30
uno	1	tredici	13	trentadue	32
due	2	quattordici	14	trentotto	38
tre	3	quindici	15	quaranta	40
quattro	4	sedici	16	quarantuno	41
cinque	5	diciassette	17	quarantotto	48
sei	6	diciotto	18	cinquanta	50
sette	7	diciannove	19	sessanta	60
otto	8	venti	20	settanta	70
nove	9	ventuno	21	ottanta	80
dieci	10	ventidue	22	novanta	90
undici	11	ventotto	28	cento	100

- **The verbs *essere* and *avere* (*I verbi* essere *e* avere)**

	essere	avere
io	sono	ho
tu	sei	hai
lui/lei/Lei	è	ha
noi	siamo	abbiamo
voi	siete	avete
loro	sono	hanno

- **The first, second and third persons singular of the verb *chiamarsi***

	chiamarsi
io	mi chiamo
tu	ti chiami
lui/lei/Lei	si chiama

- **Number and gender agreement of nouns (*Genere e numero dei sostantivi*)**

	Masculine	Feminine
Singular	tavolo	sedia
Plural	tavoli	sedie

- **Adjectives of nationality (*Aggettivi di nazionalità*)**

Masculine	Feminine
italiano	italiana
inglese	inglese

- **Negatives (*La negazione*)**

Mark è francese? No, è tedesco.
Mark è francese? No, non è francese. È tedesco.

non + verb

Scheda di autovalutazione 1
Unità 1

1. **Write at least one expression to...**

- Say your name:

....

- Ask someone for their telephone number:

....

- Say hello:

....

- Say goodbye:

....

- Ask someone their nationality:

....

- Ask for a repetition:

....

2. **How often have you used expressions to...**

	very often ++	quite often +	not often -	not at all - -
say your name and age?				
give and ask for a phone number?				
say hello?				
say goodbye?				
ask someone where they come from and their nationality?				
ask for a repetition?				

3. **Where have you used the expressions to...**

	in class	with others on the course	with Italians outside of class	with other foreigners
say your name and age?				
give and ask for a phone number?				
say hello?				
say goodbye?				
ask someone where they come from and their nationality?				
ask for a repetition?				

4. **What words from unit 1 do you want to remember? Try to also include adjectives, nouns, verbs and adverbs associated with the words you want to remember.**

1. ....
2. ....
3. ....
4. ....
5. ....
6. ....
7. ....
8. ....

5. **Do you know any other words that relate to the topic in unit 1? If you do, what are they? Where did you hear or read these words?**

NEW WORDS	tv	radio	internet	out and about	newspaper	classmates	other (please specify)

Isola di Procida, Napoli

Lavori o studi?

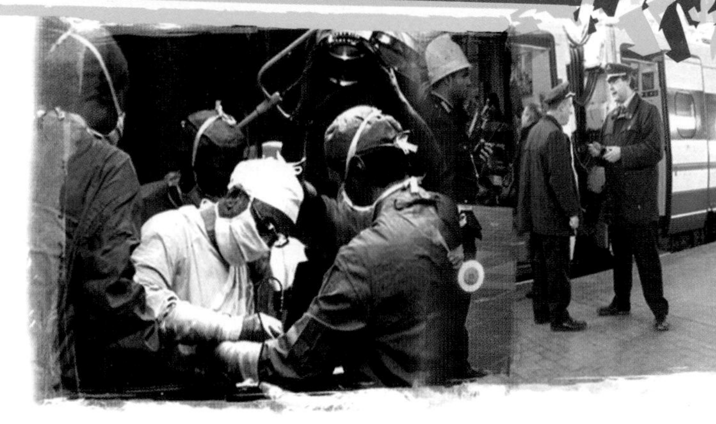

Entriamo in tema

- Studi o lavori?
- Se lavori, che lavoro fai?
- Secondo te, qual è un lavoro interessante?
- Con un compagno pensa a tre lavori e prova a descriverli.

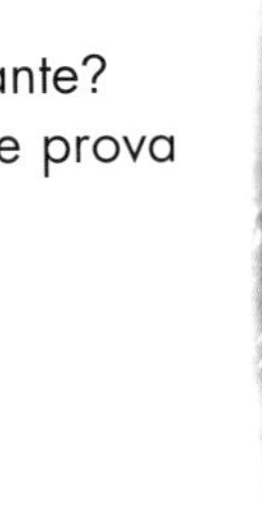

Comunichiamo

7

1. Listen to the dialogue. Are the statements true or false?

	Vero	Falso
1. Kristen presenta Francesco a Marco.		
2. Kristen non parla italiano.		
3. Kristen lavora e studia.		
4. Marco lavora in un'agenzia di viaggi.		
5. Marco abita in Via San Lorenzo.		

7

2. Listen to the dialogue again and read the text. Check your answers to exercise 1.

Francesco: Ciao Marco!
Marco: Ciao Francesco! Come stai?
Francesco: Bene, grazie! E tu?
Marco: Anch'io sto bene.
Francesco: Questa è Kristen, la mia ragazza. Kristen, questo è Marco.
Marco: Piacere!
Kristen: Piacere!
Francesco: Kristen è americana, viene da Boston, e parla abbastanza bene l'italiano.
Marco: Da quanto tempo sei in Italia, Kristen?
Kristen: Da cinque mesi.
Marco: E cosa fai? Lavori?
Kristen: Sì, lavoro part time e studio italiano all'università.
Marco: Ah, bene. E che lavoro fai?
Kristen: Faccio la cassiera in un piccolo negozio. E tu?
Marco: Io lavoro in una libreria in Via Pantaneto, faccio il commesso.
Kristen: E abiti qui vicino?
Marco: Sì, abito in Via San Lorenzo, a cinque minuti da qui.
Kristen: Ah... quindi vai a lavorare a piedi, no?
Marco: Sì, vado a piedi. E voi dove andate adesso?
Francesco: Mah... un po' in giro e poi a casa. Senti, prendiamo un caffè insieme?
Marco: Mi dispiace ma tra dieci minuti apre la libreria. Facciamo un'altra volta?
Francesco: Va bene, allora a presto.
Marco: Ciao ragazzi, buona giornata!
Kristen: Ciao Marco. Buona giornata anche a te.

Monastero dell'Escorial, Madrid

3. **Introduce the people named below, using the following lines from the dialogue as a guide. Add where they come from to the introduction.**

- Ciao Marco!
- Ciao Francesco! Come stai?
- Bene grazie! E tu?
- Anch'io sto bene.
- Questa è Kristen, la mia ragazza. Kristen, questo è Marco.

Luigi/Francia/Nizza.
Mary/Olanda/Amsterdam.
Roberto/Spagna/Madrid.
Olga/Germania/Berlino.

Impariamo le parole - Professioni

4. **Write each of the following words under the correct picture**

segretaria - medico - vigile - farmacista - cameriere
insegnante - impiegato - postino - autista

1. ....autista.... 2. ....cameriere.... 3. ....vigile....

4. ....impiegato.... 5. ....segretaria.... 6. ....insegnante....

7. ....farmacista.... 8. ....postino.... 9. ....medico....

5. **Match the occupation to the workplace.**

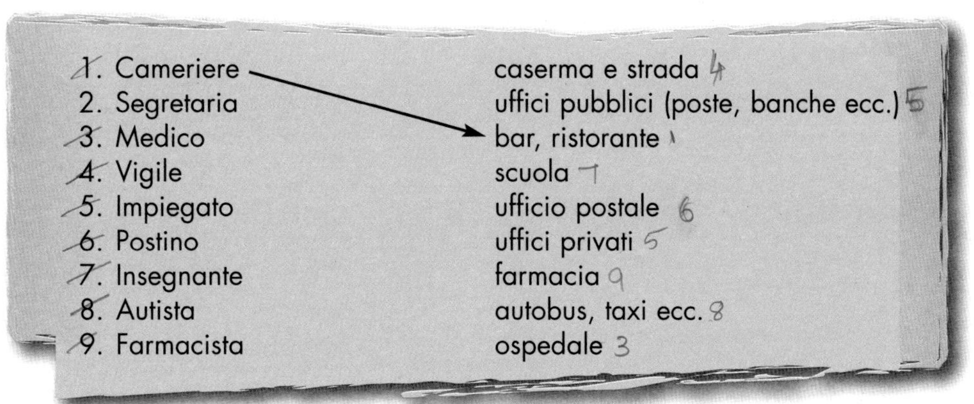

1. Cameriere	caserma e strada
2. Segretaria	uffici pubblici (poste, banche ecc.)
3. Medico	bar, ristorante
4. Vigile	scuola
5. Impiegato	ufficio postale
6. Postino	uffici privati
7. Insegnante	farmacia
8. Autista	autobus, taxi ecc.
9. Farmacista	ospedale

6. **Choose a job for each person and make sentences as in the example.**

Esempio: Marco fa il cameriere, lavora in un bar.

1. Maria ...., ...
2. Francesco ...., ...
3. Massimo ...., ...
4. Carla ...., ...
5. Alessandro ...., ...
6. Angela ...., ...
7. Alberto ...., ...
8. Giuseppe ...., ...

Conosci un altro modo per dire la professione?

7. ***Che lavoro è?* Describe the features of three occupations to a classmate, who will use them to guess the job.**

Facciamo grammatica

8. **Reread the dialogue on page 23 and try to complete the table by supplying the missing forms of the regular *-are*, *-ere*, *-ire* verbs shown.**

lavorare		**studiare**		**abitare**	
io	....	io	....	io	....
tu	....	tu	studi	tu	....
lui/lei/Lei	lavora	lui/lei/Lei	....	lui/lei/Lei	....
noi	....	noi	....	noi	abitiamo
voi	lavorate	voi	....	voi	....
loro	....	loro	studiano	loro	....

prendere		**aprire**	
io	prendo	io	....
tu	prendi	tu	....
lui/lei/Lei	prende	lui/lei/Lei	....
noi	....	noi	....
voi	prendete	voi	aprite
loro	prendono	loro	aprono

9. **Supply the missing forms of the irregular verbs that appear in the dialogue on page 23.**

STARE		FARE		ANDARE	
io	....	io	....	io	....
tu	....	tu	....	tu	....
lui/lei/Lei	sta	lui/lei/Lei	....	lui/lei/Lei	va
noi	stiamo	noi	....	noi	....
voi	state	voi	fate	voi	....
loro	stanno	loro	fanno	loro	vanno

10. **Complete the text with the correct forms of the verbs in brackets.**
Marco, la sua ragazza, i suoi amici.

(Io - essere) (1).......................... Marco, un ragazzo italiano di Bologna ma (vivere) (2).......................... a Siena da cinque anni. (Abitare) (3).............................. in una casa in centro insieme alla mia ragazza, Kristen. Io e Kristen (stare) (4).............................. insieme da due anni e mezzo. Io sono impiegato, (lavorare) (5).......................... in banca, alla Monte dei Paschi. Kristen invece (studiare) (6).......................... e (lavorare) (7).......................... part time in un piccolo negozio, (fare) (8).......................... la cassiera. Kristen ha una giornata intensa perché lei (aprire) (9).......................... il negozio alle 9 e (chiudere) (10).......................... alle 13.00. (Fare) (11).......................... una pausa di un'ora e poi (correre) (12).......................... all'università per le lezioni.
Nel tempo libero io e Kristen (partire) (13).......................... insieme e (passare) (14).......................... molti fine settimana fuori Siena. Francesco e Alberto (essere) (15).......................... i miei amici e colleghi di lavoro. Loro (abitare) (16).......................... un po' fuori Siena ma spesso passiamo la serata insieme: generalmente (cenare) (17).......................... fuori o (vedere) (18).......................... le partite in televisione. Loro (giocare) (19).......................... bene a calcio e (discutere) (20).......................... molto perché Francesco (tifare) (21).......................... per il Milan e Alberto (tifare) (22).......................... per la Juve.

Entriamo in tema

- Quale università frequenti?
- Che cosa studi?
- Quali esami devi fare?
- Quali sono le materie facili? E le materie difficili?

Comunichiamo

8

11. **Listen to the dialogue. Are the statements true or false?**

	Vero	Falso
1. Leda è una bella ragazza.	☐	☐
2. Leda ha i capelli corti.	☐	☐
3. Marco è di Siena.	☐	☐
4. Marco è un fotografo.	☐	☐
5. Leda studia medicina all'università.	☐	☐

8

12. **Listen to the dialogue again and read the text. Check your answers to exercise 11.**

Marco: Alberto, chi è la ragazza che parla con Maria?
Alberto: La ragazza alta con i capelli lunghi?
Marco: Sì.
Alberto: Si chiama Leda. È molto carina, vero?
Marco: Sì! È davvero una bella ragazza!

UFFICIO INFORMAZIONI

If a boy and a girl know each other, they can say hello or goodbye with a kiss on the cheek. In southern Italy a kiss on both cheeks is normal, even for greetings between men. Generally, Italians are accepting of reduced personal space.

Alberto: Ciao Leda!
Leda: Oh, ciao Alberto! Come va?
Alberto: Non c'è male, grazie. Senti, ti presento Marco, un mio amico. Marco, lei è Leda.
Marco: Piacere!
Leda: Piacere! Sei di Siena, Marco?
Marco: No, sono di Palermo.
Leda: E cosa fai qui a Siena? Studi?
Marco: No, lavoro in un'agenzia pubblicitaria.
Leda: Ah, e che lavoro fai esattamente?
Marco: Sono fotografo.
Leda: Davvero? Un lavoro interessante...
Marco: Sì. Qualche volta è duro ma è interessante. E tu cosa fai?
Leda: Io vado ancora all'università, studio Economia. Ho gli ultimi esami: matematica, statistica ed economia politica.
Marco: Sono difficili?
Leda: Eh sì, abbastanza. Soprattutto l'esame di matematica.

13. Here is one of the course options for a first year student at the University for Foreigners of Siena.

I anno	**cfu***
1 lingua dell'Unione Europea a scelta fra: Lingua e traduzione - Lingua Francese Lingua e traduzione - Lingua Spagnola Lingua e traduzione - Lingua Inglese Lingua e traduzione - Lingua Tedesca	9
laboratorio della lingua dell'Unione Europea Letteratura Italiana Linguistica Generale	9
Semiotica	9
Storia della Lingua Italiana	9
Diritto dell'Unione Europea	9
1 lingua a scelta fra: Lingua e traduzione - Lingua Francese Lingua e traduzione - Lingua Spagnola Lingua e traduzione - Lingua Inglese Lingua e traduzione - Lingua Tedesca Lingua e traduzione - Lingua Russa Lingua e Letteratura del Giappone Lingua e Letteratura Araba Lingua e Letteratura della Cina	6
Laboratorio della Seconda Lingua Scelta	3
Laboratorio di Scrittura	3
Laboratorio di Informatica	3
totale cfu	**60**

*cfu
crediti formativi universitari

1. Come si chiama secondo te il corso di laurea?
   - Insegnamento della lingua e della cultura italiana a stranieri ☐
   - Traduzione in ambito turistico imprenditoriale ☐
   - Lingua e cultura italiana ☐

2. Quante lingue devi studiare? Sono esclusivamente lingue europee? Ti interesserebbe frequentare questo corso?

Impariamo le parole - Aggettivi qualificativi

The dialogue contains a number of adjectives, namely, words that are used to indicate a quality of the noun.

14. Reread the dialogue and find the adjectives.

Com'è Leda? .... e ....

Com'è il lavoro di Marco? .... e ....

15. Write each of the following adjectives under the appropriate picture. You can use a dictionary if you need to.

grande - piccolo - veloce - lento - bello - brutto
pieno - vuoto - freddo - caldo - nuovo - vecchio

1. .... 2. .... 3. .... 4. ....

5. .... 6. .... 7. .... 8. ....

9. .... 10. .... 11. .... 12. ....

16. Cover the pictures in exercise 15 and select the adjectives that have the opposite meaning to those given below.

1. pieno ....vuoto....
2. caldo ....freddo....
3. bello ....brutta....
4. lento ....veloce....
5. vecchio ....nuovo....
6. piccolo ....grande....

Facciamo grammatica

17. Reread the dialogue on pages 26-27 and then complete the adjectives in the following tables.

A.

	maschile	femminile
singolare	ragazzo bell.....	ragazza bell.....
plurale	ragazzi belli	ragazze bell.....

B.

	maschile	femminile
singolare	esame/lavoro difficile	materia difficile
plurale	esami/lavori difficil.....	materie difficil.....

Osserva!

- La ragazza alta con i capelli lunghi?
- L'esame di matematica non è difficile, ma gli esami di storia e di economia sono difficili.

The words highlighted are definite articles.

18. Complete the table.

	maschile	femminile
singolare	l'esame .... amico lo zaino/stadio/yogurt il lavoro	la ragazza .... amica
plurale	.... esami .... amici .... zaini/stadi/yogurt .... lavori	.... ragazze .... amiche

19. Combine an article, a noun and an adjective, as in the example.

Esempio: Il tavolo alto

20. Now write the plural form of each combination.

1. ....
2. ....
3. ....
4. ....
5. ....
6. ....
7. ....
8. ....
9. ....
10. ....
11. ....
12. ....

Osserva!

- Kristen è americana, viene da Boston.
- Da quanto tempo sei in Italia, Kristen?
- Sono di Palermo.
- Cosa fai qui a Siena, Marco?
- Lavoro in un'agenzia pubblicitaria.

The words highlighted are prepositions.

21. Choosing the correct preposition.

1. Which preposition is used with the verb *essere* to say which city someone is from? ....
2. Which preposition is used with the verb *venire* to say which city someone is from? ....
3. Which preposition is used to indicate places in general? ....
4. Which preposition is used to indicate that someone is in a town or city? ....
5. Which preposition is used to indicate that someone is in a country? ....

Attenzione!

The verb andare is followed by the preposition a when the next word is an infinitive:
vado a lavorare; vado a studiare; vado a mangiare, etc.

To indicate motion towards a place the preposition changes:
vado in palestra, in discoteca, in pizzeria, in città, in piazza, etc.

But...
Vado a casa, a scuola, a teatro.

22. Circle the correct preposition in each case.

1. Sono da/di/a/in Napoli ma abito in/a/da/di Toscana, a/di/in/da Siena da 2 anni.
2. Io lavoro in/da/di/a un ufficio di/a/da/in Via Pantaneto 20.
3. Dopo la pausa per il pranzo, torno in/da/di/a ufficio.
4. Generalmente dopo il lavoro torno subito in/da/a/di casa.
5. Qualche volta il fine settimana vado in/da/di/a teatro.
6. Vado a/di/da/in lavorare ogni mattina alle 8.
7. Lavoro a Siena ma vengo da/a/di/in Firenze ogni mattina con la macchina.

Conosciamo gli italiani

23. Read the text and answer the questions.

Il mondo del lavoro

La percentuale delle persone che lavorano in Italia è di circa l'80% con forti differenze tra Nord e Sud. La regione con maggiore occupazione è il Veneto, mentre in Sicilia c'è una disoccupazione superiore al 30%.
Gli italiani lavorano in media 35 ore alla settimana per 5 giorni alla settimana. La maggior parte dei lavoratori lavora nel settore terziario (uffici e servizi), mentre pochi lavorano nell'agricoltura.
Negli ultimi anni la maggior parte dei lavori sono «a tempo determinato», cioè finiscono dopo un periodo di tempo abbastanza breve (da 3 mesi a 1 anno) e molti lavori sono anche a tempo parziale.
L'età massima per finire di lavorare e andare in pensione è 61 anni per le donne e 65 per gli uomini.
In Italia esistono 3 grandi sindacati (CGIL, CISL, UIL) che difendono gli interessi dei lavoratori e, quando necessario, organizzano scioperi e proteste.

1. Qual è la regione con più occupazione? ....
2. Quali sono i lavori più comuni? ....
3. Quando è possibile andare in pensione? ....
4. Quali sono i sindacati più grandi? ....

Parliamo un po'...

➲ Quali sono i lavori più comuni nel tuo Paese?
➲ Quali sono gli stati con maggiore occupazione?
➲ Quali sono gli stati con maggiore disoccupazione?
➲ È normale cambiare lavoro frequentemente?
➲ Quali sono i vantaggi e gli svantaggi di un lavoro fisso?
➲ I sindacati hanno molta importanza?
➲ Ci sono scioperi frequenti come in Italia?
➲ ...

Si dice così!

Here are some useful expressions to...

Ask someone how they are and say how you are	• Come stai? / Come va? • Bene grazie, e tu?
Introduce someone and reply to an introduction	• Questa è Kristen. / Questo è Marco. • Piacere!
Ask someone what job they do and say what you do	• Che lavoro fai? • Sono insegnante. / Faccio l'insegnante.
Say goodbye	• A presto! • Buona giornata!

Sintesi grammaticale

- **Regular *-are*, *-ere* and *-ire* verbs**

	LAVORARE	PRENDERE	PARTIRE
io	lavoro	prendo	parto
tu	lavori	prendi	parti
lui/lei/Lei	lavora	prende	parte
noi	lavoriamo	prendiamo	partiamo
voi	lavorate	prendete	partite
loro	lavorano	prendono	partono

- **Some irregular verbs**

	STARE	FARE	ANDARE
io	sto	faccio	vado
tu	stai	fai	vai
lui/lei/Lei	sta	fa	va
noi	stiamo	facciamo	andiamo
voi	state	fate	andate
loro	stanno	fanno	vanno

	DARE	BERE	VENIRE
io	do	bevo	vengo
tu	dai	bevi	vieni
lui/lei/Lei	dà	beve	viene
noi	diamo	beviamo	veniamo
voi	date	bevete	venite
loro	danno	bevono	vengono

- **Definite articles (*Articoli determinativi*)**

	Masculine (before a consonant)	**Feminine** (before a consonant)
Singular	il libro	la porta
Plural	i libri	le porte

	Masculine (before a vowel)	**Feminine** (before a vowel)
Singular	l'albergo	l'amica
Plural	gli alberghi	le amiche

	Masculine (before an s + consonant, z, y, x)
Singular	lo zaino, lo studio, lo yogurt
Plural	gli zaini

Articles agree with the noun they precede and change depending on the first letter of that noun.

- **Adjectives (*Aggettivi*)**

	Masculine	**Feminine**
Singular	ragazzo bello	ragazza bella
Plural	ragazzi belli	ragazze belle

	Masculine	**Feminine**
Singular	esame/lavoro difficile	materia difficile
Plural	esami/lavori difficili	materie difficili

Adjectives agree with the noun in number and gender: if the noun is masculine singular, the adjective needs to be masculine singular; if the noun is feminine singular, the adjective is feminine singular; if the noun is masculine plural, the adjective is masculine plural; if the noun is feminine plural, the adjective is feminine plural.
Adjectives that end in an -e (interessante, difficile, etc.) stay as they are when describing a singular noun and end in an -i when describing a plural noun, regardless of whether that noun is masculine or feminine.

- **The prepositions (*Le preposizioni*) *in, a, di, da***

Examples:
Sono di Palermo, ma vivo a Siena.
Abito in Via San Lorenzo.
Vengo da Firenze.

In, a, di and da are prepositions of place; the verb and the place dictate which one is required.

Funzioni

1. Write the following questions in the formal form.

1. Come ti chiami? ....?
2. Quanti anni hai? ....?
3. Che lavoro fai? ....?
4. Di dove sei? ....?
5. Come stai? ....?

/5

2. Answer the following questions.

1. Come ti chiami? ....
2. Quanti anni hai? ....
3. Sei italiano? No, ...
4. Parli il portoghese? ....

/4

Grammatica

3. Supply the definite article in each case.

.... libro .... amica .... zaino
.... albero .... ragazza .... agenda

/6

4. Complete the following with the verbs *essere* and *avere*.

1. Maria (*essere*) .... una ragazza austrialiana.
2. Marco e Luigi (*avere*) .... fame.
3. Io e la mia fidanzata (*essere*) .... stanchi.
4. Io ho 20 anni, voi quanti anni (*avere*) ....?
5. Ciao ragazzi, di dove (*voi - essere*) ....?

/5

5. Complete the following using the present tense of the verbs provided.

1. Io (*mangiare*) .... la pasta tutti i giorni.
2. Franco (*studiare*) .... Economia all'Università di Siena.
3. Voi (*capire*) .... le lezioni in italiano?
4. Maurizio e Elena (*stare*) .... a casa la sera.
5. Io e i miei compagni (*fare*) .... un test di italiano ogni settimana.
6. Quando (*andare*) .... in centro, Marta e Maria (*prendere*) .... la macchina.

7. Io e la mia ragazza (*andare*) .... spesso al cinema.
8. Per stare in forma Marco (*fare*) .... sport e (*bere*) ....
molta acqua.

/5

6. Complete the adjectives below.

1. La macchina nuov....................
2. I ragazz.................... simpatici
3. Le pizze cald....................
4. I lavori difficil....................
5. Le ragazze elegant....................

/5

7. Complete the following by supplying the appropriate preposition.

1. Abito .... Firenze.
2. Vivo .... Italia.
3. In genere torno .... casa alle 17.
4. Il sabato noi andiamo .... pizzeria.
5. Domani vado .... Roma.

/5

Vocabolario

8. Write down the correct adjectives of nationality. Don't forget the masculine and feminine agreements!

Esempio: Luisa è (Italia) italiana.

1. Anna è (Francia) ....frencese....
2. John è (Inghilterra) ....inglese....
3. Roby è (Irlanda) ....Irlandese....
4. Eva è (Germania) ....tedsca....
5. Tom è (Stati Uniti) ....amenicano....

/2,5

9. Write the following numbers in full.

5: ....~~sa~~ cinque........ 13: ....tredici....
7: ....sette.... 8: ....otto....

/2,5

Punteggio Totale /40

Unità 3

Una bottiglia d'acqua, per favore.

Entriamo in tema

- Quanti tipi di caffè conosci?
- Quanti caffè bevi al giorno?
- Preferisci il caffè di casa o del bar?
- Come si chiama la macchinetta per fare il caffè a casa?

Comunichiamo

1. Listen to the dialogue and complete the table.

	cosa prende da mangiare?	cosa prende da bere?
primo cliente		
secondo cliente		
terzo cliente		

2. Listen to the dialogue again. Are the statements true or false?

	Vero	Falso
1. I ragazzi consumano al banco.	☐	☐
2. Un ragazzo paga per tutti.	☐	☐
3. I ragazzi spendono molto.	☐	☐

3. Listen to the dialogue again and read the text. Check your answers to exercises 1 and 2.

Marco: Ragazzi, sono stanco. Facciamo cinque minuti di pausa?
Anna: Va bene. Andiamo al bar?
Alberto: Buona idea, mi piace fare colazione al bar.
cameriere: Buongiorno! Prego...
Marco: Buongiorno. Allora, io prendo un caffè.
cameriere: Macchiato?
Marco: No, normale. Grazie.
Anna: Per me un cappuccino e un cornetto.
cameriere: Con la crema o con la marmellata?
Anna: Mmm... preferisco il cornetto con la marmellata, la crema non mi piace.
Alberto: Io vorrei un latte caldo e una sfoglia.
cameriere: Allora sono: un caffè, un cappuccio, un latte, una sfoglia e un cornetto, giusto?
Marco: Sì, esatto. Possiamo sederci al tavolo?
cameriere: Sì, certo.
(*Dopo cinque minuti*)
cameriere: Allora... ecco il caffè, il cornetto e il cappuccino, il latte e la sfoglia.
Marco: Perfetto. Quant'è?
cameriere: 12 euro e 50.
Marco: Ragazzi, pago io. Ecco a Lei.
cameriere: Grazie. Porto subito il resto.
Alberto: Però ragazzi... 12 euro e 50 è veramente caro!
Marco: Sì, ma considera il servizio al tavolo...
Anna: E poi... siamo a Firenze.

UFFICIO INFORMAZIONI

In Italian bars, consuming your food and drink at a table costs more (in some cases a lot more!). Italians don't generally tip waiters, especially in a bar. The client pays and must be given a receipt.

Impariamo le parole - Cibi e bevande al bar

4. Write the words listed below under the correct picture.

succo di frutta - cappuccino - patatine - cono gelato - tramezzino - panino - cornetto
latte - birra alla spina - cannolo di sfoglia - lattina di Coca - bicchiere d'acqua

1. cornetto
2. cappuccino
3. latte
4. birra alla spina

5. tramezzino
6. cannolo di sfoglia
7. panino
8. bicchiere d'acqua

9. succo di frutta
10. lattina di coca
11. patatine
12. cono gelato

5. Write down five things you can order in a bar that you like, and five things you don't like. Compare your likes and dislikes to those of a classmate.

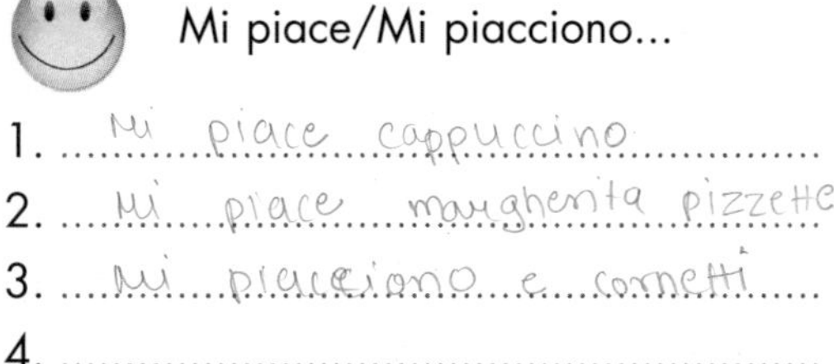

Mi piace/Mi piacciono...	Non mi piace/Non mi piacciono...
1. Mi piace cappuccino	1.
2. Mi piace margherita pizzette	2.
3. Mi piacciono e cornetti	3.
4.	4.
5.	5.

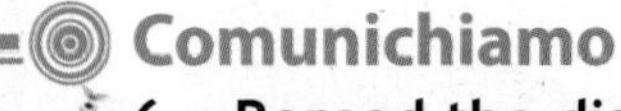

Comunichiamo

6. Reread the dialogue on page 35 and find the expressions used to...

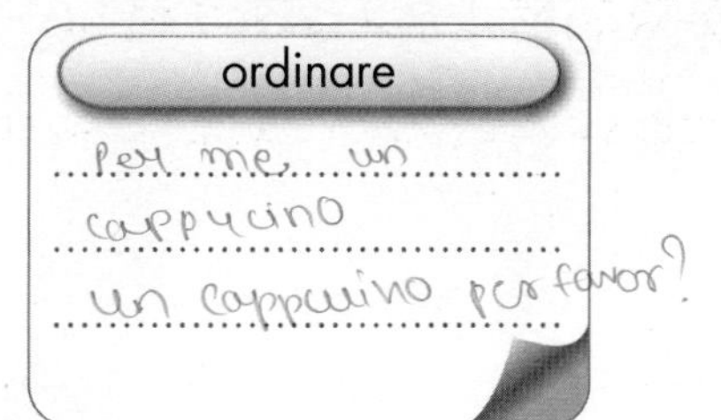

ordinare	chiedere il prezzo	dire il prezzo
Per me un cappucino Un cappuccino per favor?	Quante?	12 euro e 50

7. Work with a partner. One of you is the waiter and the other is the customer. Look at the menu, order something, and then pay. Then swap roles and do the same again.

Bar "Le Contrade"

CAFFETTERIA

Caffè	0,80
Caffè corretto	0,95
Caffè d'orzo in tazza piccola	0,80
Caffè d'orzo in tazza grande	0,95
Cappuccino	1,20
Latte	1,00
Latte macchiato	1,20
Tè al limone/al latte	1,20

BIBITE ANALCOLICHE

Spremuta di arance	1,80
Succhi di frutta	1,50
Bibite in lattina	2,00
Acqua naturale/frizzante bicchiere	0,30
Acqua naturale/frizzante bottiglia	0,95

BIRRE

Bionda alla spina 0,20 lt.	1,80
Bionda alla spina 0,40 lt.	3,50
Birre italiane in bottiglia 0,33 lt.	2,20
Birre estere in bottiglia 0,33 lt.	2,50

VINO

Bianco/rosso della casa bicchiere	1,80
Bianco/rosso della casa 1/2 litro	3,50
Prosecco bicchiere	2,30
Lambrusco bicchiere	2,20

PANINI

Pomodoro, mozzarella, rucola	2,40
Prosciutto e mozzarella	2,70

TRAMEZZINI

Tonno e pomodoro	2,00
Tonno e maionese	2,00
Prosciutto e formaggio	2,00
Spinaci e funghi	2,00

PIZZETTE

Margherita	2,20
Con prosciutto	2,40

GELATI

Cono	2,00
Coppetta piccola	1,80
Coppetta media	2,20
Coppetta grande	2,80
Aggiunta di panna	0,50

8. Reread the dialogue on page 35 and write down the expressions Alberto and Anna use to say what they like and what they don't like.

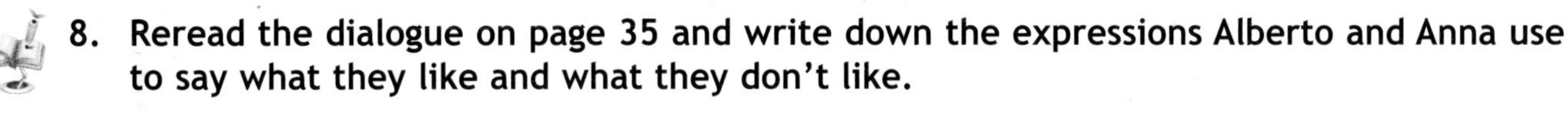

Alberto: ....

Anna: ....

9. **Reread the dialogue and write down the expression Anna uses to express her preference.**
Anna: ....

10. ***Cosa ti piace? Cosa preferisci?* Work with a partner to create dialogues as in the example.**

biscotti al cioccolato/al burro

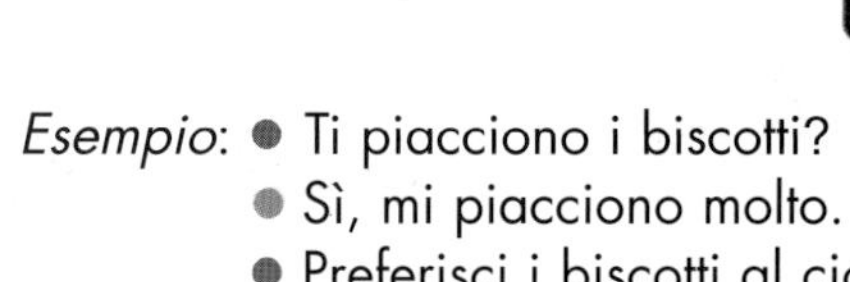

Esempio: ● Ti piacciono i biscotti?
● Sì, mi piacciono molto.
● Preferisci i biscotti al cioccolato o al burro?
● Preferisco i biscotti al cioccolato.

1. cornetto con la crema/con la marmellata
2. caffè con lo zucchero/senza zucchero
3. succo di frutta alla pera/all'arancia
4. Coca Cola liscia/con ghiaccio
5. tramezzino con la maionese/senza maionese
6. gelato con la panna/senza panna
7. birra alla spina/in bottiglia

Facciamo grammatica

11. **How is the verb *piacere* used?**

a. with singular nouns ....
b. with plural nouns ....
c. with an infinitive verb ....

12. **Complete the sentences with the verb *piacere* in the correct form.**

1. Come secondo mangio il formaggio perché la carne non mi ....
2. Marco, ti .... i dolci con la crema?
3. Per me l'Italia è molto bella. Mi .... principalmente Firenze e Venezia.
4. Il sabato sera mi .... andare a mangiare al ristorante.
5. Non mi .... i cibi esotici, preferisco la cucina tradizionale.
6. ● Perché non mangi la pasta?
   ● Non mi ....

13. **Using the verb *finire* to guide you, provide the various forms of the verb *preferire*.**

	preferire	**finire**
io		fin-**isc**-o
tu		fin-**isc**-i
lui/lei/Lei		fin-**isc**-e
noi		fin-iamo
voi		fin-ite
loro		fin-**isc**-ono

What letters need to be added between the stem and the ending of the verb in the first, second and third persons singular, and in the third person plural, of the verb *preferire*? ....
There are also other verbs (*pulire, capire, spedire*, etc.) that conjugate like *preferire* and *finire*.

14. Complete the sentences with the correct forms of the verbs in brackets.

1. Non mi piace andare in montagna, (preferire) .... il mare.
2. Noi (pulire) .... la casa due volte alla settimana.
3. John non (capire) .... ancora l'italiano.
4. Tu e Maria (uscire) .... insieme stasera?
5. Quando (finire) .... le tue lezioni all'università?
6. La nostra relazione non va bene! Tu non (capire) .... mai quello che voglio.

Comunichiamo

15. Listen to the dialogue and use the words provided to complete the lines below.

posso fumare - non è possibile - può portare
può fumare - è possibile

cliente: Cameriere, scusi.
cameriere: Prego, mi dica.
cliente: .... aprire la finestra? Fa molto caldo.
cameriere: Certo, la apro subito.
cliente: Ah, senta, può portare un'altra bustina di zucchero, per favore?
cameriere: Va bene.
cliente: Scusi, ancora un'ultima cosa: .... in questa sala?
cameriere: No, in questo bar non ....
cliente: Ma non c'è nessuno qui!
cameriere: Mi dispiace, ma in Italia nei locali pubblici .... fumare.
cliente: Va bene, allora mi .... il conto?
cameriere: Sì, subito.

16. Read the dialogue and complete the sentences.

1. Il cliente chiede al cameriere se ....
2. Il cliente chiede se può ....
3. Il cameriere risponde che ....
4. Il cliente, deluso, chiede al cameriere se ....

UFFICIO INFORMAZIONI

In Italy, smoking in indoor public places (bars, restaurants, etc.), on trains and in workplaces has been banned since 2005. Very few places have rooms or spaces available for use by smokers.

17. Reread the dialogue and find the expressions the customer uses to...

chiedere il permesso	chiedere al cameriere di fare qualcosa
a.	c. ....
b.	

18. You are a customer in a bar. With a partner, create some brief dialogues in which you either ask for permission to do something or ask the waiter to do something.

1. fare una telefonata
2. consultare l'elenco del telefono
3. avere delle noccioline con l'aperitivo
4. accendere il condizionatore d'aria
5. portare una bottiglia d'acqua
6. abbassare il volume della musica
7. usare il bagno
8. portare un'altra birra

Entriamo in tema

19. What can I buy in these places? Match a shop to a product.

1. pescheria
2. pasticceria
3. gelateria
4. ipermercato
5. panificio
6. macelleria

a) pane, pizza, biscotti
b) alimenti, vestiti, televisori ecc.
c) pesce
d) dolci e paste
e) carne
f) gelati

Comunichiamo

11

20. Listen to the dialogue and choose the correct answer.

1. Per la cena i ragazzi vogliono preparare la pasta
   - ❑ a. al parmigiano
   - ❑ b. al basilico
   - ❑ c. al pesto
2. I ragazzi comprano
   - ❑ a. un chilo di spaghetti
   - ❑ b. due chili di spaghetti
   - ❑ c. due etti di spaghetti
3. Come secondo vogliono preparare
   - ❑ a. carne
   - ❑ b. mozzarella
   - ❑ c. stracchino
4. Giulio al supermercato compra anche
   - ❑ a. il pane
   - ❑ b. il caffè
   - ❑ c. la frutta

11

21. Listen to the dialogue again and read the text. Check your answers to exercise 20.

Mario: Giulio, facciamo la lista della spesa per la cena di domani?
Giulio: Sì, certo. Quanti siamo?
Mario: Siamo in dieci.
Giulio: Facciamo la pasta al pesto?
Mario: Va bene.
Giulio: Allora... serve il basilico, l'aglio, il parmigiano e i pinoli.
Mario: Quanto basilico prendiamo?
Giulio: Un mazzetto è sufficiente. Poi due etti di parmigiano, una testa d'aglio e una bustina di pinoli.
Mario: Aspetta che scrivo. Una bustina di pinoli, due etti di parmigiano e una testa d'aglio. Ci serve altro?
Giulio: Sì, un chilo di spaghetti. Per secondo facciamo la carne. Compriamo due chili di salsicce.
Mario: Benissimo. Prendiamo anche un po' di formaggio per antipasto?
Giulio: Sì, compriamo tre o quattro mozzarelle e un formaggio morbido... Uno stracchino.
Mario: Bene. E da bere?
Giulio: A casa abbiamo quattro bottiglie di vino... Compriamo due bottiglie di Coca e due di Fanta.
Mario: Perfetto. Vai tu al supermercato?
Giulio: Sì, ci vado io.
Mario: Bene. Prendi anche un pacco di caffè perché è finito. Io vado in macelleria e prendo la carne. Passo anche dal fruttivendolo così compro due chili di arance e due chili di mele.
Giulio: Perfetto. Un momento, chi va al panificio a comprare il pane?
Mario: Ci vai tu? È vicino al supermercato.

PESI E MISURE

un chilo (kg.) **di** mele
un etto = 100 grammi (gr.) **di** formaggio
un litro (l.) **di** olio
mezzo litro (1/2 l.) **di** latte

Impariamo le parole - Alimenti

22. Study the words below for two minutes.

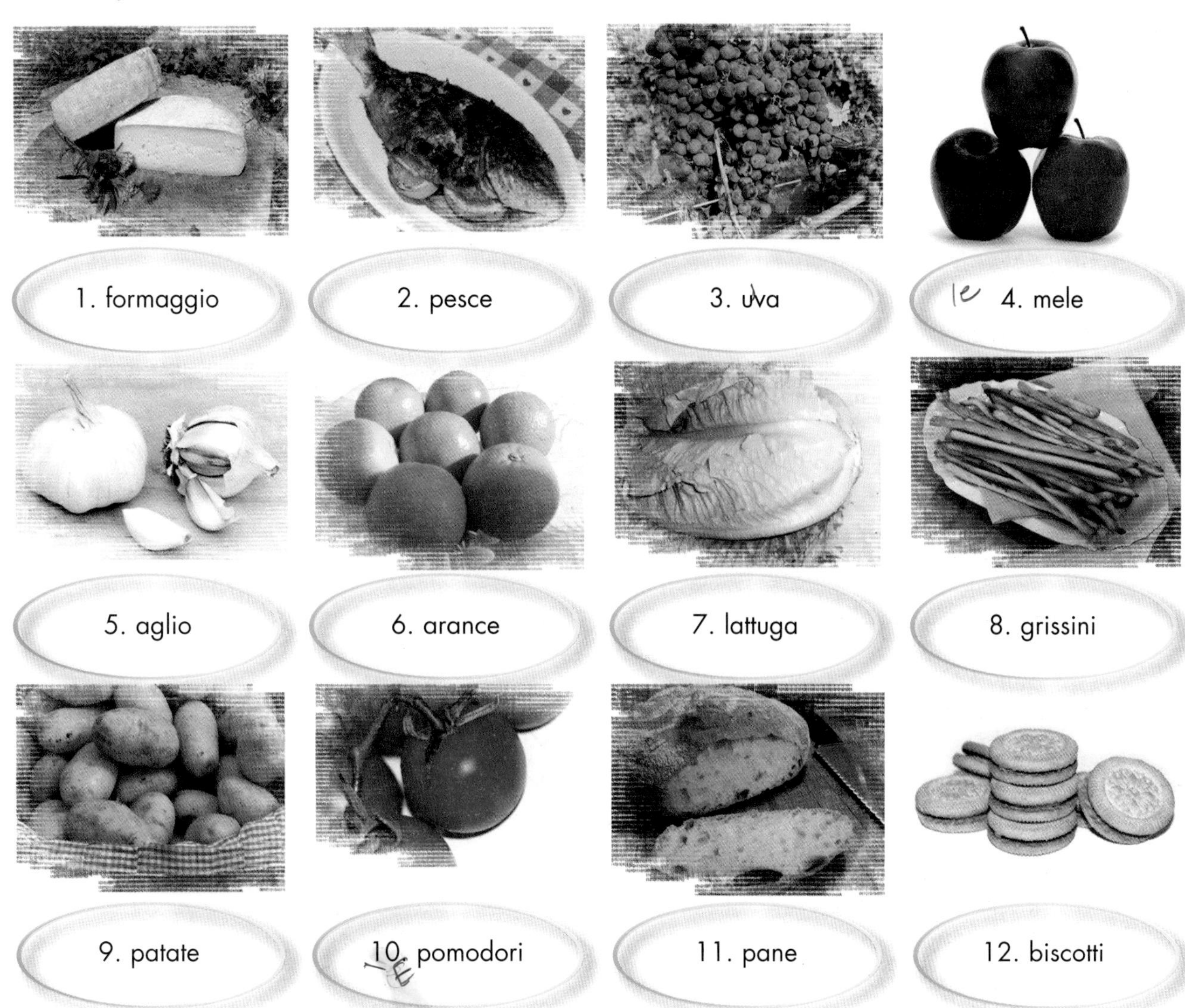

23. Work with a partner. Cover the pictures in exercise 22 and then try to name the items in the shopping bag and shopping trolley. Which of you has remembered more names?

Facciamo grammatica

Osserva!

A

- Vai tu al supermercato?
- Sì, ci vado io.

B

- Un momento, chi va al panificio a comprare il pane?
- Ci vai tu? È vicino al supermercato.

24. What words does the pronoun *ci* replace?

A .... B ....

The pronoun ci (meaning 'there') is used to avoid repeating the name of a place.

- Vai tu al supermercato?
- No, non ci vado io, ci va Marco.

In the negative, the word order is non + ci + verb.

25. Work with a partner to produce dialogues as in the example. Use a different product and place each time.

Esempio: (Panificio/pane)

- Chi va al *panificio* a comprare il *pane*?
- Ci vai tu?
- Va bene, ci vado io./No, ci va Marco.

1. Supermercato/biscotti	5. Fruttivendolo/arance
2. Pasticceria/dolci	6. Pescheria/pesce
3. Pizzeria/pizze	7. Gelateria/gelati
4. Macelleria/carne	

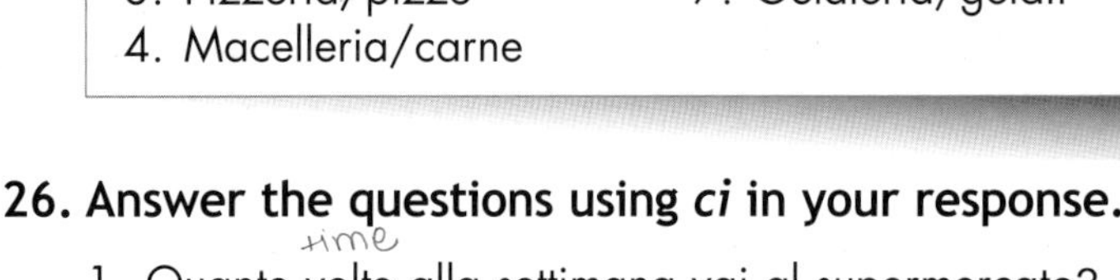

26. Answer the questions using *ci* in your response.

1. Quante volte alla settimana vai al supermercato?

....

2. Da quanto tempo abitate a Siena?

....

3. Quando tornano negli Stati Uniti Mary e Jane?

....

Conosciamo gli italiani

27. Read the text and decide whether the statements are true or false.

Gli italiani e il cappuccino

È interessante una recente ricerca sulla colazione degli italiani al bar. Emerge che in media 22 milioni di persone fanno colazione fuori casa.

Ecco cosa prendono:
- l'82% un cornetto;
- il 53% un caffè;
- il 48% un cappuccino.

Cresce la percentuale degli italiani che preferisce il cappuccino per la prima colazione anche se è ancora più bassa della percentuale degli italiani che beve un caffè. Ecco gli errori più frequenti dei baristi. Il cappuccino non è di qualità se il barista
- prepara un espresso scadente come base del cappuccino (usa poca polvere, oppure la polvere è vecchia o di cattiva qualità);
- fa bollire il latte invece di scaldarlo;
- riscalda il latte già scaldato per altri cappuccini;
- mette nella tazza prima il latte montato e poi il caffè.

Insomma: se notate uno di questi errori, cambiate bar!
Una nota finale: il bel cappuccino nella foto è di Roberto Sala, esperto collaboratore dell'Istituto Nazionale Espresso Italiano. Questo istituto ha creato da poco tempo il Cappuccino Italiano Certificato.

(Testo adattato da www.assaggiatori.com)

UFFICIO INFORMAZIONI

Italian breakfasts are sweet (coffee, croissant, a cappuccino, biscuits, etc.). Italians drink cappuccino mainly in the morning for breakfast No one has a cappuccino after lunch.

	Vero	Falso
1. Circa 22 milioni di italiani fanno colazione al bar.		
2. Gli italiani preferiscono il cappuccino al caffè.		
3. Un bravo barista fa il cappuccino con il latte ben caldo.		
4. In un buon cappuccino mettiamo prima il latte montato e dopo il caffè.		
5. In Italia esiste un cappuccino certificato.		

Parliamo un po'...

- Fai colazione la mattina?
- Che cosa prendi di solito?
- Fai colazione a casa o fuori?
- Nel tuo Paese la consumazione al tavolo costa di più?
- ....

Si dice così!

Here are some useful expressions to...

Place a food or drink order	Io prendo un caffè. Per me un cornetto. Vorrei un panino, per favore.
Express a preference	Preferisco il cornetto con la marmellata.
Ask permission to do something	Posso prendere un cucchiaino? Posso chiudere la finestra? È possibile chiudere la finestra?
Ask someone else to do something	Può portare una bustina di zucchero?
Give someone something	Ecco a Lei./Ecco a te.

Sintesi grammaticale

- ***Mi piace/Non mi piace*** **(I like/I don't like)**

Mi piace/Non mi piace + singular noun	Mi piace la pizza. Non mi piace il pesce.
Mi piace/Non mi piace + infinitive	Mi piace andare al cinema. Non mi piace andare in discoteca.
Mi piacciono/Non mi piacciono + plural noun	Mi piacciono gli spaghetti. Non mi piacciono i dolci.

- ***-ire*** **verbs that add *-isc-***

Some -ire verbs (*preferire, capire, finire, pulire, spedire*, etc.) add -isc- between the stem and the ending of the verb in the first, second and third persons singular, and in the third person plural.

	PREFERIRE	CAPIRE	FINIRE
io	preferisco	capisco	finisco
tu	preferisci	capisci	finisci
lui/lei/Lei	preferisce	capisce	finisce
noi	preferiamo	capiamo	finiamo
voi	preferite	capite	finite
loro	preferiscono	capiscono	finiscono

- ***Ci*** **+ verb**

Example:
- Vai tu al supermercato?
- Sì, ci vado io.

Ci is used to avoid repeating a place.

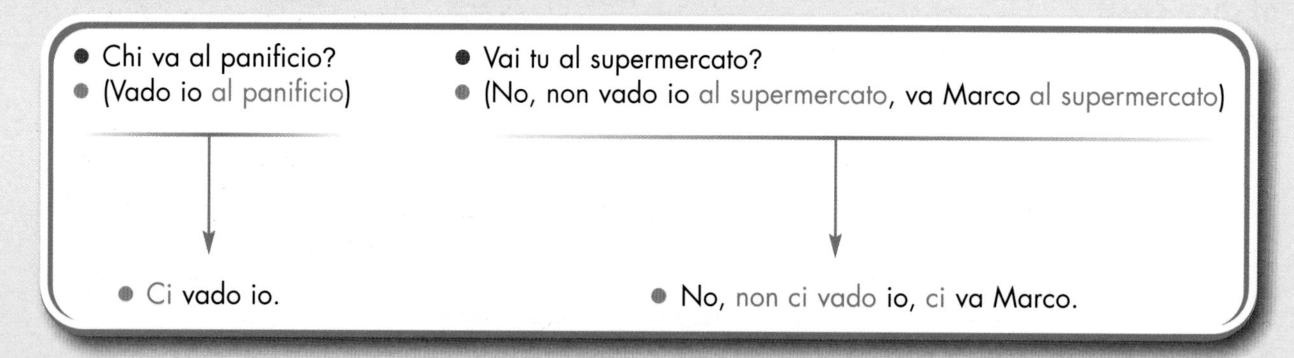

Ci is normally placed in front of the verb.
In negative sentences the word order is non + ci + verb.

Scheda di autovalutazione 2

Unità 2-3

1. **Write at least one expression to...**
   - Introduce someone: ....
   - Ask someone how they are: ....
   - Say how you are: ....
   - Order something in a bar: ....
   - Ask the price: ....
   - Express likes, dislikes and preferences: ....

2. **What words from units 2 and 3 do you want to remember? Try to also include adjectives, nouns, verbs and adverbs associated with the words you want to remember.**

   1. ....
   2. ....
   3. ....
   4. ....
   5. ....
   6. ....
   7. ....
   8. ....

3. **Do you know any other words that relate to the topic in the unit? If you do, what are they? Where did you hear or read these words?**

NEW WORDS	tv	radio	internet	out and about	newspaper	classmates	other (please specify)

4. **How much effort have you made in lessons to improve your proficiency?**

- A lot
- A fair amount
- Not a lot
- None

5. **How much effort have you made elsewhere to improve your proficiency?**

- A lot
- A fair amount
- Not a lot
- None

6. **What are you planning to do to improve your proficiency?**

- Do more homework.
- Revise the work covered in lessons.
- Use more Italian in class.
- Speak in Italian even to people who can speak my language.
- Exchange language conversation with Italians.
- Keep a regular diary.
- Look at Italian websites.

Ferrara

Vado a piedi o prendo l'autobus?

Entriamo in tema

1. Study these photos and write all the words that come to mind in the table below.

nomi	verbi	aggettivi

Comunichiamo

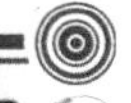

2. Listen to the dialogue. Are the statements true or false?

	Vero	Falso
1. La signora cerca una farmacia.	☐	☐
2. La signora deve andare in Via Roma.	☐	☐
3. L'autobus numero 7 passa fino alle 20.	☐	☐
4. La signora ha il biglietto dell'autobus.	☐	☐
5. L'edicola è di fronte alla fermata.	☐	☐

3. Listen to the dialogue again and read the text. Check your answers to exercise 2.

passante: Senta, scusi!
vigile: Sì, mi dica.
passante: Mi può dire dov'è la farmacia più vicina?
vigile: C'è una farmacia in Via della Lupa.
passante: E dov'è?
vigile: Allora, prende la prima a destra e va in fondo alla strada, gira a sinistra e poi va dritto per circa 200 metri. Accanto al supermercato c'è la farmacia.
passante: Vado a piedi o prendo l'autobus?
vigile: A piedi sono 10 minuti, ma se vuole andare con l'autobus può prendere il numero 7 che passa ogni 15 minuti dalle 8 alle 20. Adesso sono le 9 e 10, quindi il prossimo autobus è alle 9 e 15. Di solito, è sempre puntuale...
passante: Bene. E dove devo scendere?
vigile: Per Via della Lupa deve scendere alla terza fermata.
passante: Perfetto. Ah... mi scusi, un'ultima informazione: dove posso comprare un biglietto?
vigile: All'edicola, proprio di fronte alla fermata dell'autobus.
passante: Grazie, arrivederci.
vigile: Prego. Arrivederci.

Impariamo le parole - Direzioni

4. Write the words provided under the pictures to describe the position of the red car.

davanti a/prima di - dietro a/dopo - a destra - a sinistra - dritto
di fronte - in mezzo a/tra - accanto a

1. ....

2. ....

3. ....

4. ....

5. ....

6. ....

7. ....

8. ....

5. Match the verbs on the left to an expression from the list on the right. With some of the verbs more than one combination is possible.

1. andare	a. (fino) in fondo alla strada
2. girare	b. la strada, la piazza
3. arrivare	c. a destra/a sinistra
4. prendere	d. dritto
5. attraversare	e. a piedi

Comunichiamo

6. Work with a partner. Taking the place marked with an *X* as the starting point, one of you will ask the other for directions to four of the following places: the butcher's, the car park, the cinema, the supermarket, the post office, the bank, the restaurant, the pizzeria. Afterwards, swap roles.

7. Reread the dialogue on page 48 and put the following words in the correct order to say what time it is.

nove / sono / dieci / e / le

....	....	....	....	....
(the verb *essere*)	(article)	(hours)	(conjunction)	(minutes)

8. Write the exact time under each clock.

1. Sono le ...cinque... e ...dieci...

2. Sono le ...due... meno ...quindici (quarto)...

3. È ...l'una...

4. ...Sono le... ...tre e... mezzo.

5. ...Sono le... ...nove e... ...venticinque...

Attenzione!

We say: "Sono le quattro"; "Sono le cinque".
But: "È mezzanotte"; "È mezzogiorno"; "È l'una".

9. Ask your partner what time he/she thinks it is in the various cities, as in the example, and then swap roles. Compare your guesses to those of the rest of the class.

Esempio: Roma (10.00)/Londra.
- Se a Roma sono le 10.00, che ore sono a Londra?
- Secondo me sono le 9.00.

Roma (12.15)/New York
Firenze (17.30)/Mosca

Milano (14.40)/Pechino
Torino (1.00)/Buenos Aires

Napoli (7.45)/Dublino
Siena (9.55)/Portland

Facciamo grammatica

10. Put the places, together with their indefinite articles, in the appropriate column.

ristorante - banca - farmacia - pizzeria
autofficina - ufficio postale - zoo - edicola

una - un - uno - una
un - un' - una - un'

Maschile		Femminile	
a. un	cinema	a.	....
b.	....	b.	....
c.	....	c.	....
d. uno	stadio	d.	....
e.	....	e.	....

11. What is the rule?

The indefinite article uno is used with which nouns? ....

The indefinite article un' is used with which nouns? ....

The indefinite article is used to indicate something — specific / non specific

12. Complete the text with the correct definite or indefinite articles from the list provided. Be aware: there are three articles more than you need!

gli - una - un - un' - il - un - la - il - il - i - il - un - un - uno - i - le - la - l'

Abito in (1)........ via del centro. Sono fortunato perché (2)........ zona dove abito è servita bene: c'è una palestra, (3)........ supermercato e (4)........ edicola. (5)........ università che frequento è un po' lontano da casa e per arrivarci lì devo prendere (6)........ mezzo di trasporto: spesso prendo un autobus, (7)........ 70 o (8)........ 101. Per fortuna (9)........ fermata è vicino a casa. (10)........ abitanti della zona sono simpatici e gentili, ma ho qualche problema con (11)........ vicini perché (12)........ mio cane Pippo qualche volta abbaia. Pippo è ancora (13)........ cucciolo e ha bisogno di uscire e giocare, ma non è facile perché nella mia zona non c'è un giardino pubblico o (14)........ spazio verde per (15)........ cani.

Look at these sentences (from the dialogue on page 48) with the verbs *volere*, *dovere* and *potere*.

- Mi può dire dov'è la farmacia più vicina?
- Se vuole andare con l'autobus può prendere il numero 7.
- Per Via della Lupa deve scendere alla terza fermata.

13. Use of *volere*, *dovere* and *potere*.

What needs to follow these verbs? ....

Which verb indicates obligation or necessity? ....

Which verb indicates possibility? ....

Which verb indicates desire? ....

14. Complete the table with the verbs from the list provided.

vogliono - puoi - potete - devono - vogliamo - devi - possiamo - vuoi - deve

	potere	dovere	volere
io	posso	devo	voglio
tu			
lui/lei/Lei	può		vuole
noi		dobbiamo	
voi		dovete	volete
loro	possono		

15. Circle the most appropriate verb in each case.

1. Per arrivare in tempo all'università vogliamo/dobbiamo/possiamo uscire di casa alle 8.
2. Lunedì ho un esame e quindi devo/posso/voglio studiare anche nel fine settimana.
3. Ragazzi, potete/dovete/volete prendere la vostra macchina? La mia macchina è rotta.
4. Se non perdi tempo, devi/puoi/vuoi ancora prendere l'autobus delle 22.
5. Elisa, vuoi/devi/puoi venire al mare con me? È una bellissima giornata.
6. I miei genitori vogliono/possono/devono comprare un'altra casa in campagna.

Entriamo in tema

UFFICIO INFORMAZIONI

The historic centres of many Italian cities are closed to traffic to try to reduce atmospheric and noise pollution, and to try to keep pedestrians safe. The areas closed to traffic are called *ZTL* (*Zona a Traffico Limitato*).

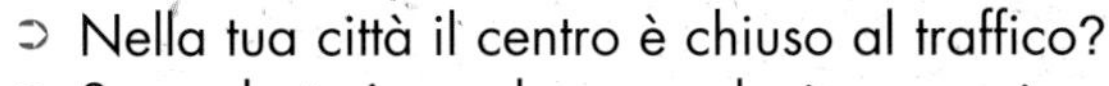

- Nella tua città il centro è chiuso al traffico?
- Secondo te è una buona soluzione per i problemi di inquinamento?
- Utilizzi i mezzi pubblici o prendi sempre la macchina?

Comunichiamo

16. Listen to the dialogue and answer the questions.

1. In che via vuole arrivare l'automobilista? ....

2. Perché? ....

3. Quanto tempo deve restare in centro l'automobilista? ....

4. Che cosa consiglia il vigile all'automobilista? ....

5. Dov'è l'ufficio dei vigili? ....

6. In quali giorni è aperto? ....

13

17. Listen to the dialogue again and read the text. Check your answers to exercise 16.

automobilista:	Buongiorno, mi scusi, vorrei un'informazione.
vigile:	Prego, dica.
automobilista:	Posso arrivare fino al centro con la macchina?
vigile:	In quale via deve andare esattamente?
automobilista:	In Via Dante.
vigile:	No, mi dispiace non può arrivare in Via Dante.
automobilista:	Ah, capisco. Senta, io devo arrivare con la macchina nel posto più vicino a Via Dante perché devo portare alcuni pacchi pesanti in un appartamento. Come posso fare?
vigile:	Guardi, non so cosa dire... in questi giorni la zona di Via Dante è chiusa al traffico.
automobilista:	Non è possibile chiedere un permesso per arrivare in centro?
vigile:	Quanto tempo deve restare in centro con la macchina?
automobilista:	Non so esattamente... probabilmente un'ora.
vigile:	Se è per un'ora può chiedere un permesso all'ufficio dei vigili in Via Tozzi. Ci sa arrivare?
automobilista:	Sì, sì. E a che ora apre l'ufficio?
vigile:	L'ufficio è aperto dal lunedì al venerdì la mattina dalle 8.30 alle 12.45. Il martedì e il giovedì è aperto anche il pomeriggio dalle 15.30 alle 17.00.
automobilista:	Bene... Grazie!
vigile:	Di niente.

Osserva!

- Non so esattamente...
- Ci sa arrivare?
- Guardi, non so cosa dire...

Edizioni Edilingua

18. Two expressions from the dialogue on page 52 indicate indecision and one indicates the ability to do something. Write them in the table

indecisione	capacità di fare qualcosa
a. non so esattamente	a. ci sa arrivare?
b. non so cosa dire.	

INTRODUCES: sapere (to know).

Attenzione!

The verb sapere also has other meanings. It often means "to know something".

- So che in molte città il centro è chiuso al traffico.

19. Work with a partner. You have five minutes to find out whether he/she knows...

- how to speak Spanish
- how to cook
- where Piazza di Spagna is
- how to play a musical instrument
- when the Siena Palio takes place
- what the most famous Italian poet is called
- how to play football
- how to dance the tango
- on what day Italy celebrates International Workers' Day
- how to paint

20. Now, tell the rest of the class what you have discovered.

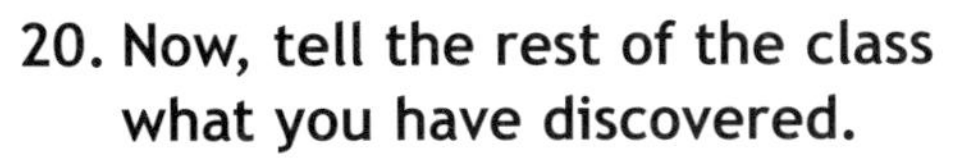

Osserva!

- A che ora apre questo ufficio?
- L'ufficio è aperto dal lunedì al venerdì dalle 8.30 alle 12.45. Il martedì e il giovedì è aperto anche dalle 15.30 alle 17.00.

21. Work with a partner. One of you will ask the other what the opening days and times of these offices and shops are. Then, swap roles.

Impariamo le parole - Giorni della settimana

22. Write the days of the week in the correct order.

Martedì - Sabato - Lunedì - Venerdì - Domenica - Giovedì - Mercoledì

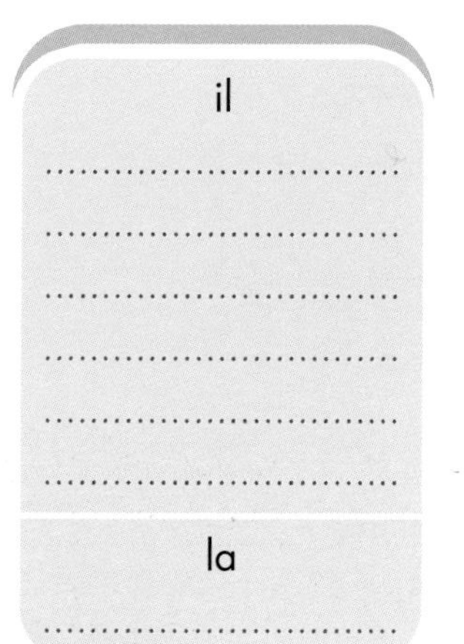

Attenzione!

We say: "la settimana", but "il fine settimana".

23. Complete the sentences by matching a line from the left to one on the right.

1. Tutti gli uffici sono chiusi...
2. Una giornata dura...
3. Generalmente la settimana lavorativa va...
4. Faccio un lavoro part time e lavoro solo...
5. Generalmente la Posta è aperta anche...
6. Torno a casa ogni giorno...
7. Il fine settimana...

a. 24 ore.
b. il pomeriggio.
c. inizia venerdì sera e finisce domenica.
d. il sabato mattina.
e. la sera, verso le sette.
f. il sabato pomeriggio.
g. dal lunedì al venerdì.

Conosciamo gli italiani

24. Read the text and decide whether the statements are true or false.

Autobus? No, grazie, prendo il motorino!

"Non prendere la macchina per piccoli spostamenti, soprattutto per andare al lavoro, usa i mezzi pubblici!". Quante volte sentiamo questa raccomandazione dai sindaci delle nostre città? E in effetti usare di più autobus e metropolitana è una buona soluzione per inquinare di meno e aiutare a smaltire il traffico almeno un po'.

Ma come ci comportiamo veramente? Lo rivela un sondaggio dell'Associazione Nazionale Comuni Italiani. Secondo il sondaggio, gli italiani lasciano sempre più spesso l'auto in garage, o parcheggiata per strada, anche per il continuo aumento del costo del carburante, e il motorino diventa il mezzo di trasporto più usato.

E i mezzi pubblici? Nelle 15 città più importanti d'Italia, soltanto il 30% ha dichiarato di utilizzare autobus o metropolitana. Il dato non stupisce se diamo uno sguardo alle motivazioni di questa scelta: per molti intervistati il trasporto pubblico è mediocre e i tempi di attesa alla fermata sembrano troppo lunghi. In una città come Milano o Roma un cittadino per fare un tragitto di 3 chilometri e arrivare al lavoro alle 8 deve uscire di casa almeno un'ora prima, mentre con il motorino impiega al massimo 15 minuti per fare lo stesso percorso. Tra le altre motivazioni per lo scarso uso dei mezzi pubblici le persone

sottolineano l'eccessivo affollamento durante le ore di punta e il costo del biglietto che può arrivare fino a 1 euro e 20 centesimi. Soprattutto al Sud, gli italiani indicano il comportamento poco educato dei passeggeri negli autobus: anche se la situazione è migliore rispetto al passato, non sempre si rispetta la fila per entrare, si occupano le uscite o non si cede il posto alle persone anziane.

	Vero	Falso
1. I sindaci delle città raccomandano l'uso del trasporto pubblico.		
2. I tempi di attesa alle fermate degli autobus sono minimi.		
3. La maggior parte degli italiani usa l'autobus nelle grandi città.		
4. Il costo del biglietto dell'autobus è troppo caro.		
5. Il motorino riduce i tempi per arrivare al lavoro.		
6. Le persone in autobus si comportano sempre educatamente.		

Parliamo un po'...

- Come ti sembra il trasporto urbano in Italia? Secondo te è efficiente?
- È caro o economico?
- Come si comportano gli italiani alla guida e nei mezzi pubblici?
- Sono educati o maleducati?
- Rispettano le regole?
- Rispettano i pedoni e i ciclisti?
- In generale, come si comportano gli automobilisti nel tuo Paese?

Si dice così!

Here are some useful expressions to...

Ask for directions	Mi può dire dov'è la fermata? Scusi, sa dov'è un ufficio postale?
Ask for and tell the time	Che ore sono?/Che ora è? Sono le due/le tre ecc. È mezzanotte./È mezzogiorno./È l'una. Sono le quattro e un quarto. Sono le quattro e mezza. Sono le cinque meno venti. Sono le cinque meno un quarto.
Say that you are able to do something	So parlare l'italiano.
Say that you know something	So che Via Dante è chiusa al traffico.
Express uncertainty	Non so se oggi c'è lo sciopero.
Talk about a period of time	L'autobus passa dalle 8 alle 20. L'ufficio è aperto dal lunedì al venerdì.
Talk about punctuality/lateness	L'autobus è puntuale. Sono in ritardo.

Here are some expressions for dealing with directions and describing locations.

dietro/dopo	L'edicola è dopo il semaforo. / La pizzeria è dietro la banca.
davanti a/prima di	La macchina è davanti all'autobus. / La macchina è prima dell'autobus.
a sinistra	Prendi la prima a sinistra e arrivi in Via Roma.
a destra	Giro a destra e arrivo in Piazza del Campo.
dritto	Vai dritto fino al semaforo.
di fronte a	La banca è di fronte all'ufficio postale.
in mezzo a/tra	Il bar è tra la banca e la farmacia. / Il motorino è in mezzo a due macchine.
accanto a	Il cinema è accanto al ristorante.
vicino a	La fermata è vicino a casa mia.
lontano da	L'università è lontano da qui?

Sintesi grammaticale

• The modal verbs *potere, dovere, volere* (*I verbi modali* potere, dovere, volere)

	POTERE	DOVERE	VOLERE
io	posso	devo	voglio
tu	puoi	devi	vuoi
lui/lei/Lei	può	deve	vuole
noi	possiamo	dobbiamo	vogliamo
voi	potete	dovete	volete
loro	possono	devono	vogliono

Modal verbs are generally used before an infinitive verb or a direct object.

Examples:
- Mi può dire dov'è la stazione?
- Deve prendere la prima a destra.

Voglio andare a casa a piedi.

Voglio un biglietto per l'autobus.

• Use of *andare* as a verb of motion (*Uso di* andare *come verbo di movimento*)

Andare con l'autobus/in autobus, con la macchina/in macchina, a piedi.

• Indefinite articles (*Articoli indeterminativi*)

Masculine	Feminine
un ristorante	una banca
un ufficio postale	una farmacia
before an s+consonante, z	**before a** vocale
uno stadio, uno zoo	un'autostazione

Indefinite articles, unlike definite articles, indicate something that is unknown to us (one of any number of similar things).

Example:
Mi può dire dov'è un *cinema*?

In this case I am not looking for a specific cinema (any cinema will do) so I use the indefinite article.

Example:
Mi può dire dov'è il *cinema "Ariston"*?

In this case I am looking for a specific cinema (a cinema that I know about), so I use the definite article.

- **The verb *sapere***

	SAPERE
io	so
tu	sai
lui/lei/Lei	sa
noi	sappiamo
voi	sapete
loro	sanno

The verb *sapere* has various uses

a) It can express ability/inability

Example:
Sa arrivare in Via Verdi?

b) It can express indecision

Example:
Non so cosa dire.

c) It can express knowledge

Example:
So che in molte città il centro è chiuso al traffico.

Test 2 (Unità 3-4)

Funzioni

1. Put each dialogue in the correct order.

A. Prendo un bicchiere di latte.
B. Buongiorno signore. Desidera?
C. Freddo per favore.
D. Freddo o caldo?
E. No grazie, non voglio altro.
F. Vorrei un cornetto alla crema.
G. Desidera ancora qualcosa?
H. Certo. Da bere?

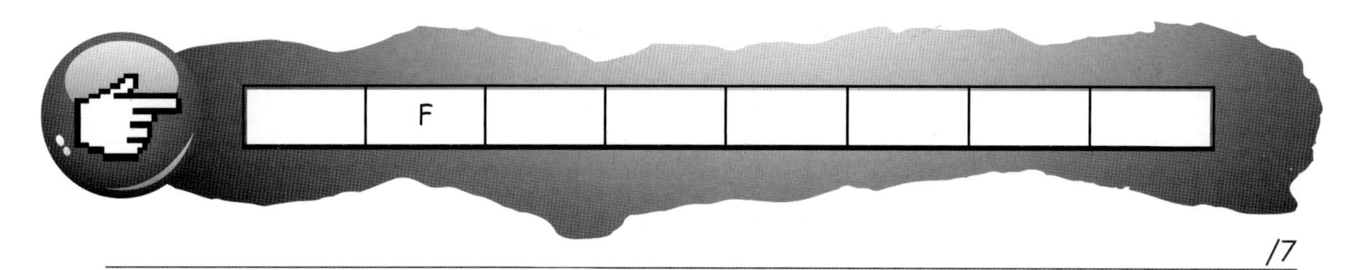

/7

A. Sì, è abbastanza lontano. Ma può prendere un autobus.
B. Grazie per le informazioni. Arrivederci.
C. Senta, scusi, sa dov'è un supermercato?
D. Arrivederci.
E. È lontano da qui?
F. Può prendere il diciassette.
G. Sì, va dritto fino all'incrocio, poi gira a sinistra e prosegue sempre dritto.
H. Che numero devo prendere?
I. Bene. Senta, sa a che ora passa?
L. Passa ogni 15 minuti.

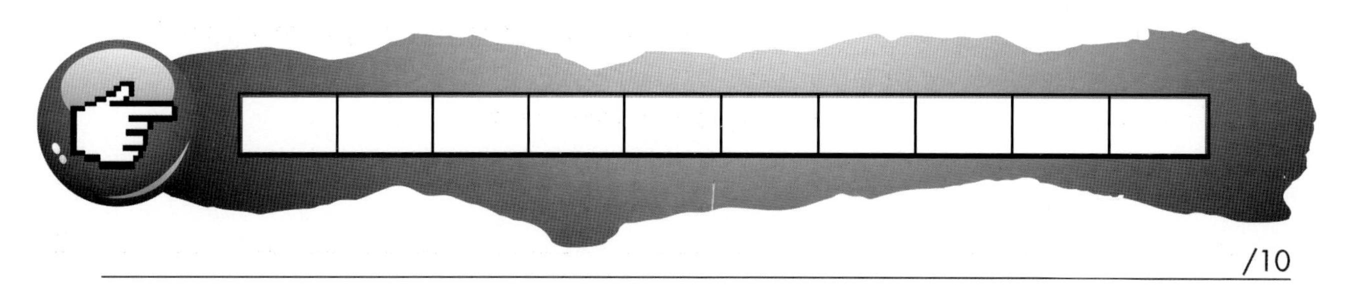

/10

Grammatica

2. Circle the correct article in each case.

I/Gli orari di apertura dei negozi in Italia possono sembrare strani per uno/un straniero: infatti chi è abituato a un/uno orario continuato non capisce perché molti negozi sono chiusi per più di un'/un ora tra la/il mattina e il/lo pomeriggio. Anche gli/i uffici pubblici (il/le poste, le/il banche ecc.) hanno spesso orari diversi da quelli di altri paesi. L'/La apertura e l'/la chiusura di negozi e uffici è regolata da una/un legge. Alcuni negozi devono anche avere uno/un giorno di chiusura obbligatorio oltre alla domenica: i/gli barbieri, per esempio, sono chiusi il/lo lunedì, le banche sono chiuse lo/il sabato.

/8

3. Complete the sentences with the present tense of the verbs in brackets.

1. Io (*volere*) .... mangiare una pizza, Franco (*volere*) .... mangiare la pasta.
2. Io e Marco non (*potere*) .... uscire perché (*dovere*) .... studiare.
3. Alberto e Gaia (*fare*) .... sempre colazione al bar.
4. I tuoi amici (*sapere*) .... arrivare a casa mia?
5. Io (*preferire*) .... la carne, Luisa (*preferire*) .... il pesce.
6. Gli studenti (*finire*) .... la lezione alle 18.
7. Marienne è francese, ma (*sapere*) .... parlare l'italiano.

/5

4. Use the correct form of the verb *piacere* to complete the sentences.

1. ● Ti .... il gelato?
   ● Sì, mi .... molto.
2. A me .... le feste in casa.
3. A Luisa .... andare a ballare.
4. Non mi .... giocare a carte, preferisco ascoltare un po' di musica.

/5

Vocabolario

5. Match the words on the left to one of the definitions on the right. Be aware: there is one word too many!

1. Tabaccaio
2. Edicola
3. Ristorante
4. Parcheggio
5. Fermata
6. Ufficio postale

a. Posto dove è possibile inviare lettere, ricevere pacchi ecc.
b. Posto dove è possibile comprare le sigarette, i biglietti ecc.
c. Posto dove è possibile lasciare la macchina.
d. Posto dove aspetto l'autobus.
e. Posto dove è possibile comprare giornali e riviste.

/5

Punteggio Totale /40

Dove abiti?

Entriamo in tema

1. Are you familiar with these types of homes? Write a short description for each.

Villa: ....

Appartamento: ....

Monolocale: ....

Mansarda: ....

Attico: ....

Comunichiamo

14

2. Listen to the dialogue. Are the statements true or false?

	Vero	Falso
1. Lucia abita in una villa.		
2. La cucina della casa è piccola.		
3. Nel bagno c'è la vasca da bagno.		
4. A Lucia non piace la stanza da letto.		
5. La casa è senza ascensore.		
6. L'affitto è molto caro.		

14

3. Listen to the dialogue again and label the plan of the house using the room names provided.

camera da letto | studio | soggiorno | cucina | bagno | ingresso | ripostiglio | corridoio

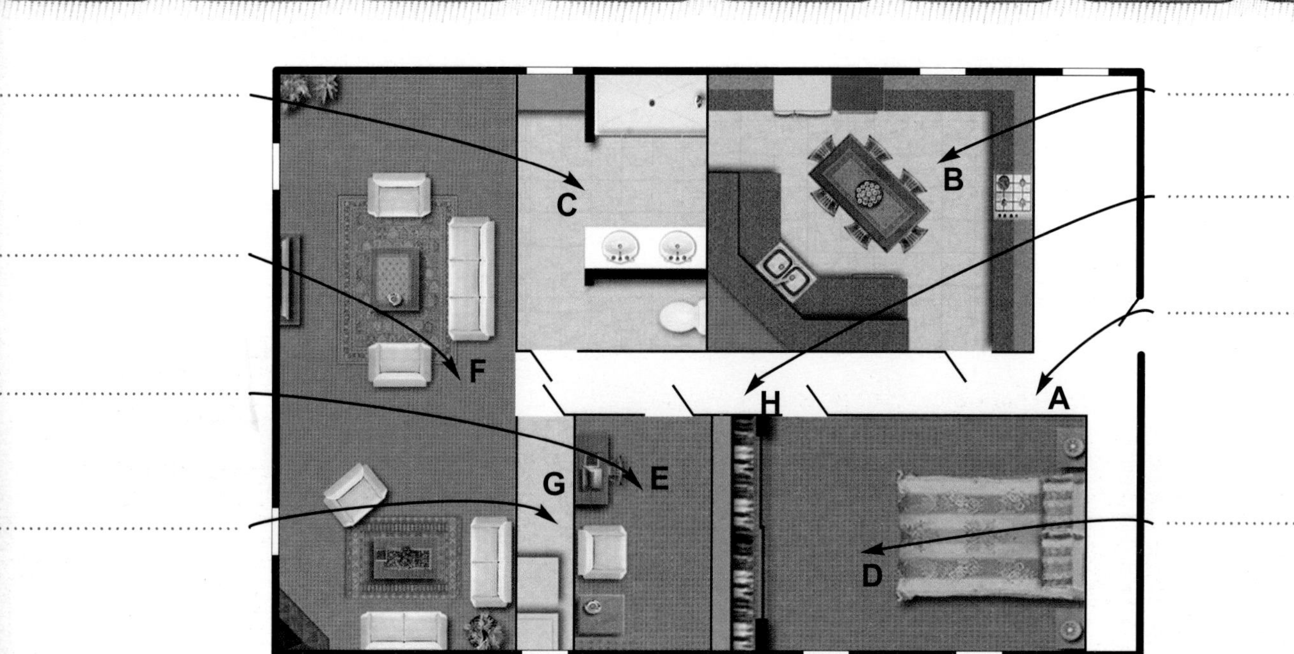

4. Listen to the dialogue and read the text. Check your answers to exercises 2 and 3.

Paola: Allora Lucia, com'è la tua nuova casa?
Lucia: Non è male... Sai, io e Michele abbiamo un cane. Ma è impossibile trovare una villa per due persone, ci sono solo ville molto grandi.
Paola: E quindi?
Lucia: Adesso stiamo in un appartamento in centro, vicino a un parco.
Paola: È una buona soluzione. Dai, descrivimi la casa.
Lucia: Allora, la casa non è molto grande, però è graziosa e accogliente. Ci sono quattro stanze più i servizi. Appena entri c'è un ingresso, dopo l'ingresso sulla destra c'è la cucina. È abbastanza grande e luminosa. A destra della cucina c'è il bagno.
Paola: Con la vasca?
Lucia: Sì, c'è una vasca e un box doccia separato.
Paola: E le altre stanze?
Lucia: La stanza da letto è di fronte alla cucina. È la stanza che preferisco. Dà su un cortile quindi c'è molta luce ed è silenziosa. Accanto alla stanza da letto c'è un'altra stanza che Michele usa come studio. Il soggiorno è in fondo al corridoio. Tra lo studio di Michele e il soggiorno c'è una stanza molto piccola che usiamo come ripostiglio.
Paola: Sembra una bella casa. A che piano è?
Lucia: È al terzo piano.
Paola: C'è l'ascensore?
Lucia: No, non c'è. Il palazzo è antico. Non c'è neanche il parcheggio.
Paola: E quanto paghi di affitto?
Lucia: Pago 800 euro.
Paola: Sei fortunata. Per il centro di Firenze non è caro.

AFFITTASI
VIMINALE PANORAMICO
SIGNORILMENTE ARREDATO: INGRESSO
SALONE DOPPIO - UNA CAMERA -
CUCINA - BAGNO - SPOGLIATOIO -
VIOLA IMMOBILIARE 063700116

UFFICIO INFORMAZIONI

In Italy 75% of people own their own home. Rents and house prices vary greatly from city to city: in Trapani (Sicily) a house costs 600 euros per square metre on average. This figure jumps to 3,500 euros in Siena.

Facciamo grammatica

Osserva!

- Ci sono quattro stanze più i servizi.
- Dopo l'ingresso sulla destra c'è la cucina. A destra della cucina c'è il bagno.
- La stanza da letto è di fronte alla cucina.
- Il soggiorno è in fondo al corridoio.

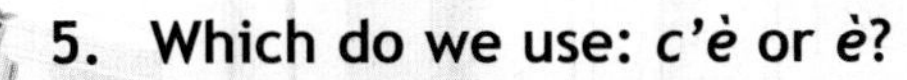

5. Which do we use: *c'è* or *è*?

When the verb precedes the object being located, we use ....

When the verb is after the object being located, we use ....

In the plural, c'è becomes ....

6. **Circle the correct form in each case.**

In casa mia (1) sono/ci sono cinque stanze oltre il bagno. La mia camera da letto è quella più grande ed (2) c'è/è vicino al salotto. Nella mia stanza (3) sono/ci sono il letto, la scrivania e il computer. Accanto alla mia stanza (4) è/c'è quella dei miei genitori dove (5) ci sono/sono due armadi per i vestiti di tutta la famiglia. Di fronte alla mia stanza (6) c'è/è lo studio di mio padre. Nello studio (7) è/c'è un grande tavolo da lavoro e dietro il tavolo (8) è/c'è una lampada che illumina tutta la stanza. I mobili più belli della casa (9) sono/ci sono nel salotto: (10) sono/ci sono due divani, due poltrone e un bel mobile. La mia casa (11) c'è/è in un palazzo di 6 piani. Io abito al quarto piano ma per fortuna (12) c'è/è l'ascensore.

Comunichiamo

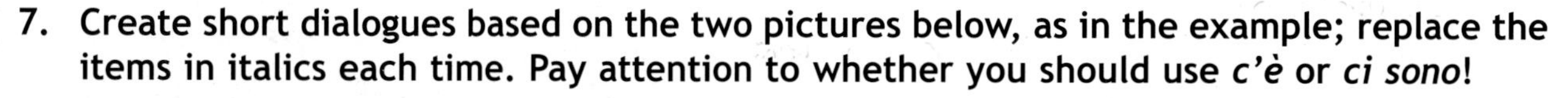

7. **Create short dialogues based on the two pictures below, as in the example; replace the items in italics each time. Pay attention to whether you should use *c'è* or *ci sono*!**

Esempio:
- Nella tua camera c'è un *letto matrimoniale*?
- Sì, c'è un *letto matrimoniale* con i *cuscini bianchi*. E nella tua c'è un *letto matrimoniale*?
- Sì (...)

Quadri alle pareti
L'aria condizionata
Poltrone
Il camino
Tende alle finestre

Una scrivania
Un tappeto
Una lampada
Armadi
Il telefono

Impariamo le parole - Aggettivi per descrivere una casa

8. **Match the descriptions below to the corresponding adjective.**

1. Una casa con molta luce è una casa...
2. Una zona dove non c'è rumore è...
3. Una casa costruita 90 anni fa è una casa...
4. Una casa senza ascensore, senza parcheggio è una casa...
5. Una casa comoda, con molti comfort è una casa...
6. Una stanza senza finestre e senza luce è una stanza...

a. scomoda
b. buia
c. accogliente
d. luminosa
e. silenziosa
f. antica

9. ***Com'è la tua casa?*** **Describe it to a classmate and ask him/her for information about his/her house. Here are some things you could ask.**

- Indirizzo
- Piano
- Con/Senza ascensore
- Numero di stanze
- Arredamento
- Qualità (grande-piccola; luminosa-buia; nuova-vecchia; calda-fredda ecc.)

Entriamo in tema

- Abiti con la tua famiglia o con altri studenti?
- Quanti siete in casa?
- Hai una stanza singola o dividi la tua stanza con qualcuno?
- Quali sono secondo te i problemi maggiori della convivenza tra ragazzi?
- Secondo te vivono insieme più facilmente i ragazzi o le ragazze? Perché?
- Se vivi insieme a qualcuno, ricordi un episodio particolare della tua convivenza?

Comunichiamo

10. Read the text and answer the questions orally.

Ragazzi!!
Così non è possibile! La casa è un disastro e voi non rispettate i turni! A chi tocca pulire la casa questa settimana? A Franco! E perché non lo fai? Oggi è già sabato!!!
Alberto, tu perché non butti mai l'immondizia?
E Giuseppe, tu perché lasci sempre i piatti sporchi per ore nel lavandino?
Un'altra cosa: i divani e le poltrone sono di tutti, non potete lasciarci sopra i sacchetti della spesa.
E poi chi mangia deve sparecchiare subito la tavola, non può lasciare tutte le stoviglie in giro. Non parliamo poi del bagno! Dopo che fate la doccia c'è un mare d'acqua sul pavimento! Se c'è acqua a terra dovete passare lo straccio altrimenti sporcate tutta la casa!
E il giardino? Alberto dice sempre che deve sistemarlo, ma è ancora un disastro!
Insomma ragazzi, io non ho più tempo e voglia di discutere con voi... Lavoro tutto il giorno, sto fuori casa la maggior parte della giornata e quando torno vorrei (anzi VOGLIO) trovare la casa in ordine. Io, lo sapete bene, rispetto sempre i turni per pulire la casa, apparecchio e sparecchio la tavola, butto la spazzatura, spolvero e cucino per tutti... Adesso basta!!!
Stasera torno a casa verso le 8. Viene a cena una mia amica e voglio fare una buona impressione... Quindi quando arrivo spero davvero di trovare la casa in ordine e pulita!

Maurizio

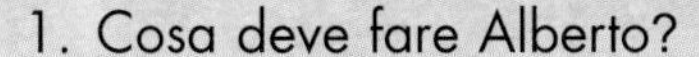

1. Cosa deve fare Alberto?
2. Cosa deve fare Giuseppe?
3. Qual è il problema nel bagno?
4. Perché Maurizio vuole trovare la casa pulita e in ordine?

Impariamo le parole - Lavori di casa

11. Write the words listed below under the pictures.

passare l'aspirapolvere - rifare il letto - passare lo straccio - lavare i piatti
apparecchiare la tavola - buttare la spazzatura - spolverare - stirare

1. ....

2. ....

3. ....

4. ....

5. ....

6. ....

7. ....

8. ....

12. What do you do at home? Tick the boxes in the table that apply and then ask a few classmates what they do. Who would make the ideal housemate?

Esempio: ● Generalmente io faccio la spesa e cucino. E tu?
● Io faccio la spesa, ma non so cucinare. Però pulisco spesso la casa.
● Ah, bravo! E stiri anche?
● ....

		compagno			
	io	1	2	3	4
fare la spesa					
cucinare					
stirare					
pulire la casa					
organizzare molte feste					
stare a casa il fine settimana					
ascoltare la musica ad alto volume					
buttare la spazzatura					
lavare i piatti					

Entriamo in tema

Which of these types of accommodation do you prefer when on holiday? Why?

Comunichiamo

13. Listen to the phone call. Are the statements true or false?

	Vero	Falso
1. La cliente vuole una camera singola.	☐	☐
2. La camera è con bagno.	☐	☐
3. La colazione è inclusa nel prezzo.	☐	☐
4. La cliente può portare il gatto in albergo.	☐	☐
5. La cliente prenota la camera fino a lunedì.	☐	☐

14. Listen to the phone call again and read the text. Check your answers to exercise 13.

receptionist: *Albergo Fontana*, buonasera.
signora: Buonasera, vorrei prenotare una camera doppia.
receptionist: Per quando?
signora: Per domenica e lunedì notte.
receptionist: Aspetti un momento, controllo se ci sono camere libere... Mi dispiace, ma per domenica è tutto pieno. Abbiamo una doppia libera da lunedì sera.
signora: Allora prenoto per lunedì e martedì. Il bagno è in camera o in comune?
receptionist: Il bagno è in camera, ovviamente. C'è anche il televisore e una splendida vista sulla campagna toscana.
signora: Bene. In camera c'è l'aria condizionata?
receptionist: No, signora, l'aria condizionata non c'è. Però possiamo mettere un ventilatore nella stanza.
signora: Va bene, meglio di niente. Senta, quanto viene la camera a notte?
receptionist: Con colazione o senza?
signora: Senza colazione.
receptionist: Allora la camera viene 75 euro a notte. Se vuole anche la colazione, sono 10 euro in più.
signora: Bene, posso portare il mio gatto?
receptionist: Sì, signora. Accettiamo animali di piccola taglia.
signora: Perfetto. Allora confermo la camera per lunedì e martedì.
receptionist: Benissimo. Mi dice il Suo nome, per favore?
signora: Sono la signora Guidotti.
receptionist: Bene. A che ora arriva?
signora: Probabilmente intorno alle 18.
receptionist: Allora L'aspettiamo lunedì pomeriggio.
signora: A lunedì. ArrivederLa.

15. Reread the dialogue and find the expressions used to...

a. Rispondere al telefono. ....

b. Prenotare una camera. ....

c. Esprimere soddisfazione parziale. ....

d. Chiedere il permesso. ....

e. Dire un orario non preciso. ....

16. Work with a partner to role-play a phone call to a hotel, using the prompts below. One of you is the receptionist and the other the hotel guest.

A. Rispondi al telefono	B. Chiedi una camera singola
A. Chiedi per quando e per quanto tempo	B. Rispondi
A. Dici che la camera è disponibile	B. Chiedi se la camera è con il bagno
A. Rispondi	B. Chiedi se c'è il televisore
A. Rispondi	B. Chiedi se c'è l'aria condizionata
A. Rispondi	B. Chiedi il prezzo
A. Rispondi	B. Chiedi se puoi portare un animale
A. Dici di no	B. Rifiuti e non confermi la prenotazione
A. Saluti	B. Rispondi al saluto

Impariamo le parole - Servizi in albergo

17. Write the words listed below under the pictures.

camera singola - camera doppia - camera matrimoniale - aria condizionata - ristorante
parcheggio - telefono - televisione - frigobar - bagno/doccia in camera

1. .... 2. .... 3. .... 4. .... 5. ....

6. .... 7. .... 8. .... 9. .... 10. ....

18. What is important to you when staying in a hotel? Work with a partner to produce dialogues, as in the example.

- Quando dormo in albergo per me è indispensabile la televisione perché...
- Per me la televisione non è importante, ma è indispensabile il bagno in camera perché...
- ...

19. Study the information on the next page. Which hotel would you recommend to...?

a. Anna e Marco. Vanno in vacanza con 2 figli piccoli.

b. Giulia e Sergio, sposati da poco, in viaggio di nozze.

c. Francesco, 20 anni, studente. Cerca un albergo per una vacanza.

d. Gianni, 35 anni, imprenditore. 3 giorni a Bologna per partecipare alla riunione dei giovani industriali.

1

Albergo Belvedere

Le camere sono confortevoli (TV, frigobar, bagno in camera, aria climatizzata.) e dotate di tutto quello che serve per una vacanza all'insegna dei bagni, di sole e di mare. L'albergo è situato a 800 metri dal centro di Ventotene e dalle due spiagge di cala Rossano e cala Nave, inoltre dista appena 350 metri dalla selvaggia spiaggia di Parata Grande dove è possibile apprezzare un mare stupendo e cristallino. (*www.belvedereventotene.it*)

2

Starhotels Excelsior

Camere eleganti e spaziose dotate di un grande letto matrimoniale e di una zona soggiorno con poltrone o divano. Connessione Wireless high speed Internet, presa di corrente per personal computer e ricarica batterie, prevede un ampio assortimento di comfort per rendere il soggiorno ancora più piacevole: TV 20/25 pollici con canali esteri via satellite, Pay TV, Starbed (soffice letto di piume), impianto HI-FI con lettore CD, stirapantaloni elettrico, cassetta di sicurezza con codice personalizzato, vassoio con bollitore elettrico e assortimento di thè, tisane, caffè, cioccolato e un minibar riccamente fornito. Nel bagno: accappatoio e pantofoline. (*www.starhotels.com*)

3

Hotel Centrale Miramare

Tutte le camere interamente rinnovate: tanto spazio, atmosfera, funzionalità e comfort, abbinati ad un'offerta differenziata e personalizzata alle vostre esigenze.
Formula 4x3: se siete 2 adulti con 2 bambini fino a 12 anni, 1 bimbo è nostro ospite gratuito.
Piccoli ospiti: dal 01.05 al 03.06 un bambino da 0 a 6 anni in camera con un adulto ha una riduzione del 50%.
Piccoli & grandi: dal 01.05 al 09.06 e dal 08.09 in poi... un bimbo da 0 a 8 anni in camera con 2 adulti è gratis, il secondo bimbo ha una riduzione del 50%. (*www.riccionefamilyhotels.it*)

4

Ca' Arco Antico

Tipica locanda di Venezia, per una indimenticabile Luna di miele, è lieta di offrire a tutti i suoi ospiti quest'offerta speciale:
- 5% di sconto
- bottiglia di vino offerta da Ca'Arco Antico
- escursione gratuita all'isola di Murano

Alcuni esempi:
Camera Standard: a partire da 85,00 euro
Camera Superior: a partire da 95,00 euro
(prezzi di bassa stagione)
I prezzi sono da intendersi a camera a notte comprensivi di tasse, servizi e colazione. (*www.arcoanticovenice.com*)

Facciamo grammatica

Osserva!

- Possiamo mettere un ventilatore nella stanza.
- Probabilmente intorno alle 18.
- Inoltre dalla stanza c'è una splendida vista sulla campagna toscana.

The highlighted words are prepositional articles (prepositions combined with definite articles).

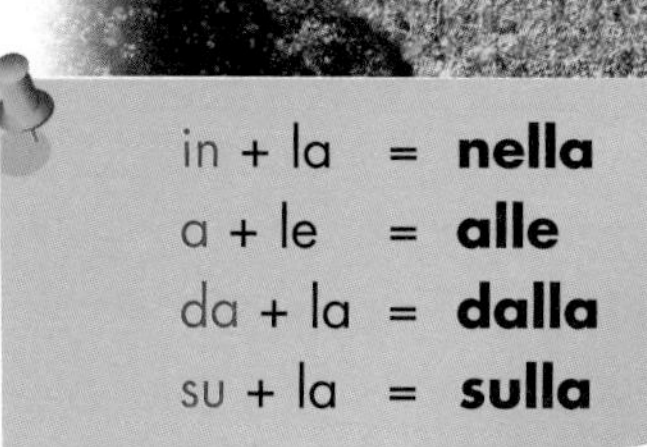

The prepositions *di, a, da, in, su* combine with definite articles to form one word.

20. Complete the table.

+	IL	LO	L'	LA	I	GLI	LE
DI	del	dello			dei	degli	
A	al		all'		ai		
DA		dallo	dall'			dagli	
IN	nel			nella	nei		nelle
SU			sull'	sulla			

21. Choose the correct option and then complete the sentences with the correct prepositional article.

1. .... mia camera d'albergo c'è il bagno. In+la / Da+la / A+la
2. I camerieri lasciano ogni giorno gli asciugamani puliti .... letto. su+il / di+il / da+il
3. La colazione è pronta .... 8 in poi. in+le / da+le / a+le
4. Scusi, domani può svegliarmi .... 8 in punto? in+le / da+le / a+le
5. Prima di andare via devo ritirare il documento .... reception. di+la / in+la / a+la
6. In Italia non è frequente lasciare la mancia .... camerieri. a+i / in+i / di+i
7. L'albergo è .... inizio di Via Pantaneto. a+l' / su+l' / da+l'
8. Il presidente dorme in uno .... alberghi più eleganti della città. di+gli / da+gli / a+gli
9. Il mio appartamento è .... terzo piano di un palazzo antico. a+il / in+il / su+il
10. .... mia camera di albergo posso vedere il mare. In+la / Di+la / Da+la
11. .... case degli italiani ci possono essere un soggiorno e un salotto. In+le / A+le / Di+le
12. L'attaccapanni è generalmente .... ingresso. su+l / in+l' / di+l'

Conosciamo gli italiani

22. Read the text and then answer the questions orally.

Gli italiani in albergo? Spendono poco e vogliono molto.

Ecco i risultati di una recente indagine che chiede ai proprietari di alberghi europei un'opinione sui turisti stranieri. Gli italiani sono all'ultimo posto nella classifica dei clienti. Secondo i proprietari di alberghi gli italiani «non rispettano gli orari, sono rumorosi, vogliono il servizio migliore ma non spendono molti soldi. Non danno quasi mai mance per i camerieri».

Gli italiani curano molto la casa e quando sono fuori protestano per tutto: per la pulizia e l'arredamento delle stanze, per il pranzo e la cena del ristorante dell'albergo. Un albergatore inglese dice: «La cucina italiana è una delle migliori, ma questo non può essere un motivo per pretendere lo stesso anche qui».

Un albergatore svizzero «Non capiscono che un albergo all'estero non può essere come la casa. Gli italiani non possono pretendere la massima cura per l'arredamento in un albergo a 3 stelle. Per quello ci sono alberghi a quattro e cinque stelle, ma costano molto e gli italiani non vogliono spendere soldi quando vengono qui in vacanza».

Dice il direttore dell'Hilton di Londra: «Il nostro albergo offre anche la sala conferenze e la sauna, oltre ovviamente a tutti i servizi in camera: dall'aria condizionata, al frigobar, alla vasca da bagno con idromassaggio. Diamo massima attenzione ai particolari e alla pulizia e l'arredamento è di ottima qualità.

La cucina del nostro ristorante è ottima.

Ovviamente chiediamo un prezzo maggiore rispetto alla media degli altri alberghi. E da noi i turisti italiani sono veramente pochi».

L'opinione sugli altri turisti? «Svedesi e norvegesi sono i migliori: puliti, silenziosi, educati». E gli americani?

Dice un albergatore spagnolo: «nell'ultimo periodo gli americani sono pochi per l'euro forte. Generalmente sono cortesi.

Come gli italiani, pretendono il servizio migliore, ma pagano senza problemi e se sono soddisfatti lasciano buone mance ai camerieri».

1. Quali sono i difetti dei turisti italiani secondo i proprietari di alberghi all'estero?
2. Per quali motivi gli italiani protestano?
3. Gli italiani frequentano gli alberghi di lusso?
4. Quali sono i turisti preferiti dai proprietari di alberghi?
5. Qual è la differenza tra turisti americani e turisti italiani?

UFFICIO INFORMAZIONI

Italy is the country in Europe with the highest number of hotel guests. Not all the hotels are small, of course. The Town House Hotel in the centre of Milan is the only seven star hotel in Europe.

Parliamo un po'...

- Sei una persona esigente quando vai in un locale pubblico?
- Quando ricevi un cattivo servizio in albergo o al ristorante protesti o no?
- Ricordi un episodio particolare che hai avuto in albergo?
- Dai più importanza al prezzo o alla qualità dell'albergo?
- Secondo te quali sono gli atteggiamenti tipici dei turisti del tuo Paese negli alberghi?
- ...

Si dice così!

Here are some useful expressions to...

Describe where something is	La mia casa è in un palazzo di 6 piani dove ci sono venti appartamenti. Appena entri c'è un ingresso.
Ask for information about the facilities provided in a hotel room	C'è il bagno/il televisore/l'aria condizionata in camera?
Express partial satisfaction	Va bene. Meglio di niente.
Give an approximate time	Arrivo intorno alle cinque. Arrivo più o meno alle cinque. Arrivo alle cinque circa.

Sintesi grammaticale

- ***C'è / Ci sono***

C'è and ci sono are used to describe where something is in a given place.

C'è + singular noun	Nella stanza c'è il bagno.
Ci sono + plural noun	Nella stanza ci sono due finestre.

- **Prepositional articles (*Preposizioni articolate*)**

Prepositional articles are formed with the prepositions *di, a, da, in, su* + definite article.

Examples:
in + la camera d'albergo = nella camera d'albergo
in + il bagno = nel bagno

Attenzione!

Prepositional articles are obviously only used when the noun is used with a definite article.

Example:
Vado a + la festa di Maria = Vado alla festa di Maria.
Vado a Roma.

+	il	lo	l'	la	i	gli	le
di	del	dello	dell'	della	dei	degli	delle
a	al	allo	all'	alla	ai	agli	alle
da	dal	dallo	dall'	dalla	dai	dagli	dalle
in	nel	nello	nell'	nella	nei	negli	nelle
su	sul	sullo	sull'	sulla	sui	sugli	sulle

Scheda di autovalutazione 3
Unità 4-5

1. **Write at least one expression to...**
   - Get someone's attention: ....
   - Ask for directions: ....
   - Ask the time: ....
   - Describe the position of something: ....
   - Describe a house or flat: ....
   - Book a hotel room: ....

2. **What words from units 4 and 5 do you want to remember? Try to also include adjectives, nouns, verbs and adverbs associated with the words you want to remember.**

   1. ....
   2. ....
   3. ....
   4. ....
   5. ....
   6. ....
   7. ....
   8. ....

3. **Do you know any other words that relate to the topic in the unit? If you do, what are they? Where did you hear or read these words?**

NEW WORDS	tv	radio	internet	out and about	newspaper	classmates	other (please specify)

4. Think back to your knowledge at the start of the course. To what extent have your skills improved in the four areas listed below?

	a lot ++	quite a bit +	not much -	not at all - -
Listening				
Speaking				
Reading				
Writing				

5. How hard do you find the following?

	very hard ++	quite hard+	a little hard -	not hard at all - -
Listening				
Speaking				
Reading				
Writing				
Learning the grammar				
Learning the vocabulary				

6. How important is it to you to improve these skills going forward?

	very important ++	quite important +	not very important -	unimportant - -
Listening				
Speaking				
Reading				
Writing				

***Quartiere Navigli,* Milano**

La mia giornata a Firenze

Entriamo in tema

- Hai una vita frenetica o rilassata?
- Sei una persona puntuale o ritardataria?
- Ti piace fare le cose con calma o fai le cose di fretta?
- Qual è per te il momento più rilassante della giornata?

Comunichiamo

1. Read the e-mail and then decide whether the statements that follow are true or false.

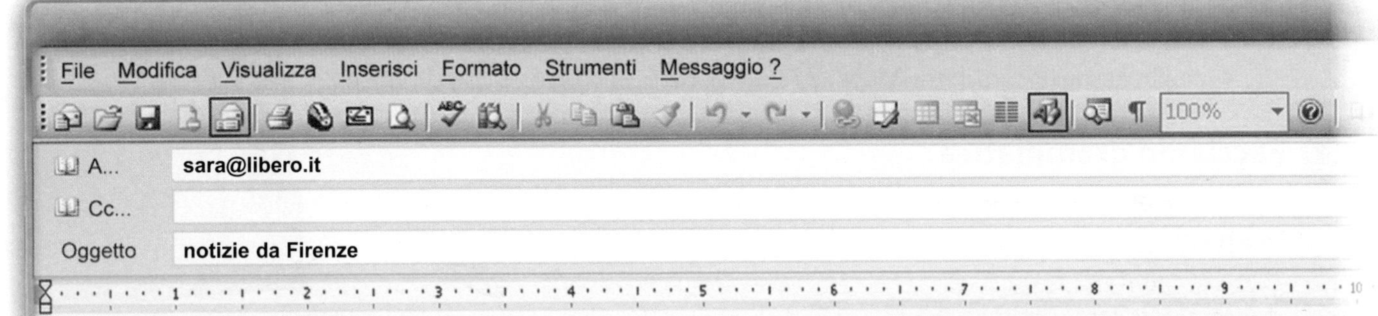

Ciao Sara!

Scusa se ti scrivo solo adesso, ma sono sempre di corsa e non trovo mai il tempo… Come stai? Qui a Firenze tutto ok! Mi trovo bene anche se qualche volta ho nostalgia di casa e della Spagna. La mia giornata qui è frenetica. Mi sveglio sempre alle sette e mezzo, ma resto a letto mezz'ora in più. Alle otto mi alzo e mi preparo in trenta minuti esatti! Mi lavo, mi vesto in fretta e alle otto e mezzo sono fuori. Come sai, divido l'appartamento con Elena, una ragazza italiana, ma fortunatamente abbiamo orari diversi: lei generalmente non si alza prima delle nove, così non abbiamo problemi per il bagno… Il mio autobus passa quasi sempre in orario, alle 8 e 35, e in genere arrivo all'università giusto in tempo per l'inizio delle lezioni che cominciano alle nove in punto. Quando c'è traffico però l'autobus passa in ritardo e io perdo la prima ora delle lezioni. Alla fine delle lezioni, all'una e mezzo, vado subito a mangiare alla mensa e poi spesso torno in biblioteca a studiare; qualche volta incontro gli altri colleghi e andiamo a prendere un caffè insieme. Per migliorare il mio italiano incontro due volte alla settimana un ragazzo italiano e facciamo uno scambio di conversazione: parliamo un'ora in italiano e un'ora in spagnolo. Due sere alla settimana vado in palestra, frequento un corso di balli latino-americani! Quando non vado in palestra spesso torno a casa alle otto, ma qualche volta resto fuori a cena con i miei amici. Dopo cena è il momento che preferisco: mi metto comoda in poltrona e guardo la televisione o parlo un po' con Elena. Vado a letto verso le undici e mezzo e mi addormento immediatamente, come un sasso.

Il sabato o la domenica invece faccio le cose con calma. Mi alzo tardi, metto in ordine la casa, pranzo senza fretta, di pomeriggio esco e sto fuori fino a tardi. Chiamo i miei amici e ci vediamo in centro. Poi andiamo insieme in qualche locale o al cinema quando c'è un film interessante, ma non andiamo mai in discoteca perché, come sai, la detesto. Elena, la mia coinquilina, non esce quasi mai: fuori non si diverte e preferisce invitare gli amici a casa.

Adesso devo andare, tra poco passa il mio autobus.

Ci sentiamo presto! Tanti baci,

Marta

	Vero	Falso
1. Marta sta bene a Firenze.		
2. Marta abita da sola.		
3. Qualche volta arriva in ritardo all'università.		
4. Spesso va a studiare in biblioteca.		
5. Cena ogni sera a casa.		
6. Di solito legge un libro prima di addormentarsi.		
7. Quando esce il fine settimana torna tardi.		
8. Il fine settimana esce con Elena.		

2. **Read the e-mail again and then complete the sentences on the left using the expressions on the right.**

1. Marta a Firenze ha una vita frenetica ed è sempre
2. Generalmente l'autobus di Marta passa
3. Di solito Marta arriva all'università
4. Quando c'è traffico Marta arriva all'università
5. Alla fine delle lezioni Marta va in mensa
6. La sera Marta si addormenta
7. Il fine settimana Marta fa le cose
8. Il sabato pranza a casa

a. senza fretta.
b. giusto in tempo per l'inizio delle lezioni.
c. immediatamente.
d. con calma.
e. di corsa.
f. in ritardo.
g. in orario.
h. subito.

3. **Work with a partner. Take it in turns to ask each other questions about your daily routines. Here are some suggestions.**

- Abitudini della mattina (sveglia, colazione, orari di uscita da casa)
- Abitudini del pomeriggio (riposo, studio/lavoro, attività varie)
- Abitudini della sera (orari di cena, stare a casa, incontrarsi con gli amici)

Facciamo grammatica

Osserva!

Marta writes: "Mi trovo bene".

Mi trovo is a reflexive verb.

4. **Find the other 12 reflexive verbs in Marta's e-mail and write them below.**

1.	4.	7.	10. ....
2.	5.	8.	11. ....
3.	6.	9.	12. ....

5. **Complete the table.**

	alzarsi	mettersi	divertirsi
io	mi alzo	mi metto	mi diverto
tu	ti alzi	ti metti	....
lui/lei/Lei	....	....	....
noi	....	....	....
voi	vi alzate	....	....
loro	si alzano	....	....

One of the reflexive verbs in the text is the negative form "non si alza".
The word *non* ('not') used to produce negative forms always goes in front of the reflexive pronoun.

Non	si	alza
Negation	reflexive pronoun	verb

6. Complete the sentences with the correct form of the verb in brackets.

1. Francesco (trovarsi) .... bene a Firenze.
2. Elisa è una ragazza sportiva e (mettersi) .... sempre i jeans.
3. Ti vedo in forma Luisa! Quante volte (allenarsi) .... alla settimana?
4. Marco e Giulia (non - divertirsi) .... quando escono con noi.
5. Non so ballare quindi in discoteca di solito (annoiarsi) ....
6. Io e la mia ragazza (vedersi) .... ogni giorno.

Impariamo le parole - Azioni quotidiane

7. Write the words provided under the appropriate picture.

lavarsi - pettinarsi - svegliarsi - radersi - truccarsi - rilassarsi - divertirsi - vestirsi

1. ....

2. ....

3. ....

4. ....

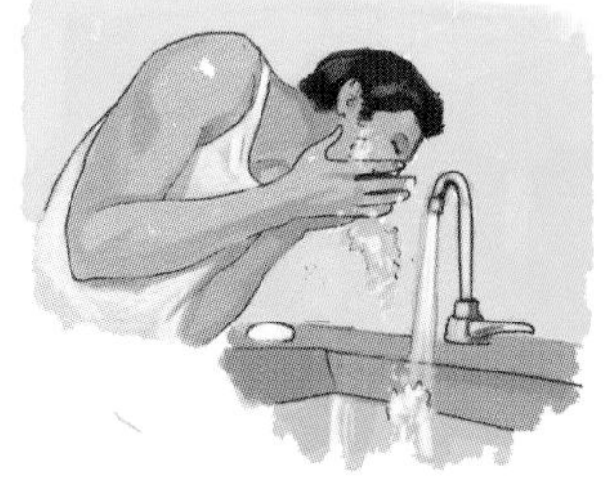

5. ....

6. ....

7. ....

8. ....

8. Complete the text using the verbs provided.

mi alzo - mi faccio - mi vesto - mi sveglio - mi faccio
mi tolgo - mi addormento - mi incontro - mi tolgo

Ogni mattina (1).................. alle 7, ma resto a letto fino alle 7.15 circa. Poi (2).................., vado in bagno e (3).................. la barba. Dopo (4).................. il pigiama e (5).................. la doccia. (6).................. e verso le 8.15 sono pronto per uscire. Alle 8.30 vado al bar vicino casa mia e faccio colazione: di solito prendo soltanto un caffè e un cornetto.
Vado in ufficio alle 9 e lavoro fino alle 13; pranzo velocemente e torno al lavoro fino alle 17. Appena torno a casa (7).................. subito le scarpe e mi distendo sul divano davanti alla televisione e spesso (8).................. Qualche volta (9).................. con i miei amici per una birra o vengono loro a casa mia e guardiamo un film.

Entriamo in tema

- Studi o lavori? Che lavoro fai? È un lavoro part time?
- Quanto impegno ti richiede?
- Secondo te per gli studenti universitari è meglio dedicarsi totalmente allo studio o è utile anche trovare un piccolo lavoro?
- Conosci ragazzi italiani che studiano e lavorano allo stesso tempo?
- Nel tuo Paese ci sono molti studenti che non finiscono l'università nei tempi stabiliti?

Comunichiamo

16

9. Listen to the dialogue. Are the statements true or false?

	Vero	Falso
1. Lindsay si trova bene a Firenze.		
2. Lindsay lavora a tempo pieno.		
3. Le lezioni di Lindsay sono tutte di mattina.		
4. Marcello lavora.		
5. Marcello esce poco.		
6. Lindsay invita Marcello per una birra.		

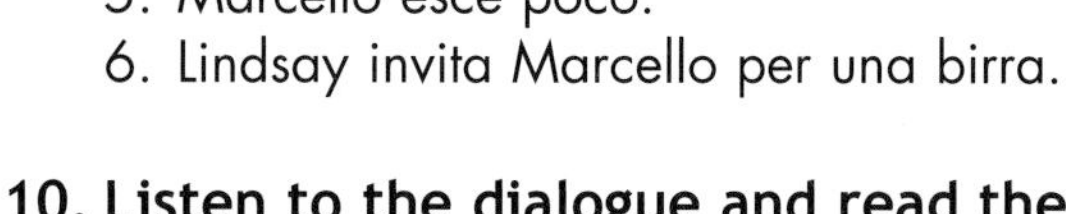

UFFICIO INFORMAZIONI

Working students are entitled to time off work to sit university exams and must be paid for the days they take. Additionally, working students have the right to an extra 150 hours off work over three years (50 hours a year).

16

10. Listen to the dialogue and read the text. Check your answers to exercise 9.

Marcello: Allora Lindsay, come ti trovi qui a Firenze?
Lindsay: Adesso bene. Mi sono abituata allo stile di vita italiano e mi piace.
Marcello: E cosa fai di bello?
Lindsay: Da circa un mese lavoro part time in un pub in centro, faccio la cameriera.
Marcello: E quanti giorni lavori alla settimana?
Lindsay: Lavoro mezza giornata, tre sere alla settimana e qualche volta anche il pomeriggio. È un po' duro, ma così posso pagare l'affitto e continuare a studiare.
Marcello: E come fai a seguire le lezioni all'università?
Lindsay: Guarda, le lezioni sono quasi sempre la mattina e generalmente non ho problemi a frequentare. Quando ho lezione il pomeriggio, prima vado all'università e poi scappo al lavoro. Per fortuna la facoltà di Ingegneria è qui vicino. Tu invece cosa fai?

Palazzo dell'Università di Firenze

Marcello: Adesso devo dare gli ultimi due esami e cominciare a scrivere la tesi. Spero di laurearmi al prossimo appello. Sai... sono già al secondo anno fuori corso! Quindi in questo periodo sono abbastanza impegnato ed esco raramente: seguo le lezioni, mangio in mensa, studio in biblioteca... La giornata passa in questo modo... Durante la settimana non esco quasi mai, esco qualche volta il sabato o la domenica.
Lindsay: Comunque se hai tempo perché non mi vieni a trovare al lavoro una di queste sere? Ti offro una birra.
Marcello: D'accordo, molto volentieri.

11. Listen to part of the dialogue a few more times and complete the sentences.

Lindsay: Lavoro mezza giornata, ...
il pomeriggio. È un po' duro, ma così posso pagare l'affitto e continuare a studiare. Tu invece cosa fai?

Marcello: In questo periodo sono abbastanza .... ed esco ....: seguo le lezioni, mangio in mensa, studio in biblioteca... La giornata passa in questo modo... Durante la settimana ....,
.... il sabato o la domenica.

Attenzione!

The following expressions can be used to ask how often someone does something:
Quante volte... al giorno/al mese/all'anno/alla settimana...

The following expressions can be used to state how often something is done in a given period:
Una volta/Due volte... al giorno/al mese/all'anno/alla settimana...

12. Work with a partner. As in the example, take it in turns to ask each other how often you do the following things.

Esempio: • Quante volte alla settimana ti alzi tardi?
• Una volta alla settimana, la domenica, mi alzo tardi.

- Alzarsi tardi
- Visitare una mostra d'arte
- Ascoltare musica classica
- Tornare tardi la sera
- Tagliarsi i capelli
- Vestirsi in maniera elegante
- Fare la spesa
- Preparare la cena
- Pulire la casa
- Andare in palestra o allenarsi

Impariamo le parole - L'università

13. Reread the dialogue on page 76: find and write down the terms that correspond to the definitions given below.

1. Il posto dove gli studenti frequentano le lezioni. .... (di lettere, di medicina ecc.)
2. Le prove che fanno gli studenti all'università. ....
3. Il lavoro finale che gli studenti preparano per laurearsi. ....
4. Il posto dove gli studenti mangiano. ....
5. Il posto dove gli studenti studiano o consultano libri. ....
6. Convocazione per un esame. ....
7. Finire gli studi dopo i tempi normali. (essere) ....

14. Study this web page from the University of Florence website and complete the text using the words provided.

segreteria studenti - sostenere - discipline - facoltà - data dell'esame
sessione d'esame - appello - iscriversi

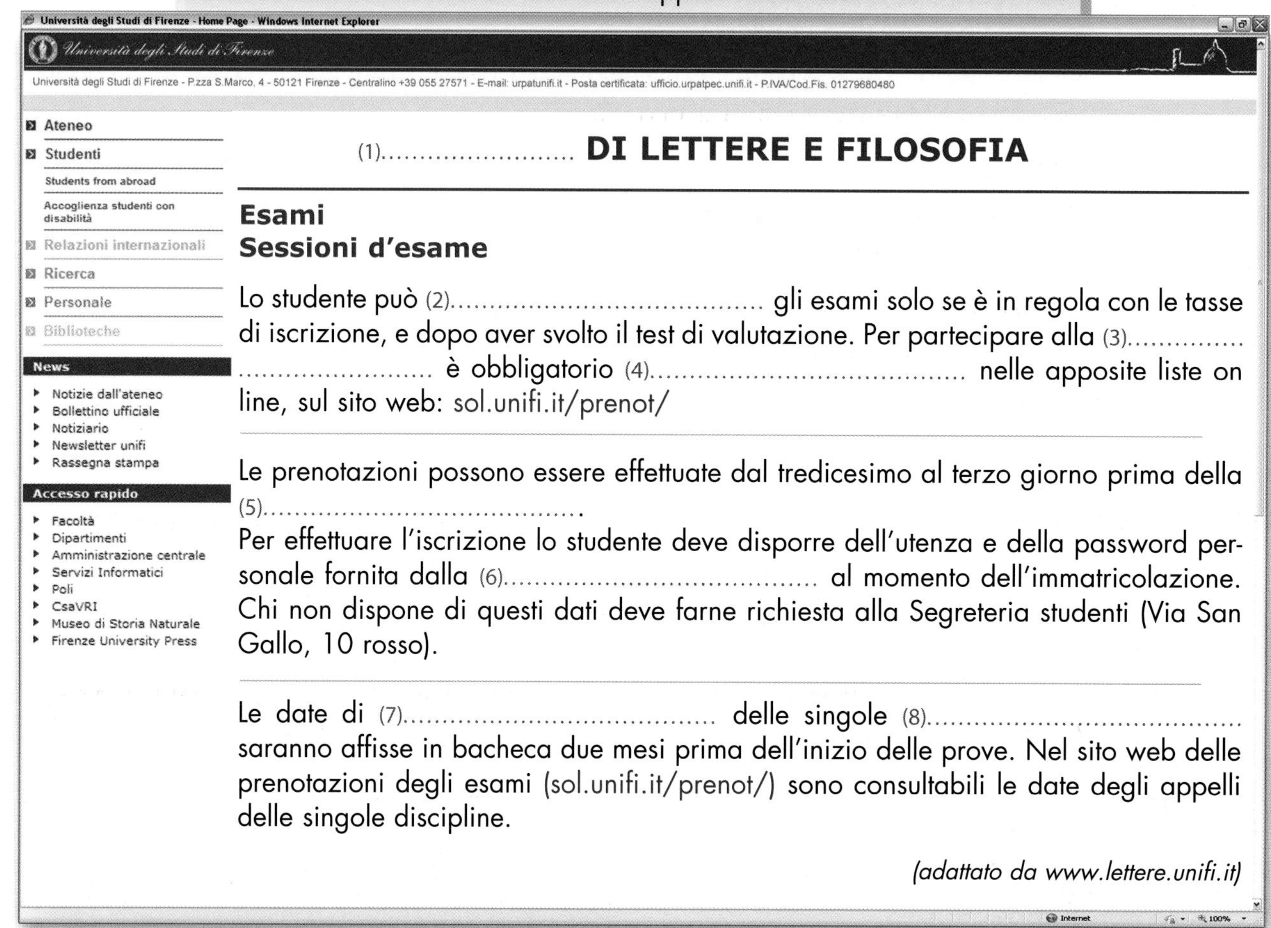

Università degli Studi di Firenze - Home Page - Windows Internet Explorer

Università degli Studi di Firenze - P.zza S.Marco, 4 - 50121 Firenze - Centralino +39 055 27571 - E-mail: urpatunifi.it - Posta certificata: ufficio.urpatpec.unifi.it - P.IVA/Cod.Fis. 01279680480

- Ateneo
- Studenti
  - Students from abroad
  - Accoglienza studenti con disabilità
- Relazioni internazionali
- Ricerca
- Personale
- Biblioteche

News
- Notizie dall'ateneo
- Bollettino ufficiale
- Notiziario
- Newsletter unifi
- Rassegna stampa

Accesso rapido
- Facoltà
- Dipartimenti
- Amministrazione centrale
- Servizi Informatici
- Poli
- CsaVRI
- Museo di Storia Naturale
- Firenze University Press

(1)......................... **DI LETTERE E FILOSOFIA**

Esami
Sessioni d'esame

Lo studente può (2)....................................... gli esami solo se è in regola con le tasse di iscrizione, e dopo aver svolto il test di valutazione. Per partecipare alla (3).............. .... è obbligatorio (4).. nelle apposite liste on line, sul sito web: sol.unifi.it/prenot/

Le prenotazioni possono essere effettuate dal tredicesimo al terzo giorno prima della (5)..
Per effettuare l'iscrizione lo studente deve disporre dell'utenza e della password personale fornita dalla (6)....................................... al momento dell'immatricolazione. Chi non dispone di questi dati deve farne richiesta alla Segreteria studenti (Via San Gallo, 10 rosso).

Le date di (7)....................................... delle singole (8)....................................... saranno affisse in bacheca due mesi prima dell'inizio delle prove. Nel sito web delle prenotazioni degli esami (sol.unifi.it/prenot/) sono consultabili le date degli appelli delle singole discipline.

(adattato da www.lettere.unifi.it)

Facciamo grammatica

15. Find the adverbs of frequency present in the dialogue on page 76 and position them on the scale below.

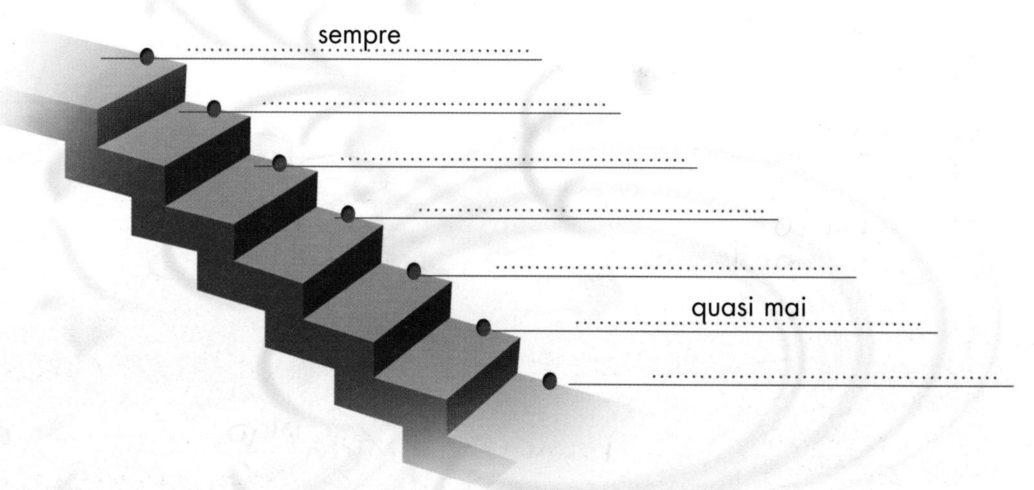

Osserva!

- Le lezioni sono quasi sempre la mattina.
- In questo periodo esco raramente.
- Non vado mai a letto prima dell'una.
- Non esco quasi mai durante la settimana.

16. What is different about how you use *mai* and *quasi mai* when compared to other adverbs of frequency? Discuss the answer with a classmate and then finish writing the rule below.

Mai and quasi mai are used when the sentence is ....

17. Answer the questions using *mai* or *quasi mai*.

1. Lavori anche il sabato pomeriggio? ....
2. Esci spesso la sera anche durante la settimana? ....
3. Ti alzi tardi la mattina? ....
4. Mangi spesso alla mensa universitaria? ....
5. Arrivi in ritardo a lezione? ....
6. Vai in vacanza all'estero? ....
7. Passi la domenica con la tua famiglia? ....
8. Vai a teatro? ....

Comunichiamo

18. Mark in the table how often you do the things listed and then tell the class what you do.

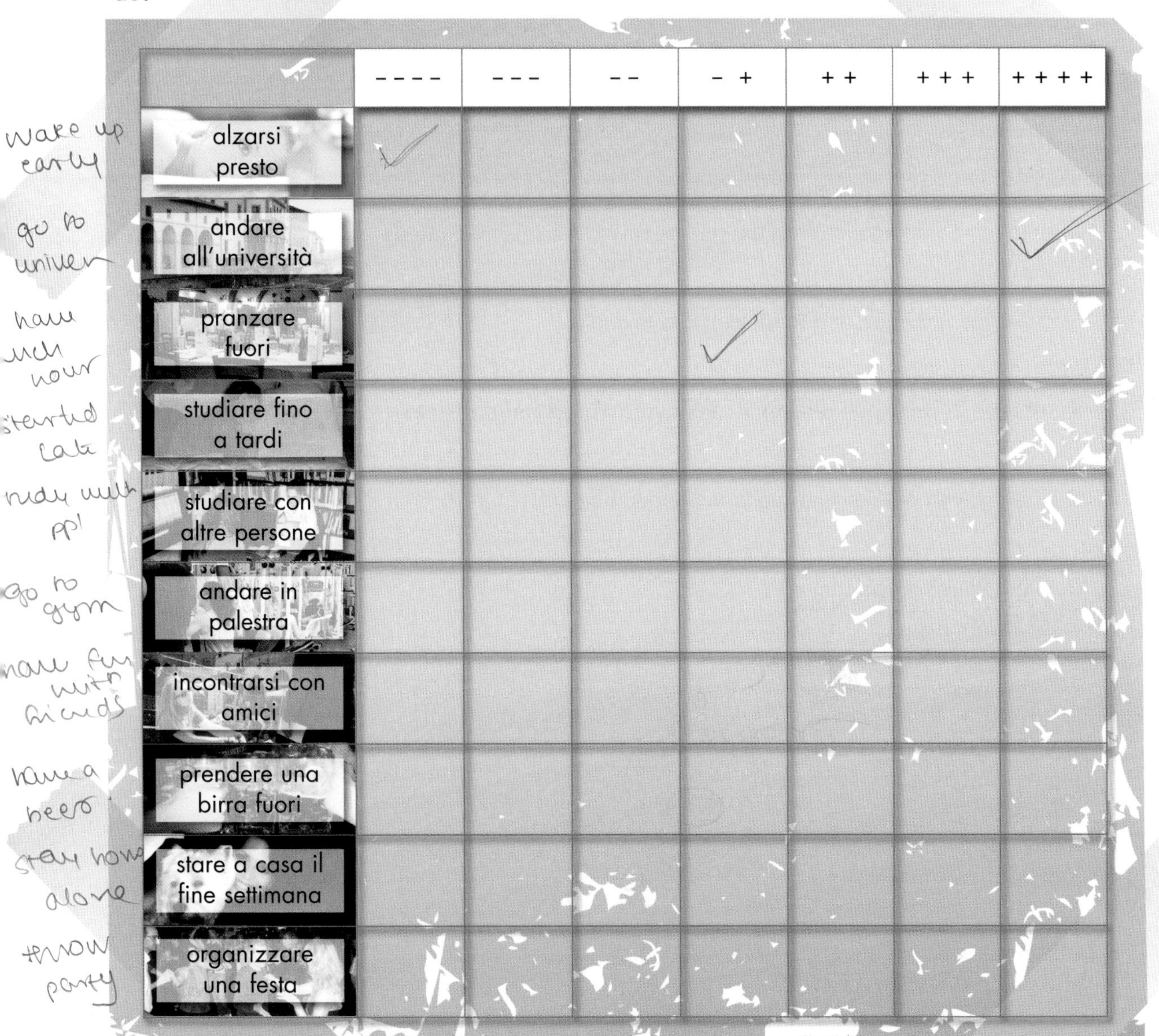

	– – – –	– – –	– –	– +	+ +	+ + +	+ + + +
alzarsi presto							
andare all'università							
pranzare fuori							
studiare fino a tardi							
studiare con altre persone							
andare in palestra							
incontrarsi con amici							
prendere una birra fuori							
stare a casa il fine settimana							
organizzare una festa							

Conosciamo gli italiani

19. Read the text and answer the questions.

La giornata degli italiani: tra lavoro e tempo libero

Com'è la giornata degli italiani? Vi presentiamo i dati principali di una recente indagine che fotografa l'attuale condizione degli italiani: è un'immagine di un popolo con una forte divisione dei ruoli tra uomini e donne, soprattutto nel lavoro, certamente non iperattivo, e ancora attento al piacere di stare bene a tavola.

Il lavoro occupa la maggior parte del tempo degli italiani, ma ci sono forti differenze tra uomini e donne: gli uomini spendono la maggior parte del tempo in lavoro pagato, mentre le donne passano una parte più consistente della loro giornata in attività non pagate di lavoro domestico: pulizia della casa, spesa, cura di bambini e parenti.

Immagine dal film *13dici a tavola*

Gli italiani sono un popolo di dormiglioni: se consideriamo anche il riposo dopo pranzo, dormono in media più di otto ore (8 ore e 19 minuti, per la precisione), più di tutti gli altri europei.

Resiste la tradizione di mangiare a tavola, sia a pranzo che a cena, il fast food non è ancora uno stile alimentare per gli italiani. Stare a tavola è anche un modo per socializzare in famiglia o con gli amici e gli italiani dedicano al pranzo e alla cena quasi 3 ore.

Per il tempo libero rimangono circa 4/5 ore. Non sorprende che moltissimi italiani passano la quasi totalità del tempo libero davanti alla TV (più di 4 ore). Tra le altre attività del tempo libero ci sono quelle di socializzazione, di relax, di sport. Infine, si conferma un altro dato negativo: gli italiani che passano il loro tempo libero in attività culturali (teatro, lettura di libri) sono meno del 10%.

1. Quanto tempo dedicano al riposo gli italiani?

   ....

2. Perché gli italiani passano tanto tempo a tavola?

   ....

3. Quali sono le principali differenze nel lavoro tra uomini e donne?

   ....

4. Qual è l'attività più comune svolta nel tempo libero?

   ....

5. Qual è l'attività meno comune?

   ....

Parliamo un po'...

- Quanto tempo dedichi allo studio o al lavoro?
- Quanto tempo alla cultura?
- Quanto al divertimento?
- Sei un tipo pigro o attivo?
- Cosa pensi dello stile di vita degli italiani?
- ...

Si dice così!

Here are some useful expressions to...

Describe routine activities	Mi alzo sempre presto. Di solito prendo l'autobus. Generalmente non esco la sera.
State how often something is done in a given period	Una volta alla settimana. Due volte al mese. Tre volte all'anno.
Ask how often someone does something	Quante volte alla settimana fai la spesa?
Say goodbye in an informal e-mail	Ci sentiamo presto. Tanti baci.

Here are a few expressions that relate to time.

in orario - in ritardo	Sono in orario. / L'autobus passa in ritardo.
di corsa	Sono di corsa. / Faccio le cose di corsa.
con calma	Mi preparo con calma.
senza fretta	Faccio le cose senza fretta.
subito/immediatamente	Esco subito. / Mi addormento immediatamente.

Sintesi grammaticale

- **Reflexive verbs (*Verbi riflessivi*)**

	LAVARSI	METTERSI	VESTIRSI
io	mi lavo	mi metto	mi vesto
tu	ti lavi	ti metti	ti vesti
lui/lei/Lei	si lava	si mette	si veste
noi	ci laviamo	ci mettiamo	ci vestiamo
voi	vi lavate	vi mettete	vi vestite
loro	si lavano	si mettono	si vestono

The endings used for *-are*, *-ere* and *-ire* verbs are also used for reflexive verbs.
A reflexive pronoun (*mi, ti, si, ci, vi, si*) needs to be added in front of the verb.
The word *non* ('not') used to produce negative forms always goes in front of the reflexive pronoun.

Mi vesto. *Non mi vesto.*

- **Some adverbs of frequency (*Alcuni avverbi di frequenza*)**

Sempre, quasi sempre, generalmente, spesso, qualche volta, quasi mai, mai
The position of adverbs of frequency in sentences is not fixed, but they usually go after the verb.

Mai and quasi mai are used in negative sentences.

Examples:
Non vado mai a ballare. Non fumo quasi mai.

Test 3 (Unità 5 - 6)

Funzioni

1. Complete the dialogue.

- *Albergo Panorama*, buonasera.
- .... (*Saluti e prenoti una camera*)
- Certo, signora. Per quante notti?
- .... (*Rispondi*)
- Perfetto.
- .... (*Chiedi il prezzo della camera*)
- Allora, la camera viene 90 euro a notte.
- .... (*Chiedi il permesso di portare il gatto*)
- Va bene, signora, non ci sono problemi. Accettiamo animali di piccola taglia.
- .... (*Dici il tuo orario di arrivo in albergo e saluti*)
- Perfetto, signora. Arrivederci.

/5

2. Match each question to the correct answer.

1. Prendi l'autobus quando devi uscire?
2. Arrivi in orario o in ritardo al lavoro?
3. A che ora ti alzi la mattina?
4. In quanto tempo ti prepari la mattina?
5. Cosa fai il fine settimana?

a. Di solito alle sette, quando non lavoro un po' più tardi.
b. In orario, sono una persona puntuale.
c. In cinque minuti. Ho poco tempo e sono sempre di corsa.
d. Mi alzo con calma, pulisco, metto in ordine la casa e spesso la sera vado a cena fuori.
e. Generalmente sì, anche se quando c'è traffico passa in ritardo.

/5

Grammatica

3. Circle the correct option in each case.

1. In primavera in Toscana c'è/è/ci sono/sono giornate splendide.
2. Dove c'è/è/ci sono/sono la tua fidanzata?
3. Gli studenti c'è/è/ci sono/sono nella classe.
4. In città c'è/è/ci sono/sono negozi eleganti.
5. Gli amici di Marco c'è/è/ci sono/sono simpatici.

/5

4. Use *c'è / ci sono* to complete the following sentences.

1. Nella mia stanza .... un letto matrimoniale.
2. Nel mio palazzo non .... l'ascensore.

3. Abito in una zona dove non .... molti giardini.
4. Scusi, nella camera .... il televisore?
5. A Roma .... molte piazze famose.

/5

5. Supply the correct prepositional article to complete the sentences.

1. L'edicola è vicino (*a*) .... fermata (*di*) .... autobus.
2. Molti turisti americani lasciano la mancia (*a*) .... camerieri.
3. (*In*) .... chiese di Firenze è possibile vedere molte opere d'arte.
4. Per andare (*da*) .... stazione a casa mia devo prendere l'autobus.

/5

6. Complete the sentences with the correct form of the reflexive verbs in brackets.

1. La mattina io (*alzarsi*) .... sempre presto, invece la mia ragazza (*alzarsi*) .... tardi.
2. Gli italiani (*vestirsi*) .... in maniera elegante.
3. Io e Maria il fine settimana usciamo con gli amici e (*rilassarsi*) ....
4. Voi (*divertirsi*) .... quando andate in discoteca?
5. Dopo pranzo io generalmente (*riposarsi*) .... un po'.
6. Marco, a che ora (*svegliarsi*) .... la mattina?
7. Di solito io (*mettersi*) .... le scarpe da ginnastica, Maria (*mettersi*) .... gli stivali.
8. Gli studenti (*annoiarsi*) .... durante la lezione.

/10

Vocabolario

7. Write the names of the rooms shown under the pictures.

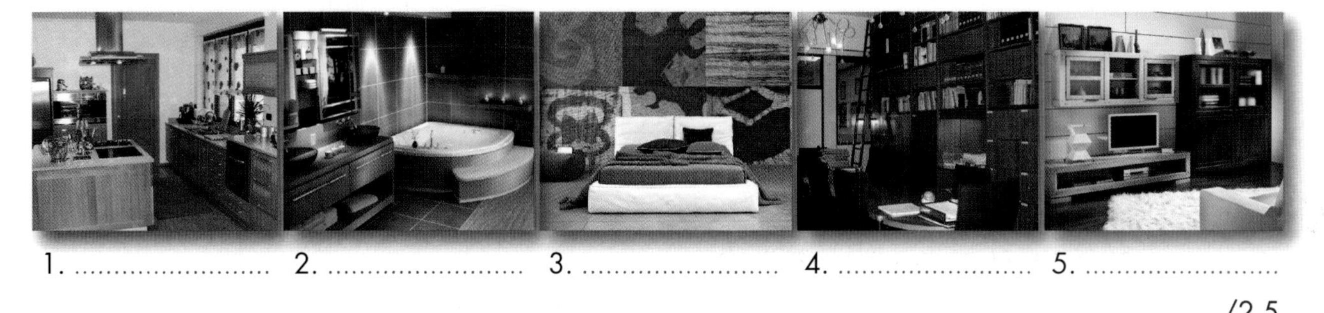

1. .... 2. .... 3. .... 4. .... 5. ....

/2,5

8. Circle the odd word out in each group below.

1. laurea - facoltà - ufficio - università
2. spolverare - lavare - stirare - alzarsi
3. ingresso - studio - coinquilino - cucina
4. qualche volta - puntuale - di corsa - in orario
5. singola - piccola - doppia - matrimoniale

/2,5

Punteggio Totale /40

Che tempo fa?

Entriamo in tema

1. A little Italian geography. Do you know which regions these cities are in?

Venezia	....	Milano	....
Perugia	....	Torino	....
Bologna	....	Catania	....
Genova	....	Napoli	....
Rimini	....		

UFFICIO INFORMAZIONI

Italian cities are well-known to everyone for their art and history, but Italian cities are also famous for other things. For example: Venice is famous for its carnival and Milan for its fashion shows; Turin is the home of the football team Juventus; Genoa has the largest port in Italy; Rimini is renowned for its night life; Bologna is the home of tortellini; Naples is the birth place of pizza, and Catania has Etna, the biggest volcano in Europe.

Comunichiamo

2. Read the text and then decide whether the statements that follow are true or false.

Geografia del *Belpaese*

L'Italia è lunga e stretta, il mare **la** circonda da tre parti (Sud, Est, Ovest) e le montagne la chiudono a Nord. Ha la forma simile a uno stivale, più largo a Nord e più stretto a Sud. È un paese con molte montagne che lo attraversano da Ovest a Est (Alpi) e da Nord a Sud (Appennini). In Italia c'è il monte più alto d'Europa: il monte Bianco. Gli sciatori lo amano particolarmente per le piste di sci veloci, piene di neve da novembre a marzo. Nelle zone vicino alle Alpi ci sono i laghi principali (il Lago di Como, il Lago Maggiore, il Lago di Garda): ogni anno migliaia di turisti italiani e stranieri li scelgono come meta per le loro vacanze. Le principali isole italiane sono due: la Sicilia e la Sardegna, ma sono tante le isole minori (Elba, Capri, Lipari ecc.). Gli italiani le considerano splendidi posti soprattutto per le vacanze estive. In Italia ci sono venti regioni e molte città d'arte come Venezia, Firenze e Roma. Tutti le conoscono per le bellezze artistiche: rinascimentali per Firenze, dell'antica Roma per la capitale. Molti chiamano l'Italia il "Belpaese" per le bellezze naturali e artistiche e per il clima mite anche in inverno. In realtà le condizioni del tempo sono molto diverse da Nord a Sud nelle diverse stagioni. In inverno, se in Sicilia abbiamo intorno ai 10-15 gradi, a Milano o a Torino la temperatura scende spesso sotto lo zero. In queste città sono frequenti le nevicate, ma da Roma in giù non nevica quasi mai. Nelle regioni del Centro e del Nord il tempo è abbastanza piovoso in autunno, ma negli ultimi anni purtroppo non piove quasi mai. Questo è un grosso problema perché la disponibilità d'acqua diminuisce in città e in campagna. Anche i fiumi più importanti (il Po in Piemonte, l'Arno in Toscana, il Tevere nel Lazio) hanno sempre meno acqua. In estate il clima di solito è molto bello in tutta Italia, dalla Lombardia alla Sicilia. In questa isola, per i venti che soffiano dal Nord Africa, ci può essere una temperatura superiore ai 40 gradi nelle giornate più calde di agosto.

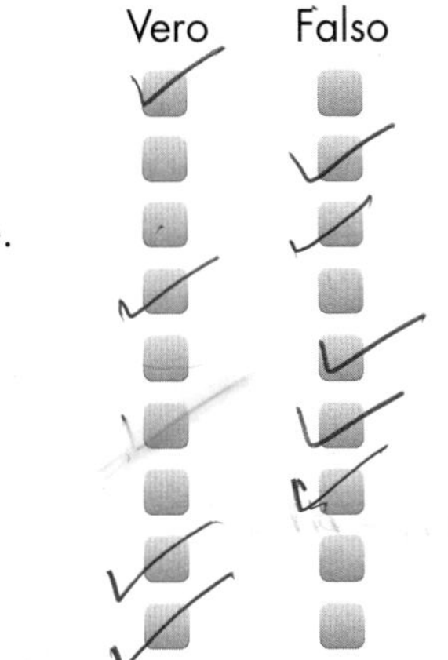

	Vero	Falso
1. Le montagne italiane sono le Alpi e gli Appennini.		
2. La Sicilia e la Sardegna sono piccole isole.		
3. Molti chiamano l'Italia "Belpaese" per le sue ricchezze.		
4. Il clima è diverso nelle varie zone d'Italia.		
5. In inverno fa caldo in tutte le città italiane.		
6. Le piogge sono frequenti principalmente al Sud.		
7. In Italia ci sono problemi per l'acqua.		
8. In estate il clima è bello in tutta Italia.		
9. In Sicilia la temperatura massima è di 40 gradi.		

Impariamo le parole - I mesi dell'anno

3. Unscramble the months of the year and then list them below in the correct order.

nagenio - brafebio - zorma - prilea - magigo - nogugi - gullio - stogao
stembrete - tobreto - venombre - cedimbre.

1	5	9 ....
2	6	10 ....
3	7	11 ....
4	8	12 ....

4. Complete the sentences and then match them to the appropriate picture.

1. L'autunno inizia il 21 settembre e finisce il 20 dicembre.
2. L'inverno inizia il 21 .... e finisce il 20 ....
3. La primavera inizia il 21 .... e finisce il 20 ....
4. L'estate inizia il 21 .... e finisce il 20 ....

Espressioni per descrivere il tempo

5. Write the expressions provided under the correct picture.

fa bel tempo - nevica - fa brutto tempo - piove - fa caldo - tira vento
fa freddo - c'è la nebbia - è nuvoloso

1. ....

2. ....

3. ....

4. ....

5. ....

6. ....

7. ....

8. ....

9. ....

Comunichiamo

6. What is the weather like in your town or city during each season? In the table below, tick the weather conditions you experience and then compare your answers to those of a classmate. Finally, share the information with the whole class.

Nella mia città...

	inverno	**primavera**	**autunno**	**estate**
fa bel tempo				
fa brutto tempo				
fa caldo				
fa freddo				
piove				
nevica				
c'è la nebbia				
tira vento				
è nuvoloso				

Nella città del mio compagno...

	inverno	primavera	autunno	estate
fa bel tempo				
fa brutto tempo				
fa caldo				
fa freddo				
piove				
nevica				
c'è la nebbia				
tira vento				
è nuvoloso				

Facciamo grammatica

Osserva!

L'Italia è lunga e stretta, il mare la circonda da tre parti (Sud, Est, Ovest).

The highlighted word la is a direct object pronoun that takes the place of "l'Italia".

L'Italia è lunga e stretta, il mare circonda l'Italia da tre parti (Sud, Est, Ovest).

↓

... , il mare la circonda da tre parti (Sud, Est, Ovest).

7. Find the other direct object pronouns in the text and state what word(s) they take the place of.

pronome diretto	si riferisce a...
la	l'Italia
le	names of cities
la	mountains
le	name of Islands

li lakes

The pronoun lo can take the place of an entire sentence.

- Sai qual è la capitale d'Italia?
- Sì, lo so (= so qual è la capitale d'Italia). È Roma.

Porta del Popolo,
Roma

8. Complete the sentences with the correct direct object pronouns.

1. L'estate è la mia stagione preferita e .... passo sempre al mare.
2. La temperatura in Sicilia è in media di 25 gradi, ma i venti africani .... possono fare alzare molto.
3. Le isole minori sono numerose e molti .... considerano i posti più belli per le vacanze.
4. I monti più alti sono al Nord e in inverno la neve .... copre quasi interamente.
5. La Toscana è forse la regione più turistica, ... dicono tutti.
6. Mi piace moltissimo il paesaggio della campagna di Siena. .... ammiro soprattutto in primavera.

Entriamo in tema

- Cosa fai di solito in inverno?
- E in estate?
- Quale stagione preferisci?
- Perché?
- Quali cibi mangi nelle varie stagioni?

Comunichiamo

18

9. Listen to the telephone call and decide whether the statements are true or false.

	Vero	Falso
1. A Torino ci sono 15 gradi.		
2. In Sicilia fa caldo.		
3. A Torino sta piovendo.		
4. Massimo torna a Torino a settembre.		
5. A Massimo piacciono i dolci siciliani.		

UFFICIO INFORMAZIONI

Most Sicilian desserts are made with ricotta. The best known desserts are *cannoli* and *cassata*. *Cassata*, like other Sicilian dishes, is of Arabic origin and came to Sicily from North Africa. *Granita* is also typically Sicilian; this is a simple (but excellent) dessert made with water, sugar and lemon juice.

18

10. Listen to the telephone call again and read the text. Check your answers to exercise 9.

mamma: Pronto?
Massimo: Ciao mamma, sono Massimo.
mamma: Tesoro, come stai?
Massimo: Benissimo, la Sicilia è meravigliosa.
mamma: Lucia sta bene?
Massimo: Sì, sta benissimo. Anche lei è contenta. Poi le persone sono gentili e ci trattano benissimo.
mamma: Cosa fate di bello?
Massimo: Mah... di solito andiamo al mare e ci restiamo fino al pomeriggio.
mamma: Davvero? Qui a Torino fa già freddo! Ci sono 15 gradi.
Massimo: No, qui si muore di caldo.
mamma: Che fortuna! Qui invece il tempo è nuvoloso e tira vento. Senti Massimo, quando torni?
Massimo: Mamma non lo so... adesso mi sto divertendo un sacco... Settembre è il mese più bello per stare in Sicilia perché non ci sono troppi turisti e la temperatura è ancora alta.
mamma: Allora torni a ottobre?
Massimo: Penso di sì, mi fermo qui altri 10 giorni e poi torno. Anche perché il 4 ottobre devo ricominciare a lavorare...
mamma: D'accordo. Senti, per il resto mangi bene?
Massimo: Sì, mamma. Qui fanno dei dolci buonissimi!

Ragusa, Sicilia

mamma: Sono contenta di sapere che stai bene.
Massimo: Senti mamma, adesso ti saluto, sto telefonando da un phone center e adesso stanno chiudendo.
mamma: Va bene... allora a presto. Saluta Lucia. Vi posso chiamare domani o dopodomani?
Massimo: Certo, mamma, puoi chiamarci quando vuoi.

11. ***Una vacanza a...*** **Divide into three groups. You need to organise a holiday to Italy for the following people. Decide on a destination and when to travel, justifying your choices. Gather information using the Internet.**

Elisa: è una ragazza giovane e sportiva, ama la montagna e le scalate. O in alternativa fare lunghe camminate. Non le interessa la vita notturna.

Lara: insieme ad un gruppo di amici vuole fare una vacanza al mare. Cerca una città turistica, frequentata soprattutto da giovani. Ama andare in discoteca.

Mike: non ama andare in vacanza quando ci vanno tutti gli altri. Gli piace la campagna e vuole conoscere i vini italiani.

Facciamo grammatica

Osserva!

Le persone sono gentili e mi trattano bene. (trattano bene me)

The highlighted word is a personal direct object pronoun. Personal direct object pronouns take the place of people's names or the place of nouns that refer to people.

12. Listen again to these sentences from the dialogue and complete them with personal direct object pronouns.

1. Anche lei è contenta. Poi le persone sono gentili e .... trattano benissimo.
2. Senti mamma, adesso .... saluto.
3. .... posso chiamare domani o dopodomani?
4. Certo mamma, puoi chiamar.............. quando vuoi.

13. Complete the table.

pronomi diretti atoni
mi = me
.... = te
.... = noi
.... = voi

14. What is the rule?

Generally pronouns go... ☐ in front of the verb ☐ after the verb

When the verb *potere* is followed by an infinitive the pronoun goes...

☐ before the infinitive ☐ after the infinitive ☐ before the verb *potere*

Attenzione!

This last rule also applies when using the verbs *volere, dovere, sapere* + infinitive, and when using other pronouns.

15. Put the direct pronouns *mi, ti, ci, vi* into the gaps.

1. Mio zio è molto affettuoso con noi. Ogni volta che viene a trovar............... porta dei regali.
2. Marco è ancora arrabbiato con me, infatti quando .... vede non .... saluta.
3. Ragazzi, se non avete la macchina, ... accompagno io a casa.
4. Franco, non dire bugie! .... conosco bene e so quando non dici la verità!
5. ● Marta, posso chiamar............... più tardi o .... disturbo?
   ● .... puoi chiamare quando vuoi, non .... disturbi per niente.

16. Work with a partner and take it in turns to ask and answer the following questions, as in the example. Practice putting the pronouns in both the positions shown.

Esempio: Posso usare il tuo telefono? Sì, puoi usarlo/Sì, lo puoi usare.

1. Posso prendere questo ombrello?
2. Vuoi vedere le previsioni del tempo?
3. Vuoi visitare Firenze?
4. Sai leggere la cartina stradale?
5. Possiamo invitare Anna e Marta?
6. Volete ordinare i dolci siciliani?
7. Dobbiamo chiamare Elisa?
8. Sapete dove si trova Bologna?

Osserva!

1. Sto finendo i soldi.
2. Sto telefonando da un phone center e adesso stanno chiudendo.

17. What is the rule?

These sentences use the stare + gerund form. Study the first example. What is the difference between the present tense and the *stare* + gerund form? Discuss what you think with a classmate. Then, see if the rest of the class agrees and check with the teacher.

With *-are* verbs (*ingrassare*, *telefonare*) the gerund ends in ....

With *-ere* verbs (*chiudere*) and *-ire* verbs (*finire*) the gerund ends in ....

If the subject of the sentence changes, the gerund ☐ changes ☐ doesn't change

If the subject of the sentence changes, the verb stare ☐ changes ☐ doesn't change

18. Complete the following sentences with either the present tense or with *stare* + gerund.

1
● Cosa studi all'università?
● (Studiare) .... Economia, adesso (preparare) .... l'esame di matematica.

2
● Ragazzi, che (fare) .... stasera?
● Non lo (sapere) ...., forse restiamo a casa.

3
● (Noi - potere) .... venire da voi o state lavorando?
● Venite pure, non (fare) .... niente di particolare.

4
● Cosa (volere) .... fare adesso?
● Voglio fare un giro in centro.

5
● Che tempo fa in estate nella tua città?
● (Fare) .... sempre caldo.

19. Ask a classmate what these people are doing.

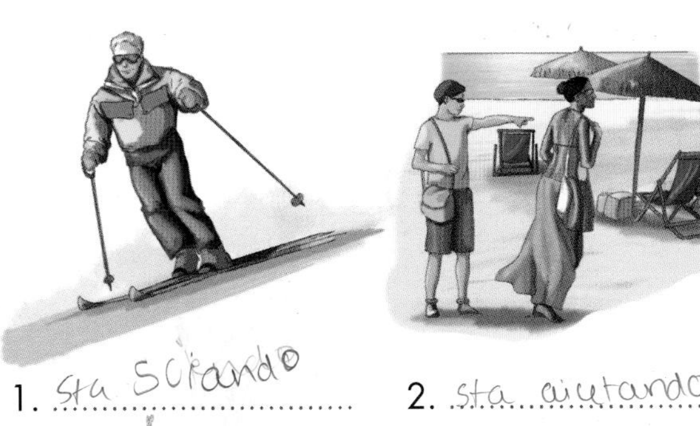

1. .... 2. .... 3. .... 4. ....

5. .... 6. .... 7. .... 8. ....

9. .... 10. .... 11. .... 12. ....

Impariamo le parole - Avverbi di quantità

Osserva!

Le condizioni del tempo sono molto diverse da Nord a Sud.
Il tempo è abbastanza piovoso in autunno.

Molto and abbastanza words used to indicate quantity.

20. Do you know any other words that indicate quantity? If you do, write them in the gaps below and then check with your classmates and teacher.

....	....	....	Abbastanza	Molto

Facciamo grammatica

Osserva!

- D'estate, molti stranieri vengono in Italia per il clima.
- L'Italia è un paese con molte montagne.
- Le condizioni del tempo sono molto diverse.
- Le città d'arte italiane sono molto famose, ma purtroppo gli alberghi costano molto.

21. What is the rule when using *molto*?

When molto is used to qualify a verb — changes — doesn't change
When molto is used to qualify an adjective — changes — doesn't change
When molto is used to qualify a noun — changes — doesn't change

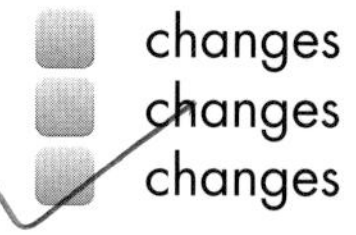
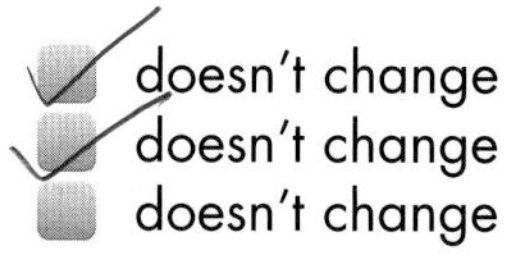

Poco behaves in the same way as *molto*.

22. Complete these sentences with *molto*.

1. L'Italia è un paese con .... fiumi.
2. In autunno i turisti diminuiscono ....
3. Siamo sempre .... stanchi perché lavoriamo ....
4. In autunno generalmente cade .... pioggia nel Nord d'Italia.
5. .... persone vengono in Italia in estate.
6. In primavera la campagna toscana è davvero .... bella.

23. Complete these sentences with *poco*.

1. Da qualche anno in Italia cade .... pioggia.
2. Lo scorso inverno sulle Alpi ha nevicato ....
3. In alcune piccole isole italiane ci vanno .... turisti.
4. Nell'Italia del Sud l'inverno dura ....
5. Mi piace viaggiare con .... amiche, due al massimo.
6. Siena è bella ma c'è .... da fare la sera.

Conosciamo gli italiani

24. Read the text.

Espressioni metaforiche e luoghi comuni sul tempo

Parlare del tempo è uno degli argomenti più comuni e in italiano esistono diverse espressioni metaforiche sul tempo. Per esempio: «piove come Dio la manda» significa che piove in grande quantità. Per dire che fa molto freddo si dice che «fa un freddo cane» mentre per dire che c'è un sole caldo si dice che «c'è un sole che spacca le pietre». Se la nebbia è fitta allora la nebbia «si taglia col coltello» Un cielo con le nuvole che portano pioggia è un «cielo a pecorelle».

Tra i luoghi comuni ricordiamo l'espressione «non ci sono più le mezze stagioni» quando vogliamo dire che il clima cambia improvvisamente dal caldo al freddo e viceversa.

Stereotipi in un certo senso rassicuranti, quando le anomalie del clima sono all'ordine del giorno. Ma a questi stereotipi ha dichiarato guerra Luca Mercalli, presidente della Società meteorologica italiana e noto climatologo che abbiamo intervistato.

«Smontare le false credenze sul clima è uno degli obiettivi che mi propongo come comunicatore scientifico» dichiara.

Possiamo considerare tra i falsi miti anche il fatto che nel Sud Italia in fondo non fa mai freddo? «In un certo senso sì. Non farei una netta distinzione fra Nord e Sud, direi però che le zone più fredde durante l'inverno sono quelle che si affacciano sull'Adriatico. Gli Appennini riparano le altre zone che così a volte sono protette dalle correnti fredde che vengono da Est.» E se le dico "rosso di sera, bel tempo si spera"? Guardi, alcuni proverbi hanno un fondo di verità. Quando il sole tramonta a Ovest e nel cielo da quella parte non ci sono nuvole, vuol dire che le perturbazioni che in Italia sono più frequenti, cioè quelle che vengono dalla Francia, sono già passate.

Ma anche «Cielo a pecorelle acqua a catinelle»... Certo! Le pecorelle sono altocumuli, nubi che in genere arrivano prima delle perturbazioni.

25. Match the first half of each sentence or dialogue to the appropriate second half.

1. Oggi il tempo è splendido! Fa caldo e
2. Non ho l'ombrello e non posso uscire perché
3. Stai attento in autostrada,
4. Oggi in Sicilia ci sono 20 gradi ma a Milano
5. È marzo ma fa davvero caldo!

a. È vero! Non ci sono più le mezze stagioni!
b. fa un freddo cane.
c. c'è un sole che spacca le pietre.
d. c'è una nebbia che si taglia col coltello.
e. piove come Dio la manda.

Parliamo un po'...

- Quali sono le espressioni metaforiche sul tempo che si usano nel tuo Paese?
- Cosa significano? Possono avere un fondo di verità?
- Sei preoccupato per i cambiamenti climatici?
- Secondo te sono normali o la colpa è soprattutto dell'uomo?

Si dice così!

Here are some useful expressions to...

Ask and talk about the weather	Che tempo fa?/Com'è il tempo? Fa caldo./Fa freddo. Fa bel tempo./Fa brutto tempo. C'è un clima mite. Piove./Nevica./È nuvoloso./Tira vento. È piovoso./È ventoso. In estate la temperatura aumenta. In inverno la temperatura diminuisce. Si muore di caldo!/Si muore di freddo! Che caldo!/Che freddo! Che bella giornata!/Che brutta giornata. Piove come Dio la manda. C'è un sole che spacca le pietre. Fa un freddo cane. C'è una nebbia che si taglia col coltello.

Sintesi grammaticale

- **The personal direct object pronouns (*I pronomi personali diretti*) *lo, la, li, le***

The personal direct object pronouns lo, la, li, le take the place of people or things.

Masculine singular	Feminine singular	Masculine plural	Feminine singular
lo	la	li	le

Example:
L'Italia è una penisola lunga e stretta, il mare la circonda da tre parti.

These personal direct object pronouns are used when the verb answers the questions chi? ('who?'), che cosa? ('what?').

Example:
Visiti le chiese di Firenze? Sì, le visito. (Che cosa visiti? Le chiese - Visitare qualcosa)

Generally pronouns go in front of the verb.
However, when an infinitive is used they go after the infinitive and form one word with it.
The infinitive drops its final *-e* to accommodate the pronoun.

visitare + la = visitarla

Example:
Ho visitato di nuovo la Toscana. È bello visitarla soprattutto in primavera.

- **The personal direct object pronouns (*I pronomi personali diretti*) *mi, ti, ci, vi***

	Personal direct object pronouns
First singular pronoun	mi/me
Second singular pronoun	ti/te
First plural pronoun	ci/noi
Second plural pronoun	vi/voi

These personal direct object pronouns take the place of people's names or of nouns that refer to people. They are used when the verb answers the question chi? ('who?').

Example:
Adesso ti saluto. (Chi saluto? Saluto te = Ti saluto)

- **Using pronouns with modal verbs + infinitive**

When the verbs *volere*, *dovere*, *potere*, *sapere* are used with an infinitive, two positions are possible for the pronoun.

1. Before the verb	2. After the infinitive
Vi posso chiamare domani o dopodomani?	Posso chiamarvi domani o dopodomani?

There is no difference in meaning between the two sentences shown.

The same rule applies to the pronouns *lo*, *la*, *li*, *le* and to reflexive pronouns.

- ***Stare* + gerund (*gerundio*)**

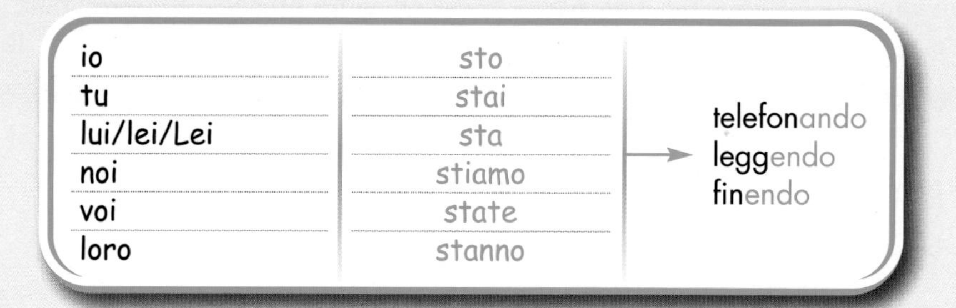

io	sto	→ telefonando / leggendo / finendo
tu	stai	
lui/lei/Lei	sta	
noi	stiamo	
voi	state	
loro	stanno	

The use of *stare* + gerund indicates that the action is underway; it is not used to describe a routine activity.

- **The adverbs of quantity (*Gli avverbi di quantità*) *molto, abbastanza, poco, per niente***

These are words that indicate quantity. Their position within a sentence is not fixed, but they generally go after the verb.

Examples:
In estate viaggio molto.
In autunno piove abbastanza.

Per niente is used in negative sentences.

Example:
In primavera non fa freddo per niente.

- ***Molto* and *poco*: adverbs or adjectives?**

When molto and poco qualify a verb or an adjective, they are adverbs and do not change.

Marco viaggia poco.
Marco e Maria viaggiano poco.
Oggi la temperatura è molto alta.
Le temperature in estate sono molto alte.

When molto and poco qualify a noun they are adjectives and agree with the noun in number and gender.

L'Italia ha molte montagne.
In Sicilia ci sono pochi boschi.
Oggi c'è molto vento.
Nelle montagne c'è poca neve in primavera.

1. Write at least one expression to...

- Describe routine activities: ....
- Indicate how often something is done in a given period: ....
- Start and finish an informal e-mail: ....
- Ask about the weather: ....
- Talk about the weather: ....
- Describe an action that is underway at time of speaking: ....
  ....

2. What words from units 6 and 7 do you want to remember? Try to also include adjectives, nouns, verbs and adverbs associated with the words you want to remember.

1. ....
2. ....
3. ....
4. ....
5. ....
6. ....
7. ....
8. ....

3. Do you know any other words that relate to the topic in the unit? If you do, what are they? Where did you hear or read these words?

NEW WORDS	tv	radio	internet	out and about	newspaper	classmates	other (please specify)

4. When learning Italian, to what extent do you like doing the following?

	a lot ++	quite a bit +	not much -	not at all - -
Learning the grammar rules.				
Talking to classmates as directed by some of the exercises.				
Doing grammar exercises.				
Doing the exercises that assess comprehension of the written texts.				
Doing the exercises that assess comprehension of the oral texts.				
Talking freely with classmates.				
Writing a text.				

5. In class, how do you prefer to work?

Alone.
With a partner who speaks the same mother tongue as me.
With a partner who speaks a different mother tongue to mine.
In small groups.
As a class.

6. When I speak Italian in class...

I would like to be corrected constantly, every time I make a mistake.
I would like to be corrected only when I make a mistake that impedes communication.
I don't want to be corrected in front of the class and would prefer to be taken aside at the end of the class discussion.

Massa Marittima, Grosseto

Che cosa hai fatto nel fine settimana?

Entriamo in tema

1. List the things you do and the places you go to at the weekend.

attività	posti
ascoltare musica	casa

Comunichiamo

2. Read the e-mail and decide whether the statements that follow are true or false.

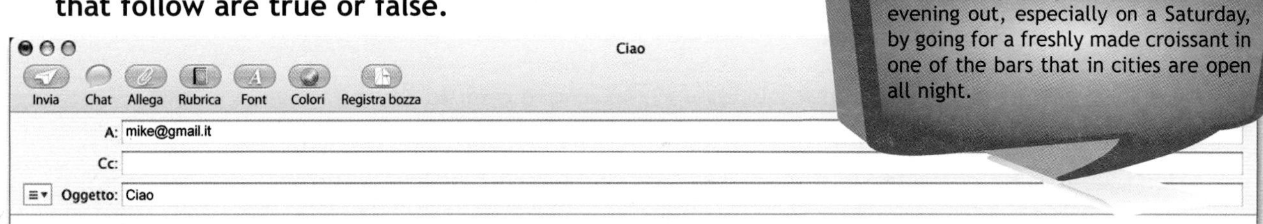

UFFICIO INFORMAZIONI

Many young people finish off their evening out, especially on a Saturday, by going for a freshly made croissant in one of the bars that in cities are open all night.

Ciao Mike,
come stai? Qui a Siena tutto bene. La settimana scorsa finalmente ho trovato casa e non devo più stare al pensionato universitario. Divido la casa con altri due ragazzi però ho una camera singola, finalmente un po' di privacy! I ragazzi che abitano con me sono simpatici e siamo diventati subito amici.
Per il resto qui tutto va bene: studio molto per gli esami ed esco il fine settimana. Siena è una città molto vivace e di solito vado al cinema o a teatro o visito una mostra. Ieri ho avuto una festa Erasmus.
Sai chi sono gli "erasmus"? Sono gli studenti europei che studiano per un periodo in un altro paese europeo. A Siena il gruppo di ragazzi Erasmus è numeroso e si è organizzato bene.
Quindi ieri sera io e i miei compagni di casa siamo stati a questa festa.
Ci siamo divertiti un sacco! Siamo arrivati alle dieci e mezzo a casa di Josè, il ragazzo spagnolo che ha organizzato la festa, e abbiamo ascoltato musica, abbiamo ballato e abbiamo bevuto un po', ma senza esagerare. Ho conosciuto tanti ragazzi di diverse nazioni e ho parlato anche con molti italiani, così ho praticato un po' di italiano. Non ho capito tutto, ma sono riuscito a fare una buona conversazione. La festa è stata divertente e siamo rimasti a casa di Josè fino alle 3 di notte.
Poi siamo tornati a casa, ma prima ci siamo fermati al bar di Piazza del Campo e abbiamo fatto colazione con un cappuccino e un cornetto. Insomma, davvero una serata piacevole.
Tu che mi racconti? Non mi hai detto ancora come va la tua esperienza a Bologna! Hai già conosciuto qualcuno? Hai già dato qualche esame? Fammi sapere quando puoi.
Adesso ti saluto, vorrei studiare un po' stamattina...

Ci sentiamo presto!
Dylan

	Vero	Falso
1. Dylan abita in casa da solo.	☐	☐
2. A Siena ci sono molti studenti Erasmus.	☐	☐
3. Dylan e i suoi amici si sono divertiti alla festa.	☐	☐
4. Dylan ha parlato italiano alla festa.	☐	☐
5. Hanno bevuto molto.	☐	☐
6. Dopo la festa sono tornati subito a casa.	☐	☐

Impariamo le parole - Attività del tempo libero

3. Write the words provided under the appropriate picture.

andare al cinema - fare sport - fare spese - leggere un libro - andare a teatro
fare una passeggiata in campagna - guardare la tv - visitare una mostra
cucinare - dormire - navigare su internet - andare a una festa

1. ....

2. ....

3. ....

4. ....

5. ....

6. ....

7. ....

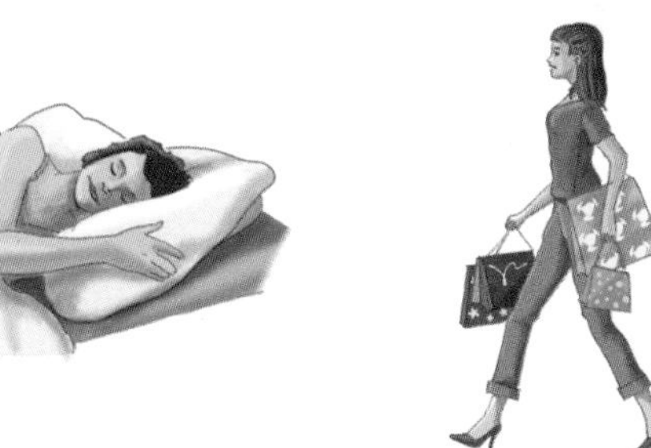

8. ....

9. ....

10. ....

11. ....

12. ....

4. **Read the descriptions below and try to imagine what activities each of the four people would do at the weekend.**

UFFICIO INFORMAZIONI

Italy has over 3,000 museums housing some of history's most important art masterpieces. Some of the museums, such as the *Uffizi* in Florence, the *Galleria dell'Accademia* in Venice, the *Pinacoteca di Brera* in Milan and *Villa Borghese* in Rome, are famous throughout the world.

A.

Sono Caterina, ho 22 anni e sono una studentessa universitaria. Durante la settimana, di mattina frequento i corsi e il pomeriggio studio. Il fine settimana non sto ferma un attimo, non mi piace riposare. Sono una persona attiva e mi piace passare il tempo libero con gli amici, vedere persone, però senza stare a casa o chiudermi in un locale.

B.

Sono Marcello e sono ingegnere elettronico. Per il mio lavoro uso molto il computer e devo dire che per me è una vera passione. Infatti anche il fine settimana lo uso molto, ma per piacere. Non sono però interessato solo alla tecnologia: mi piace stare a contatto con la natura quando posso.

C.

Sono Martina e faccio l'infermiera all'ospedale di Siena. Mi alzo ogni mattina alle sei e quindi il fine settimana cerco di riposarmi il più possibile. Il sabato non mi piace andare in discoteca o nei locali perché sono troppo affollati. Quindi, generalmente, organizzo una cena e invito gli amici a casa.

D.

Sono Alessandro e insegno storia in un liceo. Vivo a Bologna che, fortunatamente, è una città con iniziative culturali interessanti. Nelle gallerie di Bologna ci sono sempre esposizioni di artisti famosi o emergenti che vado a vedere sempre con piacere. La domenica invece generalmente sto a casa e non faccio niente di particolare: pulisco e sistemo un po' la casa e mi rilasso.

Facciamo grammatica

5. **Some of the verbs in the e-mail on page 98 are in the perfect tense. Add them to the table below.**

passato prossimo	soggetto	infinito
1. ho trovato	io	trovare
2. siamo diventati		
3.		
4. si è organizzato		organizzarsi
5.		
6.		
7.		
8.		
9.		
10.		
11.		
12.		
13.		
14.		
15. ho capito		
16. sono riuscito		
17. è stata		
18.		

passato prossimo	soggetto	infinito
19.		
20.		
21.		
22.		
23. Hai conosciuto	tu (Mike)	conoscere
24.		

6. What is the rule?

The perfect tense is formed with the present tense of the verbs *essere* and ....

The ending of the second word of the perfect tense (past participle) is different for *-are*, *-ere* and *-ire* verbs.

The past participle, for regular verbs, is:

Trovare — Trov..............
Avere — Av..............
Capire — Cap..............

When verbs require *essere* to form the perfect tense, the past participle: ☐ changes ☐ doesn't change

When verbs require *avere* to form the perfect tense, the past participle: ☐ changes ☐ doesn't change

7. With a partner make questions and answers, as in the example. The verbs in red form the perfect tense with *avere*, the verbs in blue with *essere*.

(Tu - fare ieri sera) (Vedere un film in tv).

Esempio: ● Che cosa hai fatto ieri sera?
● Ho visto un film in tv.

1 (Maria e Luisa - ritornare a casa) (Ritornare verso le 10)
2 (Voi - studiare la nuova lezione) (Ripassare le lezioni precedenti)
3 (Tu - ballare molto) (Ballare poco)
4 (Loro - riuscire a preparare l'esame) (Studiare troppo poco)
5 (Giovanna - rimanere a casa) (Andare all'università)
6 (Marco - fare alla festa) (Conoscere molti ragazzi italiani)

Osserva!

- Ieri sera sono stato a una festa.
- Il gruppo Erasmus si è organizzato molto bene.
- Ci siamo fermati in Piazza del Campo.
- Siamo ritornati a casa.
- È stata una serata piacevole.
- Ho trovato casa.
- Abbiamo ascoltato musica.
- Ho conosciuto tanti ragazzi.
- Ho praticato un po' di italiano.
- Abbiamo fatto colazione.

8. What is the rule?

All reflexive verbs form the perfect tense with ....
All verbs followed by a direct object form the perfect tense with ....
Some state verbs and some verbs of motion form the perfect tense with ....

Comunichiamo

9. Listen to the dialogue and choose the correct option in each case.

20

1. Di mattina Francesco
   - a. ha lavato le camicie
   - b. si è alzato tardi
   - c. ha spostato i mobili

2. Di pomeriggio Francesco è uscito
   - a. con gli amici
   - b. con la fidanzata
   - c. da solo

3. Di sera Francesco è andato
   - a. a una mostra di pittura
   - b. a un concerto
   - c. al *Barone Rosso*

10. Listen to the dialogue again and read the text. Check your answers to exercise 9.

20

Carla: Allora Francesco, cosa hai fatto questo sabato?
Francesco: Mah, niente di particolare... Sabato mattina mi sono alzato tardi e ho sistemato un po' la casa. Ho spolverato i mobili e ho stirato delle camicie. Di pomeriggio ho incontrato degli amici e siamo andati a fare un giro.
Carla: E dove siete stati?
Francesco: Prima siamo stati in centro e abbiamo visto la mostra di pittura contemporanea a Palazzo pubblico. Tu l'hai vista?
Carla: No, non l'ho ancora vista.
Francesco: È molto bella. Di sera poi sono uscito con la mia ragazza. Abbiamo cercato i biglietti per lo spettacolo di Paolo Rossi al Teatro dei Rozzi, ma non li abbiamo trovati.
Carla: Peccato! Io quello spettacolo l'ho già visto la settimana scorsa a Firenze. Veramente divertente.
Francesco: Sì, lo immagino. Comunque, abbiamo deciso di andare al *Barone Rosso*. Abbiamo bevuto qualcosa e abbiamo ascoltato della buona musica dal vivo.
Carla: Vi siete divertiti?
Francesco: Sì. Niente di eccezionale, ma abbiamo passato una serata piacevole.

11. In the table on the next page tick the things you did in your free time last weekend and then ask a classmate questions, as in the example.

Esempio:
- Il fine settimana scorso hai dormito?
- Sì ho dormito molto, e tu?
- Anch'io ho dormito./Io non ho dormito.

	io	il mio compagno
dormire		
leggere un libro		
rilassarsi		
ascoltare musica		
andare al cinema		
fare sport		
cucinare		
uscire con gli amici		
guardare la televisione		
fare una passeggiata		
navigare su internet		

12. Describe what the following people did last weekend.

Marta e Mariella

alzarsi tardi - fare colazione - pulire casa - andare a fare spese - tornare a casa guardare un film - cenare fuori

Giovanni e Alberto

alzarsi tardi - fare un giro con la moto - andare allo stadio - visitare una mostra di fotografie - prendere una birra con gli amici

Luisa

passare il fine settimana in campagna - fare una passeggiata - giocare con il cane cucinare una torta di mele - riposarsi - fare giardinaggio

13. Divide into groups of three. Read the programme of events on the next page and then, based on the requirements of each person in the group (*Studente 1*, *Studente 2* and *Studente 3*), decide what to do.

Studente 1
Hai 20 euro per la serata. Ti piace andare a teatro e al cinema ma non sopporti le commedie.

Studente 2
Non vuoi fare tardi questa sera. Vuoi fare un giro in città in un posto dove non c'è molta gente.

Studente 3
Hai un po' di soldi a disposizione e vuoi sentire un po' di buona musica.

Programma Culturale: Sabato 7 Ottobre

CINEMA

Cinema Odeon
Mio fratello è figlio unico
Drammatico
Spettacoli: 16.00 - 18.30 - 21,30
Euro 8

Cinema Fiamma
Baciami ancora
Commedia
Spettacoli: 18.30 - 22.30
Euro 8

TEATRO

Teatro Politeama
Uno, nessuno, centomila di Luigi Pirandello
Unico spettacolo
ore 16.00
Poltrone 25 euro
Galleria 18 euro

Teatro Massimo
La locandiera
di Carlo Goldoni
Unico spettacolo
ore 20.00
Poltrone 35 euro
Galleria 22 euro

Teatro La Pergola
Tosca
di Puccini
Unico spettacolo
ore 21.30
Poltrone 45 euro
Galleria 30 euro

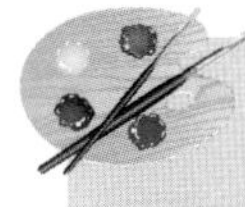

ARTE

Galleria Niscemi
L'occhio e la memoria, mostra fotografica di Luigi Ghirri
Ingresso 5 euro
Apertura
ore 14.00 - 22.00

Palazzo Mirto
De Chirico e il metafisico, mostra dei più famosi quadri di Giorgio De Chirico dal 1909 al 1919
Ingresso 12 euro
Apertura ore 17.00 - 20.00

MUSICA

Stadio comunale
Vasco Rossi Tour
ore 21.30
Ingresso:
35 euro
+ 3 euro prevendita

Irish pub
Clan Zero live, I più grandi successi rock degli anni '80 e '90 dai Queen agli U2.
Ingresso:
5 euro + consumazione

Impariamo le parole - Espressioni di tempo

14. Position the following time expressions in chronological order in the spaces provided.

L'altro ieri - Stamattina - Ieri - La settimana scorsa - Due anni fa
Poco fa - Tre giorni fa - Quattro mesi fa - L'anno scorso

Due anni fa

Poco fa

15. Make sentences.

1. Poco fa ti ho	visto	di partire?
2. Il mese scorso Marco ha	bevuto	a casa?
3. Ieri abbiamo	rimasti	una bella passeggiata.
4. L'altro ieri avete	fatto	del vino?
5. La settimana scorsa hai	detto	quello che penso.
6. Il fine settimana scorso siete	deciso	una mostra di pittura.

Facciamo grammatica

Osserva!

- Ho stirato delle camicie.
- Ieri pomeriggio ho incontrato degli amici.
- Abbiamo ascoltato della buona musica.

The highlighted words indicate an undefined quantity.

16. Complete the table.

	maschile	**femminile**
singolare	del vino ...dello... zucchero	della musica
plurale	.... concerti degli amici	delle camicie

17. With a partner produce mini conversations, as in the example.

(bere vino) (bere birra)

Esempio: • Hai bevuto del vino?
• No, ho bevuto della birra.

1. (ascoltare musica) (leggere poesie)
2. (vedere film) (vedere fotografie)
3. (comprare pane) (comprare frutta)
4. (raccogliere funghi) (fare passeggiate)
5. (cucinare pasta) (cucinare pesce)
6. (incontrare amici) (visitare parenti)
7. (fare ginnastica) (fare massaggi)
8. (stirare camicie) (stirare pantaloni)

18. Reread the e-mail on page 98 and the dialogue on page 102. Put the irregular past participles you find in the table below.

participio passato	infinito
1.	fare
2.	bere
3.	rimanere
4.	dire
5.	vedere
6.	decidere

Osserva!

- Abbiamo visto la mostra di pittura contemporanea a Palazzo pubblico. Tu l'hai vista?
- Abbiamo cercato i biglietti per il concerto al Teatro dei Rozzi ma non li abbiamo trovati.

19. What is the rule?

When there is a direct object pronoun (lo, la, li, le), in front of a verb in the perfect tense that is formed with *avere*, the past participle ....

Osserva!

- Abbiamo visto la mostra di pittura contemporanea a Palazzo pubblico. Tu l'hai vista?
- No, non l'ho ancora vista.
- Abbiamo cercato i biglietti per lo spettacolo di Paolo Rossi al Teatro dei Rozzi ma non li abbiamo trovati.
- Eh, peccato! Io quello spettacolo l'ho già visto la settimana scorsa a Firenze.

20. What is the rule?

In the perfect tense...

ancora is used when the action ☐ has already happened ☐ hasn't happened yet

già is used when the action ☐ has already happened ☐ hasn't happened yet

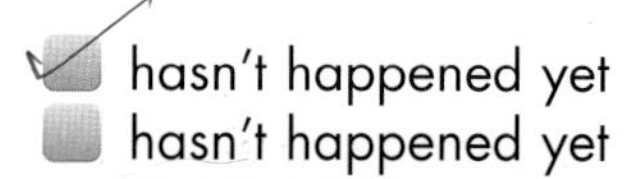

21. Make dialogues as in the example.

- Abbiamo visto la mostra di pittura, tu l'hai vista?
- No, non l'ho ancora vista./Sì, l'ho già vista.

1. Vedere l'ultimo film di Muccino. (Sì)
2. Visitare le piccole chiese della città. (No)
3. Leggere i giornali del giorno. (Sì)
4. Ascoltare l'ultimo CD di Vasco Rossi. (No)
5. Sentire le ultime notizie. (No)
6. Vedere l'*Aida* all'Arena. (Sì)

Edizioni Edilingua

Conosciamo gli italiani

22. Read the text and choose the correct option in each case.

Il sabato sera dei ragazzi italiani

Quali sono i posti che i giovani italiani frequentano il sabato sera? Lo abbiamo chiesto ad alcuni ragazzi e ragazze tra i 18 e i 30 anni. Le risposte sono state diverse in base al sesso e all'età. Silvia, 19 anni di Rimini, ci ha detto: «Nella mia città andare in discoteca è un must del sabato sera. Io amo ballare e dopo una settimana di studio, per me è fondamentale il sabato in discoteca. Ci vado quasi sempre con i miei amici e quando loro non vengono vado anche da sola. Per me la cosa più importante è ballare e poi non ho problemi a conoscere nuove persone». Marcello, 26 anni di Roma, ha un'opinione diversa: «La discoteca? Ci sono andato qualche volta a 18 o 20 anni. Adesso preferisco molto di più andare con i miei amici in locali più tranquilli. Sì, ballare mi piace ma nei locali dove c'è musica dal vivo. Io vado spesso al *Birimbao* qui a Roma dove suonano i gruppi musicali emergenti della città».

Ci sono poi i giovani un po' più grandi che preferiscono luoghi di aggregazione diversi. Vito, 30 anni di Palermo, ci ha detto: «Il sabato non sopporto chiudermi in un pub o in una discoteca. In questi posti la musica è altissima e ci sono sempre troppe persone. Non è possibile scambiare una parola con nessuno! A me invece piace stare in compagnia e parlare un po'. Per questo spesso ceno a casa con i miei amici e quando usciamo scegliamo i locali all'aperto. A Palermo non fa quasi mai freddo, neanche di inverno, ed è possibile stare fuori in una piazza, bere qualcosa e parlare un po'».

UFFICIO INFORMAZIONI

In Italy it is legal to drink alcohol from the age of 16. Although alcohol consumption is traditionally moderate, and lower than that in other European countries, in recent years many Italian youngsters aged between 12 and 14 have started to drink alcoholic beverages.

E per il consumo di alcol? Anche qui ci sono differenze soprattutto in base all'età. Marco, 18 anni, ha detto: «Sì, se devo dire la verità il sabato sera bevo un po', qualche volta un po' troppo. Ma se non bevo, in discoteca non mi diverto». Invece Lucia, 26 anni: «Chi ha detto che il sabato sera dobbiamo bere molto per divertirci? Io bevo soltanto un bicchiere di vino a cena. Bere un bicchiere di vino qualche volta mi piace: fa parte della cultura italiana e non è pericoloso, l'importante è non esagerare. E poi per ballare serve energia ed entusiasmo, non alcol!».

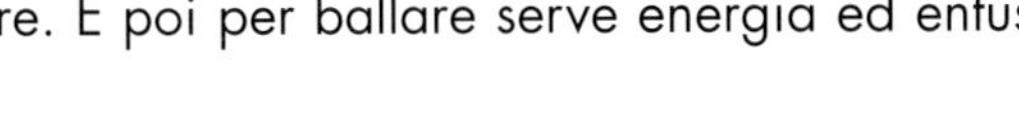

1. Silvia va in discoteca principalmente
   a. per conoscere altre persone
   b. per ballare
   c. per rilassarsi

2. Marcello
   a. non è mai andato in discoteca
   b. detesta ballare
   c. preferisce i locali con musica dal vivo

3. Vito
   a. ama i locali all'aperto
   b. non esce mai il sabato sera
   c. di solito mangia fuori casa

4. Lucia
   a. beve per divertirsi in discoteca
   b. non beve mai
   c. beve qualche volta un po' di vino

Parliamo un po'...

- Quali locali ti piace frequentare il sabato sera?
- Preferisci i posti dove c'è molta gente o posti più tranquilli?
- Ti piace ballare?
- Perché secondo te molti ragazzi bevono in discoteca?
- Secondo te il consumo di alcol dei giovani il fine settimana è un problema?
- Qual è il rapporto con l'alcol tra i ragazzi del tuo Paese?

Si dice così!

Here are some useful expressions to...

Talk about the past	• Che cosa hai fatto questo fine settimana? • Sono stato a una festa. • Ho visto una mostra d'arte.
Express an undefined quantity	Ho bevuto della birra.
Say that something hasn't happened yet, but is expected to happen	Non ho ancora visto la mostra (ma voglio vederla).
Stress that something has already happened	Ho già visto lo spettacolo, quindi stasera non voglio rivederlo.

Sintesi grammaticale

- **The perfect tense (*Il passato prossimo*)**

The perfect tense is used to talk about past events. It is formed with the present tense of the verbs *essere* and *avere* and the past participle of the verb.
For regular verbs the past participle is formed with the stem of the infinitive + the ending -ato for *-are* verbs, -uto for *-ere* verbs and -ito for *-ire* verbs.

Infinitive	TROVARE	AVERE	CAPIRE
Past participle	trovato	avuto	capito

Perfect tense

	TROVARE	AVERE	CAPIRE
io	ho trovato	ho avuto	ho capito
tu	hai trovato	hai avuto	hai capito
lui/lei/Lei	ha trovato	ha avuto	há capito
noi	abbiamo trovato	abbiamo avuto	abbiamo capito
voi	avete trovato	avete avuto	avete capito
loro	hanno trovato	hanno avuto	hanno capito

Many verbs form the perfect tense with the auxiliary *essere*. This includes all reflexive verbs. When the perfect tense is formed with *essere*, the past participle agrees with the subject of the sentence in number and gender.

Perfect tense

	RILASSARSI	SEDERSI	VESTIRSI
io	mi sono rilassato/a	mi sono seduto/a	mi sono vestito/a
tu	ti sei rilassato/a	ti sei seduto/a	ti sei vestito/a
lui/lei/Lei	si è rilassato/a	si è seduto/a	si è vestito/a
noi	ci siamo rilassati/e	ci siamo seduti/e	ci siamo vestiti/e
voi	vi siete rilassati/e	vi siete seduti/e	vi siete vestiti/e
loro	si sono rilassati/e	si sono seduti/e	si sono vestiti/e

- ## *Ancora* and *già* with the perfect tense

Ancora is used when something hasn't happened yet, but is expected to happen.

Example:
La mostra non l'ho vista (e forse non la vedo in futuro).
La mostra non l'ho ancora vista (ma voglio vederla in futuro).

Già reinforces the fact that something has already happened.

Example:
Io quello spettacolo l'ho già visto la settimana scorsa a Firenze.

- ## Direct object pronouns with the perfect tense

When there is a direct object pronoun (lo, la, li, le) in front of a verb in the perfect tense that is formed with *avere*, the past participle agrees with the pronoun in number and gender.
The singular direct object pronouns lo and la are often written as l'.

Examples:
- La mostra, l'hai vista? ● Sì, l'ho vista.
- Il concerto, l'hai visto? ● No, non l'ho visto.

The plural direct object pronouns li and le are **not** apostrophised.

Examples:
- I biglietti li hai comprati? ● Sì, li ho comprati.
- Le scarpe, le hai comprate? ● Sì, le ho comprate.

- ## *Del, dello, della, dei, degli, delle*

The preposition *di* + the definite article can be used to express an undefined quantity; the meaning is 'some'. This construction could be replaced with *un po' di* or *qualche*.

Examples:
Ho bevuto del vino. — Ho bevuto un po' di vino.
Ho incontrato degli amici. — Ho incontrato qualche amico.

Test 4 (Unità 7 - 8)

Funzioni

1. Which of these expressions...

1. is used to ask about the weather?
2. expresses an undefined quantity?
3. expresses that something hasn't happened yet, but is expected to happen?
4. reinforces the fact that something has already happened?
5. indicates that an action is underway at time of speaking?

a. Ho già preparato la cena.
b. Non ho ancora finito di lavorare.
c. Ho conosciuto delle persone simpatiche.
d. Prendo l'ombrello, sta piovendo.
e. Che tempo fa?

/5

Grammatica

2. Complete the following with the appropriate pronouns.

A

- Allora ragazzi, bevete qualcosa?
- Sì, io prendo un caffè. .... voglio senza zucchero e con un po' di latte.
- E tu, Antonio?
- Per me niente caffè. Non .... bevo mai. Preferisco una Coca Cola.
- Tu, Stefania?
- Io prendo un tramezzino. .... voglio al prosciutto e formaggio.

B

- Chi accompagna i bambini a scuola domani mattina?
- .... accompagno io, ma ho bisogno della macchina. .... posso prendere?
- Sì, domani non .... uso.

C

- Ho incontrato Angela per strada, ma non .... ha salutato. Forse è ancora arrabbiata con me...
- Ma no! Probabilmente non .... ha visto.

D

- Buongiorno, avete due camere per questa notte?
- Sì, certo. .... vuole singole o matrimoniali?
- Una matrimoniale per me e mia moglie e una singola per mio figlio.
- Va bene. .... vuole vedere?
- No, grazie. Sono un vecchio cliente.

/10

3. Use *stare* + gerund to complete the following wherever possible.

1.
- Leggi il giornale?
- Sì, lo (*leggere*) .... ogni giorno.

2. ● Cosa fai ancora in ufficio?
   ● (*Lavorare*) ...., devo finire una relazione.
3. Ogni domenica io e Elisa (*andare*) .... a fare un giro in centro.
4. ● Perché Marco non viene con noi?
   ● (*Studiare*) ...., domani ha un esame.
5. Quali locali (voi - *frequentare*) .... il sabato sera?

/5

4. Complete the following with the perfect tense of the verbs in brackets.

Domenica scorsa io e miei amici (*andare*) (1)... allo stadio a vedere la partita di calcio del Siena. La partita (*essere*) (2)... emozionante e noi (*divertirsi*) (3)... molto. Mi (*piacere*) (4)... soprattutto vedere i tifosi delle squadre. Dopo la partita (*mangiare*) (5)... una pizza insieme e poi (*andare*) (6)... in un pub. Io (*bere*) (7)... una birra, i miei amici (*bere*) (8)... un bicchere di vino rosso. La serata (*essere*) (9)... piacevole. Noi (*tornare*) (10)... a casa verso mezzanotte.

/10

5. Insert the correct form of *molto*.

1. Lucy è americana ma parla .... bene l'italiano.
2. Mark è traduttore e parla .... lingue correttamente.
3. Nella zona dove abito passano .... macchine.
4. I miei amici sono .... simpatici.
5. A Siena conosco .... studenti stranieri.

/5

Vocabolario

6. Complete the text using the words provided. Be aware: there are two words too many!

fa caldo - nuvola - piogge - vento - soleggiata - piove - nuvoloso

Al Nord oggi il cielo è molto (1).................................. con possibilità di (2).................................. Al Centro il cielo è generalmente sereno con qualche (3).................................. sparsa. Al Sud la giornata è (4).................................. e (5)..................................: le temperature massime sono superiori ai 23 gradi.

/5

Punteggio Totale ____ /40

Unità 9

La nuova famiglia italiana

Entriamo in tema

1. **Which of the following statements about families do you agree with? Discuss the statements with a classmate.**

1. È un rifugio, un luogo sicuro.
2. È un posto dove stare il meno possibile.
3. Due persone che vivono insieme sono una famiglia.
4. Non c'è famiglia se non ci sono figli.
5. La famiglia deve dare regole da seguire.
6. È un posto dove è bello discutere anche dei piccoli problemi personali.
7. In famiglie con tanti parenti si litiga inevitabilmente.
8. I genitori devono essere i migliori amici dei figli.

Comunichiamo

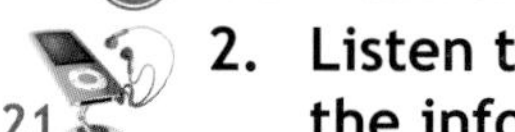

21

2. **Listen to the dialogue and complete the table about Antonio's family. Be aware: not all the information is in the dialogue!**

parentela	nome	età	professione	città
Nipote	Alessandro			

3. Listen to the dialogue again and read the text. Check your answers to exercise 2.

Antonio: Marcello!
Marcello: Oh, ciao Antonio! Da quanto tempo! Come va? Tutto bene?
Antonio: Tutto bene, grazie.
Marcello: E Gina, sta bene?
Antonio: Sì, la mamma sta benissimo. Ha 67 anni, ma è ancora molto attiva!
Marcello: E Franco? E i tuoi fratelli?
Antonio: Mio padre è in pensione, ma non sta fermo un minuto, ha sempre qualcosa da fare. I miei fratelli stanno bene... abitano tutti lontano: Marco lavora sempre alla FIAT di Torino.
Marcello: E Luigi?
Antonio: Luigi è chirurgo all'Ospedale di Milano. Mia sorella Luisa insegna in una scuola a Bologna. Ah, adesso Luigi ha un figlio di due mesi, Alessandro, quindi sono zio!
Marcello: Che bello! Congratulazioni! Immagino la felicità dei tuoi genitori...
Antonio: Eh sì... sono molto contenti di essere nonni.
Marcello: E tua moglie come sta?
Antonio: Gaia sta bene. Cerca ancora lavoro ma sai... a Napoli è molto difficile. Comunque per ora il mio stipendio è sufficiente.
Marcello: Sono contento di sapere che state bene. Allora salutami tutti.
Antonio: Certo. A presto.

4. Complete the table with information about your family.

parentela	nome	età	professione	tempo libero
mamma	Smriti	quaranta cinque	lettore	parlare al telefono.
padre	Parag	cinque	medico.	leggere

5. Work with a partner and complete the table with information about his or her family.

parentela	nome	età	professione	tempo libero

6. **Tell the class about your partner's family.**

Osserva!

- Adesso Luigi ha un figlio di due mesi, Alessandro, quindi sono zio!
- Che bello! Congratulazioni!

7. **Work with a partner to split the expressions provided into two groups.**

Congratulazioni! - Che bello! - Accidenti! - Che rabbia! - Che fortuna!
Che peccato! - Mannaggia! - Favoloso!

Esprimere gioia/meraviglia	Esprimere disappunto
1.	1. ....
2.	2. ....
3.	3. ....
4.	4. ....

8. **With your partner complete the following dialogues with some of the expressions from exercise 7. Check your answers with the teacher.**

- Guarda, Lucia, questa è la nuova macchina di mio padre.
- ....! È bellissima!

- Ragazzi, fra tre mesi mi sposo!
- ....!

- Oddio! Sono già le 21! ...., siamo in ritardo!

- Professore, mi dispiace ma non posso venire a Firenze sabato.
- ....! Perdi una buona occasione per visitare gli Uffizi.

- Dove sono le mie chiavi? ....! Non le trovo mai.

Impariamo le parole - La famiglia

9. **Match the words on the left with the correct definition on the right.**

1. Cugino/a	il padre e la madre
2. Suocero/a	il padre/la madre della madre (o del padre)
3. Nonno/a	un figlio senza fratelli o sorelle
4. Cognato/a	il figlio/la figlia degli zii
5. Marito	il padre/la madre della moglie (o del marito)
6. Figlio unico	il marito/la moglie del fratello (o della sorella)
7. Genitori	il figlio/la figlia del fratello (o della sorella)
8. Nipote	uomo con cui una donna è sposata

10. Reread the dialogue on page 113 and make sentences as in the example.

Esempio: Franco/Antonio - Franco è il padre di Antonio.

1. Gina/Alessandro
2. Antonio/Gina
3. Franco e Gina/Antonio
4. Luigi/Alessandro
5. Luisa/Antonio
6. Antonio/Gaia
7. Luigi e Marco/Antonio
8. Luigi, Antonio, Marco e Luisa/Franco e Gina
9. Antonio/Alessandro
10. Luisa/Alessandro

Facciamo grammatica

Osserva!

- Mio padre è in pensione.
- Anche i miei fratelli stanno bene.
- E tua moglie come sta?

The highlighted words are possessive adjectives. They are words that indicate possession.

11. What is the rule?

Possessive adjectives agree in number and gender with

☐ the noun to which they refer ☐ the possessor

When are possessive adjectives used without an article? ....

12. Complete the text using the possessive adjectives provided.

suo - il loro - il suo - sua - i suoi - suo - i suoi - sua - suo - i loro - i suoi - sua

La famiglia di Antonio è unita e felice. (1)........................ moglie si chiama Gaia, è una giovane donna di 32 anni e cerca lavoro; (2)..................... interessi principali sono la pittura e il restauro. (3)..................... genitori sono anziani ma ancora molto attivi. (4)..................... madre è casalinga e (5)..................... padre è in pensione. La madre lavora in casa e legge molti libri; il padre è spesso fuori: va in campagna con (6)................. cane o incontra (7)..................... amici al bar. I fratelli di Antonio lavorano e vivono fuori Napoli: suo fratello Marco, vive a Milano; (8)..................... fratello Luigi vive a Torino. Da poco tempo Luigi e (9)..................... moglie hanno un bambino che si chiama Alessandro come (10)..................... nonno. Anche se abitano lontani tutti stanno insieme per le feste. Di solito Luigi e Marco tornano a Napoli per Natale e si fermano per due o tre giorni. Rivedono sempre con piacere (11)................. fratello e (12)................. genitori.

13. Reread the dialogue on page 113 and the text in exercise 12 and complete the table.

persona	maschile singolare	femminile singolare	maschile plurale	femminile plurale
io				mie
tu		tua	tuoi	
lui/lei				sue
noi	nostro		nostri	nostre
voi	vostro			
loro	loro	loro	loro	loro

Entriamo in tema...

- Cosa pensi della vita matrimoniale?
- Quali sono i vantaggi e gli svantaggi?
- Sei d'accordo con la convivenza prima del matrimonio?
- Secondo te, quali sono le condizioni per andare d'accordo con una persona per tutta la vita?
- Secondo te, la festa di matrimonio è una spesa inutile?
- Sei favorevole o contrario al matrimonio tra persone dello stesso sesso?

Comunichiamo

14. ***Matrimonio, convivenza o single?*** **Read the interviews and then choose the correct option in each case.**

Elena: Il giorno più bello della mia vita? Quello del mio matrimonio! Un giorno perfetto: perfetto il tempo, perfetta la chiesa, perfetti i fiori, perfetta la cena con gli invitati. Sono sposata da 4 anni, ho due figli e un marito meraviglioso. Chi dice che il matrimonio è la tomba dell'amore, sbaglia! Io e Maurizio ci amiamo come il primo giorno e non litighiamo quasi mai e sono sicura che staremo insieme per sempre. E poi sapete la sicurezza che dà una famiglia? E la gioia che danno i figli? Io non lavoro, sto a casa a badare ai miei bambini e sono contenta così.

UFFICIO INFORMAZIONI

Although Italians still get married, the number of marriages each year is in decline. The percentage of non-church marriages is increasing, as is the number of couples that decide to live together without getting married. There is currently no law in Italy that sets out the rights and responsibilities of unmarried people who have lived together for years as a couple. The number of separations and divorces is also on the increase.

Maria: Sono fidanzata con Fausto da 8 anni. Gli amici ci chiamano «gli eterni fidanzati» perché non ci siamo sposati. Sinceramente adesso non ho voglia di sposarmi, non capisco cosa può cambiare con il matrimonio. Mi sembra solo un'occasione per spendere un sacco di soldi: il vestito, le partecipazioni, le fedi, i fiori, le fotografie... E poi la cena, gli invitati... Insomma uno stress, altro che giorno più bello della vita! Io e Fausto adesso stiamo bene così. Abbiamo deciso che l'anno prossimo, se tutto andrà bene, prenderemo casa insieme anche per dividere le spese ma penso che non ci sposeremo mai. La casa però dovrà essere abbastanza grande così potremo avere la nostra privacy e il nostro spazio personale.

Caterina: Matrimonio? Convivenza? No grazie. Ho 27 anni e molte mie amiche della mia età hanno come primo obiettivo il matrimonio e i figli. Io invece voglio l'indipendenza, lavorare, guadagnare e spendere i soldi come voglio io! Non ho nessuna voglia di cucinare o stirare, o di lavare mentre il mio ipotetico marito arriva a casa e non muove un dito. E poi lo sanno tutti: due persone insieme nella stessa casa cominciano subito a litigare e la vita di coppia (matrimonio o convivenza) diventa un inferno dopo pochi anni. Rifiuto l'idea di vivere con la stessa persona per tutta la vita. La giovinezza non è fatta per vivere insieme! Forse in futuro cambierò idea e penserò anch'io alla famiglia e ai figli...

A. Per Elena il giorno del suo matrimonio è stato...

a. una spesa inutile
b. un giorno stressante
c. un giorno meraviglioso

B. Elena...

a. è felice della sua vita matrimoniale
b. qualche volta è nervosa con i figli e il marito
c. vuole lavorare anche fuori casa

C. Maria non si sposa perché...

a. non ama il suo fidanzato
b. il matrimonio è una spesa inutile
c. non vuole vivere con la stessa persona per tutta la vita

D. Caterina è contraria al matrimonio perché...

a. non trova l'uomo giusto
b. sono necessari troppi soldi per sposarsi
c. vuole essere indipendente e libera

15. Crisi di coppia...

Marco e Megan sono sposati da 6 anni. Adesso però sono in crisi e stanno divorziando. Quali sono i motivi, secondo te? Inventa la storia di Marco e Megan e metti in evidenza le loro principali differenze.

	Marco	Megan
provenienza	italiano, di Catania	americana, di Los Angeles
carattere	tradizionale, molto legato alla famiglia, riservato	spirito libero, indipendente socievole
professione	avvocato	pittrice
luogo preferito	campagna	città
posti frequentati il fine settimana	palestra, teatro	discoteca, pub

Attenzione!

To introduce a difference, a contrast, we can use invece.

- Lui ha un carattere riservato, lei invece è socievole.

Impariamo le parole - Relazione di coppia e stato civile

16. Write the words provided under the appropriate picture.

sposarsi - separarsi - innamorarsi - divorziare - litigare - fidanzarsi

1. .... 2. .... 3. ....

4. .... 5. .... 6. ....

Attenzione!

- L'anno scorso mi sono sposato. (perfect tense of the verb *sposarsi*)
- Sono sposato con Maria. (the verb *essere* + adjective)

17. Complete the story about Elisa and Giuseppe. You can use verbs from exercise 16.

Due ragazzi, Elisa e Giuseppe si conoscono a una festa e .... a prima vista. Dopo due settimane .... All'inizio stanno bene insieme, ..., ma poi .... perché .... Alla fine, dopo soltanto 3 anni di matrimonio ....

Facciamo grammatica

Osserva!

Caterina says:
- Forse in futuro cambierò idea e penserò anch'io alla famiglia e ai figli...

Cambierò and penserò are future forms of the verbs *cambiare* and *pensare*.

18. The text you read on page 116 contains some verbs in the future tense. Write these next to their infinitive.

1. stare ....
2. prendere ....
3. dovere ....
4. cambiare ....cambierò....
5. andare ....
6. sposarsi ....
7. potere ....
8. pensare ....penserò....

19. Write the forms of the future tense provided under the correct heading in the table.

partiranno - leggeremo - parlerà - partirà - leggerai - parlerete - leggeranno
partirò - parleremo - parlerò - partirai - leggerete - partirete

	parlare	leggere	partire
io		leggerò	
tu	parlerai		
lui/lei/Lei		leggerà	
noi			partiremo
voi			
loro	parleranno		

Attenzione!

andare	essere	dovere	stare	potere	fare	avere
andrò	sarò	dovrò	starò	potrò	farò	avrò

20. *Quali sono i tuoi progetti per il futuro?* Talk about them with a classmate and then tell the class. Here are some times in the future to consider.

La prossima estate...
Quando avrò 50 anni...
Quando finirò il corso di italiano...
Quando finirò gli studi...
Questo fine settimana...
Il mese prossimo...

Osserva!

- Gli amici ci chiamano «gli eterni fidanzati» perché non ci siamo sposati.
- Da un po' di tempo viviamo insieme, anche per dividere le spese ma non parliamo mai di matrimonio.
- Non ho nessuna voglia di cucinare o di stirare, o di lavare mentre il mio ipotetico marito arriva a casa e non muove un dito.

21. Reread the three sentences and write down the word that...

1. indicates an alternative. ....
2. indicates a contrast. ....
3. indicates a reason, an explanation. ....

22. Complete the following sentences with *ma*, *o* or *perché*.

1. Convivere con qualcuno è conveniente .... è possibile dividere le spese.
2. Io e Marco non sappiamo ancora se sposarci .... no.
3. Voglio bene alla mia fidanzata .... litighiamo spesso.
4. Allora, hai deciso? Vai a casa .... ti fermi qui a cena?
5. Vivi ancora con i tuoi genitori .... è più comodo .... perché non hai abbastanza soldi?

23. Reread exercise 17 and find the expressions used to sequence the events.

1. ....
2. ....
3. ....
4. ....

24. Complete the text using the expressions provided.

da quella volta - poi - dopo un po' - alla fine - all'inizio - dopo cinque anni - all'inizio

Anna racconta...

Ho conosciuto mio marito Giulio 15 anni fa a una festa. (1).......................... siamo usciti qualche volta insieme con altri amici comuni. (2).......................... di tempo Giulio mi ha invitato al cinema e (3).......................... abbiamo cominciato a uscire insieme da soli. Devo dire che non è stato proprio amore a prima vista: (4).......................... infatti Giulio mi sembrava un po' troppo chiuso, ma (5).......................... ho capito che era soltanto timido. Insomma, quando l'ho conosciuto meglio, mi sono innamorata di lui e ci siamo fidanzati.
Abbiamo fatto le cose con calma, infatti siamo stati insieme tre anni e poi abbiamo deciso di andare a vivere insieme. (6).......................... di convivenza, (7).......................... abbiamo deciso di sposarci. Adesso siamo sposati da 7 anni e stiamo benissimo insieme.

Conosciamo gli italiani

25. Read the text and add the correct information to the table.

L'evoluzione della famiglia italiana

La famiglia italiana è in una fase di trasformazione. Il numero di figli diminuisce e l'Italia è oggi il paese d'Europa con il numero minore di figli per famiglia (soltanto 1,2). Molti fattori sociali ed economici determinano questo cambiamento, tra cui il fatto che ormai anche la donna lavora fuori casa.
Complessivamente diminuisce anche il numero dei matrimoni mentre aumenta il numero dei divorzi. La struttura della famiglia cambia, ma alcune abitudini restano uguali: genitori e figli mangiano insieme e il pranzo e la cena restano i momenti in cui è più facile il dialogo. Le famiglie italiane si riuniscono per le più importanti feste religiose (Natale, Pasqua) e familiari (matrimoni, battesimi, comunioni). Non soltanto il nucleo principale (genitori e figli), ma tutti i parenti (nonni, nipoti, cugini, zii ecc.) stanno insieme in queste occasioni, specialmente al Sud dove resiste maggiormente il modello di famiglia tradizionale.
A differenza degli altri paesi d'Europa i figli restano in casa fino ad adulti, spesso oltre i 30 anni. Molti affermano di non potere uscire di casa perché economicamente è difficile essere indipendenti, ma anche molte persone che trovano un lavoro preferiscono restare in casa fino al matrimonio. Insomma, restare a casa è sia una necessità economica, sia una scelta che ha motivi culturali. L'attaccamento alla famiglia resta per tutta la vita: la maggior parte dei figli sceglie di vivere nello stesso edificio dei genitori anche dopo il matrimonio e i figli che abitano distanti dalla casa dei genitori telefonano alla mamma una o più volte al giorno.

numero di figli per famiglia	età media in cui i figli si separano dai genitori	motivazioni per cui i figli restano a casa dei genitori	abitudini invariate della famiglia italiana	rapporto tra figli e genitori dopo il matrimonio

UFFICIO INFORMAZIONI

The excessive attachment of adults to their mums is called *mammismo*. Often, due to this attachment, Italians (rightly or wrongly) are often said to be *mammoni* (mummy's boys/ girls).

Parliamo un po'...

- La tua idea sulla famiglia italiana è la stessa rispetto a quella dell'articolo?
- Secondo te il rapporto tra i genitori e i figli è troppo stretto?
- Quali sono le principali differenze tra la famiglia italiana e quella del tuo Paese?
- ...

Si dice così!

Here are some useful expressions to...

Say how people are related	Franco è il padre di Antonio. Gina e Franco sono i nonni di Alessandro.
Say what someone's marital status is	Io sono sposato. Mi sono sposato due anni fa. Lucia è divorziata. Marco e Alessia sono separati.
Express joy	● Mia moglie aspetta un figlio! ● Congratulazioni! ● Mio padre mi presta la macchina questa sera. ● Favoloso! ● Fra tre mesi mi sposo! ● Che bello!
Express regret	● Io e mio fratello non possiamo venire alla festa. ● Che peccato! ● Mi dispiace ma i biglietti del concerto sono esauriti. ● Mannaggia!
Talk about future plans	Forse in futuro cambierò idea e penserò anch'io alla famiglia e ai figli...

Sintesi grammaticale

Possessive adjectives (*Aggettivi possessivi*)

Masculine		Feminine	
Singular	Plural	Singular	Plural
mio	miei	mia	mie
tuo	tuoi	tua	tue
suo	suoi	sua	sue
nostro	nostri	nostra	nostre
vostro	vostri	vostra	vostre
loro	loro	loro	loro

Possessive adjectives agree with the noun they refer to (the thing that is possessed) and are almost always preceded by a definite article.

Examples:
Il suo orologio; Le nostre amiche; I miei libri; La tua borsa.

The article is **not** used with singular nouns that indicate a family relationship: *mio fratello, mia sorella, nostro padre.*

The possessive adjective loro is an exception and needs to retain the article: *il loro padre, la loro madre.*

The conjunctions (*Le congiunzioni*) *ma, o, perché*

The conjunction ma indicates a contrast between two words or two clauses.

Example:
Da un po' di tempo viviamo insieme, anche per dividere le spese ma non parliamo mai di matrimonio.

The conjunction o introduces an alternative, or indicates the exclusion of one word or one clause by the other word or clause.

Example:
Non ho nessuna voglia di cucinare o di stirare, o di lavare mentre il mio ipotetico marito arriva a casa e non muove un dito.

The conjunction perché introduces the reason for whatever has been expressed in the previous clause.

Example:
Gli amici ci chiamano "gli eterni fidanzati" perché non ci siamo sposati.

The future tense (*Futuro semplice*)

The future tense is mainly used to talk about an action that will occur at some point after the time of speaking. It is often used to talk about future plans.

Examples:
Forse in futuro cambierò idea e penserò anch'io alla famiglia e ai figli...
L'estate prossima farò un viaggio in Europa.

Regular verbs

	AMARE	PRENDERE	APRIRE
io	amerò	prenderò	aprirò
tu	amerai	prenderai	aprirai
lui/lei/Lei	amerà	prenderà	aprirà
noi	ameremo	prenderemo	apriremo
voi	amerete	prenderete	aprirete
loro	ameranno	prenderanno	apriranno

A few irregular verbs

	io	tu	lui/lei/Lei	noi	voi	loro
essere	sarò	sarai	sarà	saremo	sarete	saranno
andare	andrò	andrai	andrà	andremo	andrete	andranno
dire	dirò	dirai	dirà	diremo	direte	diranno
dovere	dovrò	dovrai	dovrà	dovremo	dovrete	dovranno
fare	farò	farai	farà	faremo	farete	faranno
potere	potrò	potrai	potrà	potremo	potrete	potranno
sapere	saprò	saprai	saprà	sapremo	saprete	sapranno
stare	starò	starai	starà	staremo	starete	staranno
vedere	vedrò	vedrai	vedrà	vedremo	vedrete	vedranno

Attenzione!

The present tense is often used instead of the future tense, especially in spoken language.

- **Time sequencing words (*Connettivi temporali*): *all'inizio, dopo, poi, alla fine***

These are time sequencing words; they serve to give a text a temporal framework.

Examples:
All'inizio siamo usciti qualche volta insieme con altri amici comuni.

Siamo stati insieme tre anni e poi abbiamo deciso di andare a vivere insieme. Dopo tre anni di convivenza, alla fine abbiamo deciso di sposarci.

1. Write at least one expression to...

- Speak about the past: ....
- Express an undefined quantity: ....
- Stress that an action has already happened: ....
....
- Say what someone's marital status is: ....
- Express joy: ....
- Express disappointment: ....

2. What words from units 8 and 9 do you want to remember? Try to also include adjectives, nouns, verbs and adverbs associated with the words you want to remember.

1. ....
2. ....
3. ....
4. ....
5. ....
6. ....
7. ....
8. ....

3. Do you know any other words that relate to the topic in the unit? If you do, what are they? Where did you hear or read these words?

NEW WORDS	tv	radio	internet	out and about	newspaper	classmates	other (please specify)

4. What do you do when you don't understand words in the texts you read or listen to?

It doesn't bother you; all that matters is getting a sense of the meaning.
You try to get the meaning from the surrounding words.
You look up the meaning in a dictionary.
You ask your teacher in Italian for the meaning.
You ask a classmate for the meaning.
Other...

5. What is the best course of action when you don't know a word in Italian?

Use your mother tongue.
Try to use alternative Italian words to explain.
Use gestures.
Ask your teacher or classmates for help.
Other...

6. What goes through your mind when an Italian test goes badly?

I haven't studied enough.
The test was difficult.
With more care and more time the test would have gone well.
I'm not suited to learning languages.
Other...

Piazza San Marco, **Venezia**

Mi sembra...

Entriamo in tema

- Di solito parli in qualche chat?
- Cosa pensi dei social network?
- Secondo te è un buon modo per conoscere persone interessanti?
- Quali possono essere gli aspetti positivi e negativi della chat?

Comunichiamo

22

1. Listen to the dialogue and decide whether the statements are true or false

	Vero	Falso
1. *Max '79* è un bel ragazzo.		
2. Alessia è contenta del suo incontro.		
3. Per Alessia le persone in chat sono più interessanti che nella realtà.		
4. Valerio preferisce conoscere le persone dal vivo.		
5. A Valerio piace Samanta.		

22

2. Listen to the dialogue and read the text. Check your answers to exercise 1.

Valerio: Allora Alessia, come è questo *Max '79*?

Alessia: Guarda, lasciamo stare, è meglio...

Valerio: Perché?

Alessia: Perché dalla foto che mi ha inviato sembrava un bel ragazzo: giovane, alto, muscoloso, con i capelli lunghi e biondi...

Valerio: E invece? Com'è?

Alessia: Invece all'appuntamento è arrivato un tipo bruttino, di mezza statura, un po' grasso e quasi calvo. Occhi neri e, cosa che non sopporto, la barba lunga.

Valerio: E di carattere che tipo è? È simpatico?

Alessia: Per niente! È noioso, gli piace solo il calcio... e non mi ha offerto nemmeno un caffé! Non so... la chat rende le persone diverse... poi spesso quando conosci qualcuno di persona rimani deluso.

Valerio: Eh, lo so... Infatti per me è sempre meglio conoscere le persone... "dal vivo". Comunque, se conosci qualcuno su Internet puoi avere questi problemi...

Alessia: Io, da ora in poi, non voglio più conoscere persone in rete... Ma a proposito di conoscenze: oggi devi uscire con Samanta, vero?

Valerio: Sì, finalmente...

Alessia: Sei contento?

Valerio: Sì, Samanta è molto carina... e poi mi sembra simpatica, aperta e gentile. Poi le piacciono gli animali e per me questo è importante.

Alessia: Bene, se vi piacciono le stesse cose è più facile andare d'accordo. Sono sicura che Samanta è una persona interessante. Suo fratello Marco invece è troppo serio, non mi piace molto.

Valerio: Neanche a me. Ma forse in realtà è solo timido.

UFFICIO INFORMAZIONI

As well as using the Internet t make friends, young people in Ital also use their mobile phones Mobiles are not merely the means t communicate information; tex messages are sent to get to kno people better too. It is also commo for young people to "give someon a buzz" (*fare uno squillo*) and the hang up. This almost always mean "ciao"!

Impariamo le parole - Descrizioni fisiche

3. Put the words provided under the correct heading in the table.

giovane - basso - lisci e lunghi - azzurri - robusto - di mezza età - bianchi e corti - calvo - magro
mossi - a mandorla - alto - rotondi - ricci - anziano - grasso - muscoloso - castani e corti

età	corporatura	capelli	occhi
....	....	....	....
....	....	....	....
....	....	....	....
....	....	....	....
....	....	....	....
....	....	....	....

4. Fill in the descriptions of the people pictured below.

Età	Età	Età	Età ....
Capelli	Capelli	Capelli	Capelli ....
Occhi	Occhi	Occhi	Occhi ....

5. Which of these people is being described in each case?

- a. Maria è la ragazza giovane, di media statura con gli occhi neri e i capelli neri e corti.
- b. Paolo è il signore anziano, calvo e con i baffi.
- c. Franco è un ragazzo giovane, un po' grasso, porta gli occhiali e ha il pizzetto.
- d. Marta è magra, ha la pelle scura, i capelli lunghi e ricci.
- e. Luca è magro, alto, ha i capelli corti e il pizzetto.

Comunichiamo

6. Reread the dialogue on page 126 and find the expressions used to ask people to describe someone.

a ....

b ....

Osserva!

- Samanta mi sembra simpatica, aperta e gentile.

To give our opinion on someone we can use the expression mi sembra/mi sembrano.

- Samanta mi sembra simpatica.
- Samanta e Pablo mi sembrano simpatici.

7. Work with a partner. One of you will ask the other to describe a classmate. Then, change roles.

Descrivete: gli occhi, i capelli, la corporatura, la carnagione e altri particolari del viso.

Facciamo grammatica

Osserva!

- [...] dalla foto che mi ha inviato sembrava un bel ragazzo
- mi sembra simpatica
- non mi ha offerto nemmeno un caffè!
- gli piace solo il calcio

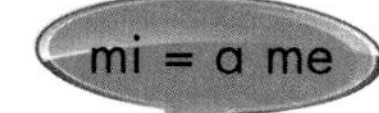

gli = a lui

The words in blue are indirect object pronouns.

8. Find the other unstressed indirect object pronouns in the dialogue on page 126 and use them to complete the table.

pronomi indiretti
mi = a me
ti = a te
..... = a lui
..... = a lei
Le = a Lei (formale)
ci = a noi
..... = a voi
gli = a loro

9. Rewrite the following text using unstressed indirect object pronouns where necessary.

Io e Sara siamo completamente diversi, qualche volta a me sembra impossibile che riusciamo a stare insieme. Ogni volta che chiedo a lei di fare con me qualcosa che interessa a me (fare un giro in moto, andare a teatro), risponde a me che a lei non interessa. Allora propone a me di andare in discoteca, ma io odio la discoteca! Sabato scorso siamo usciti con i miei amici e lei si è annoiata tantissimo ed è stata poco cortese anche con il mio amico Carlo e addirittura ha detto a lui che sta antipatico a lei. Tutti i miei amici l'hanno sentito e, ovviamente, ha dato fastidio a loro. L'unica cosa che piace molto a noi e che riusciamo a fare insieme è guardare i film in casa la domenica pomeriggio. Comunque, anche se ha un carattere molto difficile, in fondo Sara è una brava ragazza e io voglio bene a lei.

....

....

....

....

....

....

....

....

....

Osserva!

A
- Samanta mi sembra simpatica. E a te?
- Anche a me.

B
- Samanta non mi sembra simpatica.
- Neanche a me.

C
- Samanta mi sembra simpatica.
- A me no. Mi sembra antipatica.

D
- Samanta non mi sembra simpatica.
- A me sì.

10. What is the rule?

1. In which dialogues does the second person agree with the first person? .... / ....
2. In which dialogues does the second person disagree with the first person? .... / ....
3. Is anche used to respond to affirmative or negative sentences? ....
4. Is neanche used to respond to affirmative or negative sentences? ....

11. Complete the following dialogues with *Anche a me, Neanche a me, A me sì, A me no.*

1. Siena mi piace molto.
   ...., è molto bella.
2. Marco non mi sembra molto simpatico.
   ...., non ride e non scherza mai.
3. Il corso di italiano mi sembra difficile.
   ...., è tutto chiaro e semplice.
4. Non mi piace giocare a calcio.
   ...., è il mio sport preferito.
5. Mi piace la pizza fredda.
   ...., mangio solo la pizza calda di forno.
6. Oggi Maria mi sembra stanca.
   .... Secondo me lavora troppo.

Entriamo in tema

- Generalmente, quando ti senti nervoso?
- C'è qualcosa che ti fa sentire triste o depresso?
- Sei un tipo lunatico o costante?
- Ti piace il tuo carattere o vorresti essere diverso?

12. *Che tipo sei?* Complete the test to find out.

1. **Quale momento della giornata preferisci?**
   a. La mattina quando ti alzi. ❑
   b. Il pomeriggio quando finisci di studiare o lavorare. ❑
   c. La sera quando vai a dormire. ❑

2. **In una giornata di pioggia generalmente...**
   a. esci e incontri qualcuno fuori. ❑
   b. inviti gli amici a casa per stare un po' insieme. ❑
   c. stai a casa e leggi un libro o ascolti musica. ❑

3. **Se vedi piangere una persona che conosci, tu...**
   a. le/gli vai vicino e chiedi di raccontarti cosa è successo. ❑
   b. le/gli vai vicino e chiedi soltanto se va tutto bene. ❑
   c. non le/gli vai vicino, se vuole ti chiama lui/lei. ❑

4. **Tra questi colori preferisci...**
   a. il rosso. ❑
   b. il nero. ❑
   c. il grigio. ❑

5. **Decidi di prendere un animale in casa. Prendi...**
   a. un cane. ❑
   b. un gatto. ❑
   c. una tartaruga. ❑

6. **Questo mese hai 250 euro in più...**
   a. cerchi un volo low cost e fai un fine settimana fuori. ❑
   b. compri un oggetto che ti piace (vestito, ipod ecc.). ❑
   c. li conservi, i soldi possono sempre servire. ❑

7. **In genere ti capita di litigare...**
   a. ogni volta che qualcuno ha un'opinione diversa dalla tua. ❑
   b. quando parli con una persona aggressiva. ❑
   c. non litighi quasi mai. ❑

PROFILI

Maggior numero di risposte a.
Sei un tipo aperto e simpatico. Disponibile al confronto e pronto a fare nuove amicizie. Hai un carattere abbastanza istintivo.
Maggior numero di risposte b.
Sei un tipo moderato. Non ti piacciono gli eccessi, ma non hai un carattere chiuso. Vuoi conoscere le persone prima di avere un'opinione e non dai troppo peso alla prima impressione.
Maggior numero di risposte c.
Sei un solitario, sei il miglior amico di te stesso. Detesti i conflitti. Spesso sei pensieroso e ridi poco. Non hai carattere facile ma chi ti conosce bene ti apprezza.

Comunichiamo

13. Read these descriptions and then choose the most appropriate option to complete each of the statements below.

A.
Mi chiamo Elena. Generalmente sono un tipo ottimista e molto allegro. Sono entusiasta delle novità e amo fare sempre nuove amicizie. Divento triste soltanto quando le cose vanno veramente male. Mi piace divertirmi e stare in compagnia dei miei amici. Le persone che mi conoscono dicono che sono un tipo estroverso e mai timido. Non so se questo può essere sempre un pregio, forse a qualcuno posso sembrare un po' invadente o addirittura maleducata.

B.
Sono Giuseppe. Sono un tipo che parla poco. Non mi piace raccontare la mia vita alla prima persona che conosco, faccio le mie confidenze esclusivamente agli amici più intimi. In famiglia poi non parlo per niente. Non sono una persona antipatica, ma sono molto riservato e per questo agli altri sembro una persona chiusa. In realtà non ho un carattere chiuso, ma devo conoscere bene una persona prima di aprirmi. Passo molto tempo a casa da solo o in compagnia dei miei cani. La mia fidanzata non è molto contenta di questo mio carattere un po' solitario, ma a me non dispiace.

C.
Sono Stefania. Tutti dicono che sono un tipo socievole, che parla molto. Non sono una persona molto costante e spesso cambio umore. Insomma, sono un po' lunatica. Discutere con le persone è la cosa che mi piace di più. Il mio pregio più grande forse è la capacità di ascoltare le persone e accettare senza pregiudizi tutti i punti di vista diversi dal mio. Il mio difetto peggiore? I miei amici dicono che sono molto permalosa e non so accettare né le critiche né lo scherzo. Probabilmente è vero. E se qualcuno mi fa notare questo mio difetto mi arrabbio!

1. Generalmente Elena è una persona
   - ☐ allegra ☐ triste ☐ timida
2. A qualcuno Elena può sembrare
   - ☐ timida ☐ estroversa ☐ invadente
3. A Giuseppe piace parlare
   - ☐ con tutti ☐ con la famiglia ☐ con gli amici più intimi
4. Giuseppe passa molto tempo
   - ☐ da solo ☐ con gli amici ☐ con la fidanzata
5. Stefania è un tipo
   - ☐ silenzioso ☐ socievole ☐ scherzoso
6. Un pregio di Stefania è
   - ☐ parlare molto ☐ essere costante ☐ accettare diversi punti di vista

14. *Qual è la tua qualità migliore? E il tuo peggior difetto?* Talk about it with a classmate and then tell the class.

Impariamo le parole - Descrizione del carattere

15. With a partner, try to match each adjective to the correct definition, as in the example.

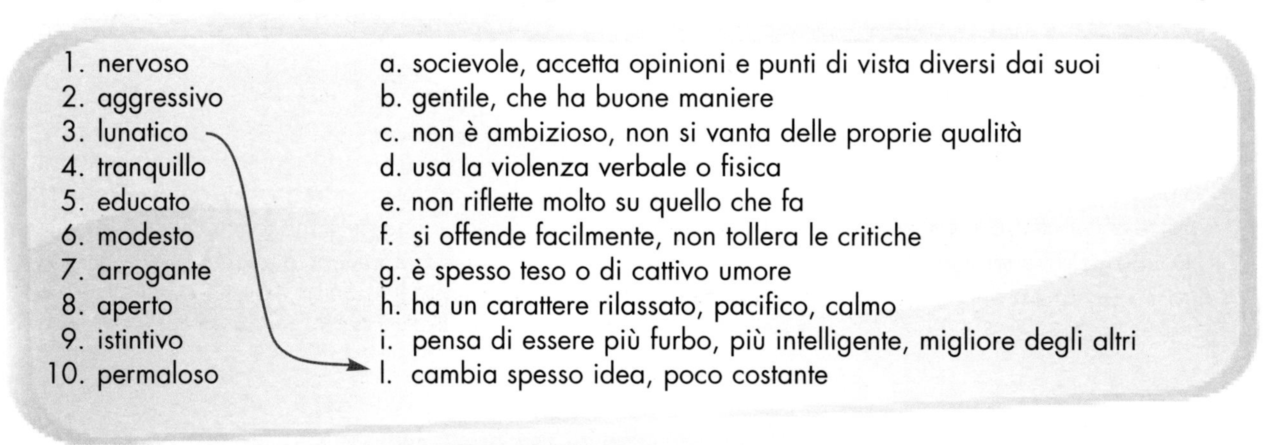

1. nervoso
2. aggressivo
3. lunatico
4. tranquillo
5. educato
6. modesto
7. arrogante
8. aperto
9. istintivo
10. permaloso

a. socievole, accetta opinioni e punti di vista diversi dai suoi
b. gentile, che ha buone maniere
c. non è ambizioso, non si vanta delle proprie qualità
d. usa la violenza verbale o fisica
e. non riflette molto su quello che fa
f. si offende facilmente, non tollera le critiche
g. è spesso teso o di cattivo umore
h. ha un carattere rilassato, pacifico, calmo
i. pensa di essere più furbo, più intelligente, migliore degli altri
l. cambia spesso idea, poco costante

16. Match each adjective to the adjective with the opposite meaning, as in the example.

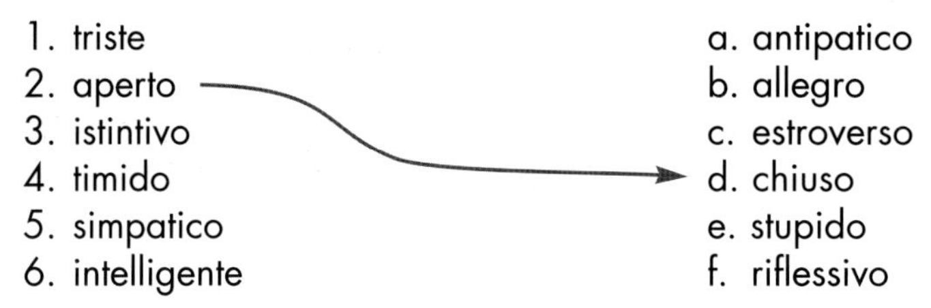

1. triste
2. aperto
3. istintivo
4. timido
5. simpatico
6. intelligente

a. antipatico
b. allegro
c. estroverso
d. chiuso
e. stupido
f. riflessivo

17. *Come ti sembrano queste persone?*

18. Describe the people listed on the next page to a classmate. Your partner can choose whether to agree or disagree.

Esempio: Chiara (educata, allegra)

- Chiara mi sembra educata e allegra. E a te?
- Anche a me.
- A me no, mi sembra un po' antipatica.

- Chiara non mi sembra educata e allegra. E a te?
- Neanche a me.

1. Paolo (educato, timido)
2. Luigi e Francesco (allegri, simpatici)
3. Marcello (triste, chiuso)
4. Giuseppe (intelligente, simpatico)
5. Marco (nervoso, maleducato)
6. Luisa (calma, dolce)
7. Laura (allegra, aperta)
8. Claudio (timido, chiuso)

19. Complete your profile on this Facebook page.

20. Read the texts and decide whether the statements that follow are true or false.

Essere o apparire?

1.

Non siamo soltanto nella società dell'avere, siamo anche nella società del sembrare. Osservate per esempio il fenomeno delle Beauty Farm importate dagli Stati Uniti e in crescita rapidissima anche qui in Italia. E la necessità di sembrare belli a tutti i costi non riguarda più soltanto le donne: cresce il numero di uomini che frequentano le palestre tutti i giorni, vanno dagli estetisti regolarmente, spendono cifre enormi per un taglio di capelli e, sempre più spesso, vanno dal chirurgo plastico. E accendete la televisione a qualsiasi orario: dov'è la bellezza "normale"? Soltanto uomini e donne bellissimi, ma quasi di plastica. Anche nei telegiornali le donne devono essere belle e con pochi vestiti. Dov'è la professionalità? Dov'è la simpatia? Che importanza ha il buon carattere? Tutto questo è scandaloso. Dobbiamo dare più importanza all'essere e meno all'apparire.

UFFICIO INFORMAZIONI

Although concepts of beauty have changed over time, certain Italian actors and actresses from the fifties and sixties have remained iconic to this day for their looks: Sofia Loren, Gina Lollobrigida, Marcello Mastroianni, Vittorio Gassman. Modern actors and actresses that are also revered for their looks include Monica Bellucci, Francesca Neri, Raoul Bova and Gabriel Garko.

Una copertina con una bellezza "tradizionale" e una pubblicità della Fiat che propone un modello "alternativo".

2.

Non capisco questo scandalo contro la bellezza nella nostra società e in televisione. Siamo onesti: nessuno vuole essere brutto, e a tutti piace vedere una bella donna, alta e snella, o un uomo giovane e muscoloso. Il carattere? Sì, certo... Ma un buon carattere senza un aspetto fisico piacevole spesso non è sufficiente per andare avanti nella vita. Le persone che non hanno un bel fisico devono essere motivate a migliorare. Quindi il mio consiglio è curare l'aspetto fisico: palestra, istituti di bellezza, attenzione alla vostra pelle e al vostro corpo. La bellezza e l'eleganza aiutano, questo è certo! E se avete alcuni difetti di carattere, pazienza... Spesso la prima impressione è quella che conta! E la prima impressione è quella che si dà anche senza parlare.

Articolo **1**	Vero	Falso
1. Gli uomini italiani danno importanza all'aspetto fisico.		
2. È sempre più comune utilizzare la chirurgia plastica.		
3. Per chi lavora in televisione è più importante la capacità rispetto alla bellezza.		

Articolo **2**	Vero	Falso
1. Il buon carattere è alla base del successo nella vita.		
2. È importante curare l'aspetto fisico.		
3. La prima impressione che si dà agli altri è molto importante.		

Parliamo un po'...

- Secondo te, qual è l'importanza dell'apparire nella società contemporanea?
- Lo scandalo del primo articolo è giusto o esagerato?
- Quando conosci una persona, quanta importanza dai al suo fisico?
- E al suo modo di vestire? E al suo carattere?
- Quanto è importante per te la prima impressione quando vedi/conosci una persona?
- ....

Si dice così!

Here are some useful expressions to...

Ask for information about someone	Com'è? Com'è di fisico? Com'è di carattere? Che tipo è?
Describe someone	Max è bello: ha i capelli lunghi e porta gli occhiali.
Give your first impressions of someone	Mi sembra simpatica. Mi sembrano simpatici.

Here is a list of useful adjectives for describing people.

Caratteristiche fisiche		Carattere	
Fisico			
Alto/a	Basso/a		
Magro/a	Grasso/a		
Robusto/a			
Capelli			
Lunghi	Corti	Simpatico/a	Antipatico/a
Lisci	Ricci	Educato/a	Maleducato/a
Neri	Biondi	Cortese/Gentile	Scortese
Castani		Modesto/a	Arrogante
Occhi		Allegro/a	Triste
Chiari	Scuri	Aperto/a	Chiuso/a
Verdi/Azzurri/Neri/Castani		Timido/a	Estroverso/a
		Calmo/a	Nervoso/a
Carnagione/Pelle		Dolce	Aggressivo/a
Chiara	Scura		
Altre caratteristiche			
Bello/a	Brutto/a		
Giovane	Anziano/a		

Personal indirect object pronouns (*Pronomi personali indiretti*)

Personal indirect object pronouns	
mi	a me
ti	a te
gli	a lui
le	a lei
Le	a Lei (formale)
ci	a noi
vi	a voi
gli	a loro

Personal indirect object pronouns take the place of people and are used when the verb answers the question a chi? ('to whom?').

Non mi ha offerto nemmeno un caffè.
(Offrire un caffè a qualcuno. A chi non ha offerto nemmeno un caffè? A me.)

The position of these pronouns is the same as that of personal direct object pronouns (see unit 7). They are generally placed in front of the verb, but when an infinitive is used they go after the infinitive and form one word with it. The infinitive drops its final *-e* to accommodate the pronoun.

Example:
Non mi vuole offrire nemmeno un caffè.
Non vuole offrirmi nemmeno un caffè.

Anche a me/Neanche a me

We use anche a me when we want to agree with someone, express the same opinion.
Anche a me is used in response to an affirmative sentence.

Example:
- Marco mi sembra simpatico. • Anche a me.

We use neanche a me when we want to agree with someone, express the same opinion.
Neanche a me is used in response to a negative sentence.

Example:
- Marco non mi sembra simpatico. • Neanche a me.

A me sì/A me no

We use a me sì when we have a different opinion and want to disagree with someone.
We use a me sì as a reply to a negative sentence. To stress the difference of opinion, we can add invece.

Example:
- Luisa e Maria non mi sembrano gentili. • A me (invece) sì.

We use a me no when we have a different opinion and want to disagree with someone.
We use a me no as a reply to a affirmative sentence. To stress the difference of opinion, we can add invece.

Example:
- Luisa e Maria mi sembrano gentili. • A me (invece) no.

Funzioni

1. Choose the correct option in each case.

A.
- Io sono single, e tu?
- Io sono sposo/Io mi sono sposo/Io sono sposato.

B.
- Vai d'accordo con la tua ragazza?
- Non molto, divorziamo/ci innamoriamo/litighiamo spesso.

C.
- Massimo, da quanto tempo stai con Michela?
- Siamo fidanzati/Sono fidanzato/Ci siamo fidanzati dall'anno scorso.

D.
- Ho vinto 100.000 euro alla lotteria!
- Che rabbia!/Che peccato!/Favoloso!

E.
- Mi dispiace ma non posso partire con voi quest'estate.
- Che peccato!/Congratulazioni!/Favoloso!

/5

Grammatica

2. Complete the sentences with one of the possessive adjectives provided. Be aware: there are two possessive adjectives too many!

la mia - i loro - il mio - i suoi - mia - il tuo - le vostre - la tua - tuo - il suo

1. Ciao Franco! Ti presento Luisa, ... fidanzata.
2. Quando arrivano .... amiche? Siamo già in ritardo!
3. Cecilia, mi dai .... ricetta per il pesto?
4. Scusa, non mi ricordo come si chiama .... fratello.
5. Marta e Maria hanno detto che .... genitori non sono in casa questo fine settimana.
6. Matteo ama gli animali. .... cane si chiama Raoul.
7. .... sorella Silvia ha 23 anni.
8. Laura non mi ha ancora presentato .... genitori.

/8

3. Complete the sentences with the future tense of the verb in brackets.

Fra tre anni...

1. Io (*finire*) .... l'università.
2. Una volta che hai un buon lavoro (*essere*) .... indipendente.
3. Io e la mia ragazza (*affittare*) .... una casa in città.
4. Jack (*parlare*) .... perfettamente l'italiano.

5. Noi (*comprare*) .... una macchina nuova.
6. I genitori di Laura (*andare*) .... in pensione.
7. Mio figlio (*cominciare*) .... ad andare a scuola e mia moglie (*avere*) .... più tempo a disposizione la mattina.

/8

4. Supply the correct indirect object pronoun in each case.

1. Maria, ... piace questa canzone?
2. Ragazzi, come .... sembra questo locale?
3. Marco non viene in discoteca perché non .... piace ballare.
4. Professore, ... dispiace ripetere, per favore?
5. Ho comprato un libro che .... sembra molto interessante.
6. Diana mangia solo formaggi e verdure perché non .... piace la carne.
7. Ho incontrato Alessandro e Mike e .... ho chiesto di prestarmi la loro macchina.

/7

5. Use the words provided to complete the text.

ma - all'inizio - poi - o - perché

Nella mia università è obbligatorio studiare una lingua straniera. Gli studenti possono scegliere lo spagnolo (1)................................ l'italiano. Anche se lo spagnolo ha maggiore diffusione, io ho deciso di parlare l'italiano (2)................................ mi è sempre piaciuto. (3)................................ è stato difficile soprattutto per la grammatica, (4)................................ io ho continuato a frequentare il corso con impegno. (5)................................ dopo qualche settimana di studio ho cominciato a comunicare e adesso parlo l'italiano discretamente.

/5

Vocabolario

6. Add a further seven adjectives for describing people to the table below.

gli occhi	i capelli	il carattere
1. castani	1. lunghi	1.
2.	2.	2.
3.	3.	3.

/7

Punteggio Totale /40

Prendiamo il treno!

Entriamo in tema

1. Are you familiar with Italian trains? Work with a partner and match each type of train to its main features.

1. Intercity	a. Collega piccole città di una stessa regione. Effettua tutte le fermate.
2. Eurostar	b. Collega città lontane di regioni diverse.
3. Locale	c. Collega le principali città italiane. Effettua le fermate principali.
4. Diretto	d. Treno ad alta velocità.
5. Interregionale	e. Collega città vicine di regioni diverse.

Comunichiamo

2. Listen to the dialogue and decide whether the statements are true or false.

	Vero	Falso
1. I ragazzi vogliono fare un giro in provincia di Siena.		
2. Vogliono stare fuori tutto il fine settimana.		
3. Tom vuole prendere la macchina.		
4. Non ci sono treni per Asciano.		
5. I ragazzi vanno alla stazione e si informano sugli orari dei treni.		

3. Listen to the dialogue again and mark the places that the young people want to visit on the map.

23

4. Listen to the dialogue again and read the text. Check your answers to exercises 2 and 3.

Marco: Tom, andiamo a fare un giro fuori Siena questo fine settimana?
Tom: Mi dispiace ma non posso, devo studiare. Lunedì c'è il test di italiano e non ho ancora fatto niente.
Marco: Ma dai... partiamo sabato mattina e torniamo la sera. Domenica hai tutto il tempo per studiare!
Tom: Mmh... Va bene, d'accordo. Dove andiamo?
Marco: Io vorrei visitare un po' la provincia di Siena. Possiamo scendere a sud e visitare Asciano. So che c'è una bella Abbazia. Poi possiamo passare da Chianciano e pranzare lì.
Tom: A Chianciano ci sono le terme, vero?
Marco: Sì, infatti. Dopo pranzo... possiamo risalire e passare da Pienza, e se facciamo in tempo possiamo fare un salto a Montalcino. Così compriamo anche due bottiglie di Brunello.
Tom: Ok, per me va bene. Ma come ci muoviamo? Io non ho la macchina. Prendi la tua?
Marco: Ma no, prendiamo il treno!
Tom: Il treno? In Italia? Ma nessuno che conosco prende il treno! Tutti dicono che i treni sono lenti, sporchi e sempre in ritardo!
Marco: Beh, non è sempre così. Per me il treno è un ottimo mezzo di trasporto: posso rilassarmi, lavorare al computer o leggere un libro... Non c'è nessun pericolo anche se piove o fa brutto tempo. E poi arrivo direttamente nel centro delle città. Non ho lo stress di guidare la macchina e non devo pagare niente per il parcheggio. E poi sul treno possiamo portare anche le bici!
Tom: Ma per andare ad Asciano c'è un treno?
Marco: Certo! In Italia ci sono sia gli Eurostar che collegano le grandi città, sia i treni locali che collegano i piccoli centri.
Tom: Va bene, d'accordo! Senti, andiamo alla stazione e ci informiamo sugli orari?
Marco: Ma no! Troviamo tutte le informazioni sul sito internet.

UFFICIO INFORMAZIONI
Pienza and Montalcino are towns in Val D'Orcia, in the province of Siena. UNESCO has designated Val D'Orcia as a World Heritage Site due to its beautiful landscape and its art.

5. Reread the first eight lines of the dialogue and find the expressions used to...

invitare qualcuno	accettare un invito	rifiutare un invito
....	....	....

Check your answers with the rest of the class and with the teacher.

6. **The list below contains other expressions for inviting people, and for accepting or declining an invitation. Put them under the correct heading in the table.**

Con piacere - Ti va un caffè? - Buona idea! - No, non mi va molto
Che ne dici di uscire un po'? - Certo - Volentieri - Perché non andiamo a teatro?
Grazie, ma preferisco di no - Vuoi giocare a calcio? - No, grazie lo stesso

invitare	**accettare**	**rifiutare**
Andiamo a fare un giro?	Va bene, d'accordo.	Mi dispiace ma non posso.
....	....	....
....	....	....
....	....	....
....	....	....

7. **Make dialogues with a partner using each of the expressions in the table below, taking it in turns to play the parts of student *A* and student *B*. In dialogues 2 and 6, student *A* won't take no for an answer.**

A.	B.
Invita un tuo amico/una tua amica a...	
1. mangiare una pizza.	rifiuti, devi cenare con i tuoi.
2. fare un giro in centro.	rifiuti, vuoi andare in palestra; accetti.
3. prendere una birra.	accetti.
4. fare un po' di footing.	rifiuti, sei stanco.
5. studiare in biblioteca.	accetti.
6. vedere la mostra di Caravaggio.	rifiuti, non hai soldi; accetti.

Facciamo grammatica

Osserva!

- ...non ho ancora fatto niente.
- Ma nessuno che conosco prende il treno!
- Non c'è nessun pericolo anche se piove o fa brutto tempo.
- ...non devo pagare niente per il parcheggio.

8. **What is the rule?**

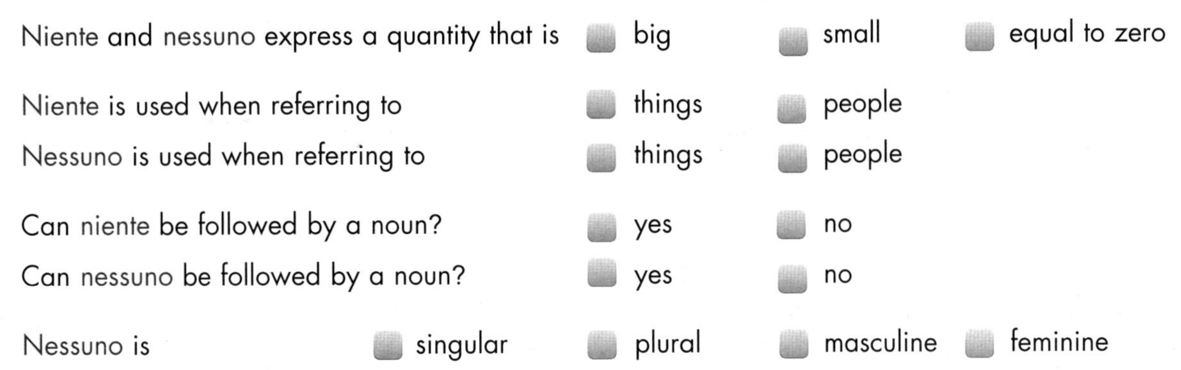

Niente and nessuno express a quantity that is ☐ big ☐ small ☐ equal to zero

Niente is used when referring to ☐ things ☐ people
Nessuno is used when referring to ☐ things ☐ people

Can niente be followed by a noun? ☐ yes ☐ no
Can nessuno be followed by a noun? ☐ yes ☐ no

Nessuno is ☐ singular ☐ plural ☐ masculine ☐ feminine

Nessuno and niente can be used in both affirmative and negative sentences. How are the sentences constructed in each case?

Affirmative sentence: .... + ...
Negative sentence: .... + ... + ...

Attenzione!

When nessuno is followed by a masculine noun, its ending is the same as the indefinite article appropriate to that noun: *nessun pericolo, nessuno spazio, nessuno zaino.*

Niente is invariable.

9. Complete the following sentences with *nessuno* or *niente*.

1. Marco è arrivato in tempo: il treno non ha avuto .... ritardo.
2. .... dice che le ferrovie italiane sono perfette. Ma è falso anche dire che non funziona ....
3. Per me .... regione italiana è brutta. Ma la Toscana ha qualcosa in più delle altre.
4. Mi dispiace ma non c'è più .... posto a sedere su questo treno.
5. Non preoccuparti se non puoi venire. Non fa ....
6. Le ferrovie italiane non hanno .... da invidiare alle altre ferrovie d'Europa.

Impariamo le parole - Mezzi di trasporto

10. Write the nouns provided under the correct picture.

treno - bici - macchina - metropolitana - autobus
nave - aereo - pullman - elicottero - moto

1. .... 2. .... 3. .... 4. .... 5. ....

6. .... 7. .... 8. .... 9. .... 10. ....

11. Make as many sentences as are possible.

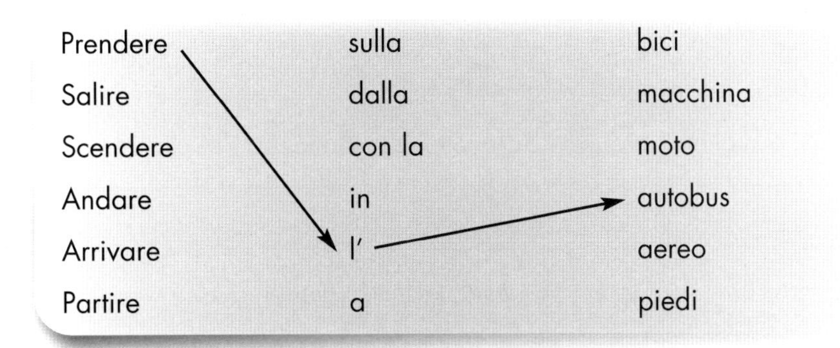

Prendere	sulla	bici
Salire	dalla	macchina
Scendere	con la	moto
Andare	in	autobus
Arrivare	l'	aereo
Partire	a	piedi

Comunichiamo

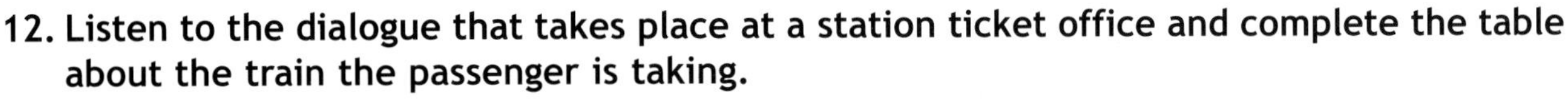

12. Listen to the dialogue that takes place at a station ticket office and complete the table about the train the passenger is taking.

tipo di treno	
destinazione	
orario di partenza	
binario di partenza	
costo del biglietto	

13. Put the dialogue between a passenger and a member of ticket office staff at the station in the correct order. Then, listen to the dialogue again and check your answer.

- ☐ a. Il primo treno parte alle 18.55. È un Eurostar.
- ☐ b. Perfetto. Allora un biglietto di seconda classe, per favore.
- 1 c. Buongiorno. Senta, quando parte il primo treno per Roma?
- ☐ d. Prima o seconda classe?
- ☐ e. Grazie. Ah, scusi, da quale binario parte il treno?
- ☐ f. Seconda.
- ☐ g. Parte dal terzo binario. Buon viaggio!
- ☐ h. Ho capito. Quanto viene il biglietto?
- ☐ i. Il biglietto di seconda classe viene 15 euro.
- ☐ l. Ecco il biglietto.

14. What expressions are used to do the following?

1. Chiedere l'orario di partenza ....
2. Chiedere informazioni sul prezzo del biglietto ....
3. Dare informazioni sul prezzo del biglietto ....
4. Chiedere da dove parte il treno ....

15. Work with a partner to make dialogues in which one of you is person *A* and the other is person *B*. Your roles are outlined below.

A. Sei alla stazione di Siena e vuoi prendere un treno per Napoli. Chiedi informazioni su orari, prezzi, durata del viaggio, stazione di cambio ecc.

B. Sei l'impiegato della biglietteria e devi dare tutte le informazioni al cliente.

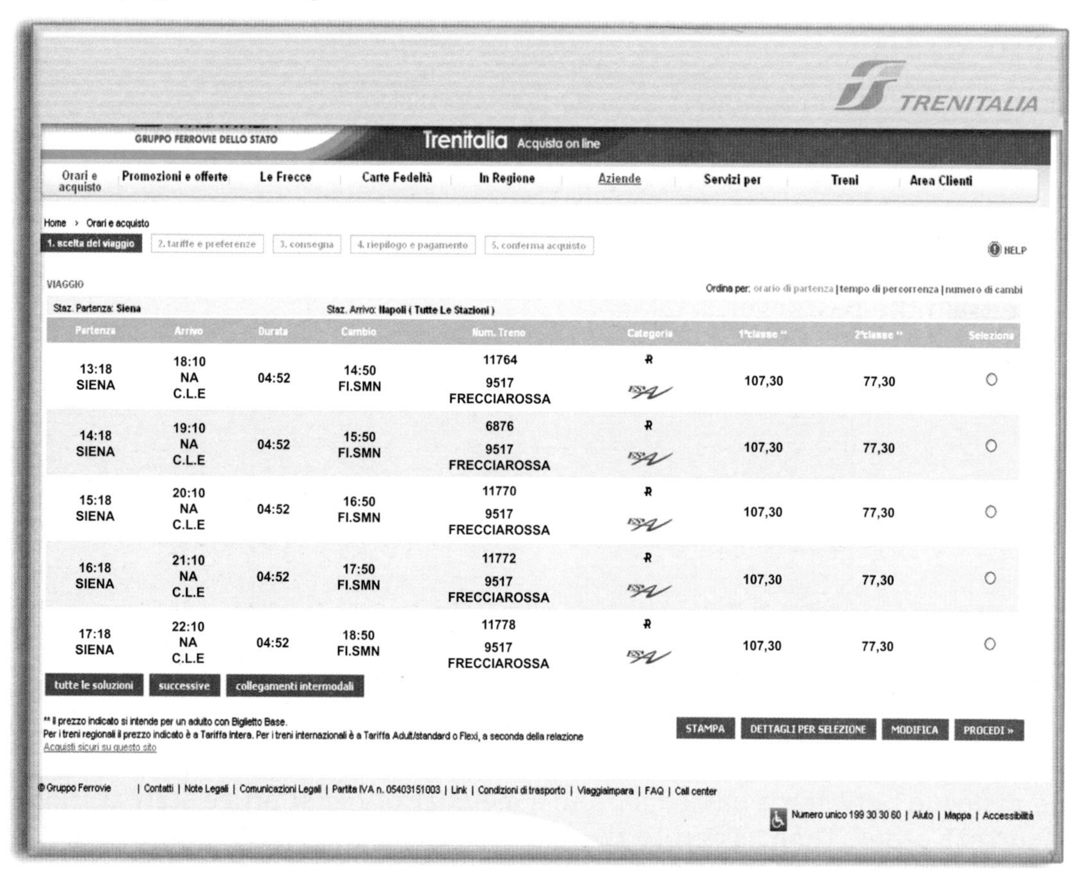

TRENITALIA

GRUPPO FERROVIE DELLO STATO — Trenitalia Acquista on line

Orari e acquisto | Promozioni e offerte | Le Frecce | Carte Fedeltà | In Regione | Aziende | Servizi per | Treni | Area Clienti

Home › Orari e acquisto

1. scelta del viaggio | 2. tariffe e preferenze | 3. consegna | 4. riepilogo e pagamento | 5. conferma acquisto — HELP

VIAGGIO

Ordina per: orario di partenza | tempo di percorrenza | numero di cambi

Staz. Partenza: Siena — Staz. Arrivo: Napoli (Tutte Le Stazioni)

Partenza	Arrivo	Durata	Cambio	Num. Treno	Categoria	1ªclasse **	2ªclasse **	Seleziona
13:18 SIENA	18:10 NA C.L.E	04:52	14:50 FI.SMN	11764 / 9517 FRECCIAROSSA	R	107,30	77,30	○
14:18 SIENA	19:10 NA C.L.E	04:52	15:50 FI.SMN	6876 / 9517 FRECCIAROSSA	R	107,30	77,30	○
15:18 SIENA	20:10 NA C.L.E	04:52	16:50 FI.SMN	11770 / 9517 FRECCIAROSSA	R	107,30	77,30	○
16:18 SIENA	21:10 NA C.L.E	04:52	17:50 FI.SMN	11772 / 9517 FRECCIAROSSA	R	107,30	77,30	○
17:18 SIENA	22:10 NA C.L.E	04:52	18:50 FI.SMN	11778 / 9517 FRECCIAROSSA	R	107,30	77,30	○

tutte le soluzioni | successive | collegamenti intermodali

** Il prezzo indicato si intende per un adulto con Biglietto Base.
Per i treni regionali il prezzo indicato è a Tariffa Intera. Per i treni internazionali è a Tariffa Adult/standard o Flexi, a seconda della relazione
Acquisti sicuri su questo sito

STAMPA | DETTAGLI PER SELEZIONE | MODIFICA | PROCEDI »

© Gruppo Ferrovie | Contatti | Note Legali | Comunicazioni Legali | Partita IVA n. 05403151003 | Link | Condizioni di trasporto | Viaggiaimpara | FAQ | Call center

Numero unico 199 30 30 60 | Aiuto | Mappa | Accessibilità

Impariamo le parole - Alla stazione

16. Study the photo with a classmate and write as many words as you know in the table.

verbi	nomi	aggettivi

17. Where are you likely to hear the following?

	Alla stazione	Sul treno	In biglietteria
1. Biglietti, prego.			
2. La cuccetta comfort viene 25 euro.			
3. Un Intercity per Roma con posto prenotato, per favore.			
4. Purtroppo portiamo un ritardo di 20 minuti.			
5. Il treno Eurostar 254 per Bologna è in partenza dal binario 6.			
6. Se vuole Le posso prenotare un posto in cuccetta.			
7. Treno in arrivo al binario 1, allontanarsi dalla linea gialla.			
8. Si pregano i signori viaggiatori di abbassare il volume delle suonerie dei telefoni cellulari.			
9. È aperto nella carrozza 10 il servizio ristorante.			
10. Attenzione! È vietato attraversare i binari.			

Entriamo in tema

- Ricordi un viaggio particolarmente interessante che hai fatto?
- Con chi sei partito/a? Dove sei stato/a? Cosa hai visto?
- Quanto tempo è durato il viaggio?
- Quali mezzi di trasporto hai usato?

Comunichiamo

18. Listen to the dialogue and answer the questions.

1. Quali posti hanno visitato Carla e Pietro?

....

2. Cosa facevano la mattina?

....

3. Dove hanno dormito?

....

4. Con quali mezzi di trasporto andavano in giro?

....

5. Come era il tempo?

....

19. Listen to the dialogue again and read the text. Check your answers to exercise 18.

Lorenza: Allora Carla, come è andato il viaggio in Toscana? Racconta.
Carla: Benissimo. Io e Pietro abbiamo visitato le città più famose: Firenze, Siena, Pisa, Lucca, Arezzo.
Lorenza: Bello! Quanti giorni siete rimasti in Toscana?
Carla: Sette giorni.
Lorenza: E cosa facevate durante il giorno?
Carla: Allora, generalmente ci alzavamo verso le otto, dopo la colazione uscivamo dall'hotel e la mattina visitavamo una chiesa o un museo. Il pomeriggio invece andavamo in giro, ma senza un obiettivo preciso. Guardavamo le piazze, facevamo spese, prendevamo un caffè al bar.

Lorenza: Avete dormito sempre nello stesso hotel?
Carla: No, abbiamo dormito tre sere a Firenze, due sere a Siena e due sere a Pisa.
Lorenza: Senti, con quali mezzi andavate in giro? Avevate la macchina?
Carla: No, di solito prendevamo il treno: in Toscana ci sono stazioni in quasi tutti i piccoli centri. Così vedevamo anche lo splendido paesaggio della campagna toscana. Una volta c'è stato lo sciopero e allora siamo andati in giro con i pullman e gli autobus.
Lorenza: Insomma, hai fatto una bella vacanza.
Carla: Sì, bellissima. Abbiamo visto dei posti meravigliosi, abbiamo mangiato molto bene e non abbiamo speso molti soldi. Anche il tempo era bello, perfetto per andare in giro a piedi.

UFFICIO INFORMAZIONI

One of the most famous stations in Italy is *Milano Centrale*, built in the Thirties and modelled on Union Station in Washington. It is a blend of architectural styles, although the Liberty style dominates. Many of the rooms are reminiscent of Roman architecture.

Facciamo grammatica

20 The dialogue contains a number of verbs in the imperfect tense. Read the dialogue again and, with a partner, try to complete the table. Then, compare your answers to those of the rest of the class and check with your teacher.

soggetto	imperfetto	infinito
voi	facevate	fare
		alzarsi
		uscire
noi		
	andavamo	
		guardare
noi		
	prendevamo	
voi	andavate	
		avere
		prendere
		vedere
	era	

21. Complete the table with the regular forms of the imperfect tense.

	visitare	prendere	uscire
io	visitavo	prendevo	uscivo
tu		prendevi	
lui/lei/Lei	visitava		
noi			uscivamo
voi		prendevate	
loro	visitavano		

22. Imperfect or perfect tense? What is the rule?

The imperfect tense is used...
To indicate that a past action was complete. ☐
To indicate that an action was part of a past routine. ☐

The perfect tense is used...
To indicate that a past action was complete. ☐
To indicate that an action was part of a past routine. ☐

23. Write six questions to ask your classmates about their life over the past year, as in the example. If you want, you can ask about their studies, work, routines, holidays, sports, free time, etc.

Quali lezioni frequentavi l'anno scorso?

....

....

....

....

....

....

24. Complete the text with the imperfect tense of the verbs in brackets.

Mike mi ha raccontato che quando (essere) (1)........................ in Italia (frequentare) (2)........................ un corso di italiano. (Andare) (3)........................ a lezione ogni mattina dalle 9 alle 12. Dopo le lezioni Mike e i suoi compagni di corso (pranzare) (4)........................ insieme alla mensa e (studiare) (5)........................ un po' in biblioteca. Quando (finire) (6)........................ di studiare, se non c'era altro da fare, Mike (prendere) (7)........................ l'autobus, (tornare) (8)........................ a casa e (parlare) (9)........................ un po' con i suoi compagni di casa italiani. (Uscire) (10)........................ quasi ogni sera dopo cena e qualche volta (cenare) (11)........................ fuori. Il fine settimana Mike e i suoi compagni (avere) (12)........................ più tempo libero perché non (esserci) (13)........................ il corso: spesso (decidere) (14)........................ di visitare una città italiana o una capitale europea. Mike mi ha detto che per viaggiare in Italia lui e i suoi amici (prendere) (15)........................ sempre il treno perché (essere) (16)........................ il mezzo di trasporto più comodo ed economico.

Conosciamo gli italiani

25. Read the text. Are the statements true or false?

Frecciarossa. L'eccellenza italiana al servizio del Paese

L'offerta

Milano - Roma - Milano: 68 collegamenti giornalieri. Tempo di percorrenza: 2 ore e 45 minuti.
Milano - Napoli - Milano: 35 collegamenti giornalieri. Tempo di percorrenza: 4 ore e 10 minuti.
Torino - Roma - Torino: 14 collegamenti giornalieri. Tempo di percorrenza: 4 ore e 10 minuti.
Bologna - Firenze - Bologna: 44 collegamenti giornalieri cui si aggiungono 30 collegamenti effettuati con treni Frecciargento. Tempo di percorrenza: 37 minuti.
Roma - Napoli - Roma: 38 collegamenti giornalieri. Tempo di percorrenza: 1 ora e 10 minuti.

Informazioni e acquisto biglietti

Da casa sul sito *www.trenitalia.it*; tramite Call Center (numero a pagamento) con il servizio *Trenitalia Mobile* accessibile dal cellulare; in stazione o in agenzia.

Assistenza in ogni momento del viaggio

in stazione: desk dedicati per informazioni e cambio prenotazione veloce; monitor lungo i binari che segnalano il numero della vettura (un modo facile e utile per trovare subito il proprio posto); per chi viaggia in prima classe ed è in possesso della CARTAFRECCIA Oro o Platino, inoltre, accesso ai Freccia Club Eurostar e possibilità di utilizzare i *totem self service* per effettuare il cambio prenotazione veloce e tanti altri servizi esclusivi;

in treno: personale di bordo a vostra disposizione per informazione sulla circolazione e sui treni in coincidenza nelle stazioni di arrivo.

Comodità e convenienza

in stazione: percorsi guidati per trovare subito il binario da cui parte il vostro treno e monitor con informazioni sulla circolazione dei treni;
in treno: poltrone comode e prese elettriche al posto per lavorare con il computer o per guardare un film, ascoltare musica. Ai viaggiatori di prima classe degli Eurostar Alta Velocità Frecciarossa è offerto un aperitivo di benvenuto con prodotti di alta qualità e, al mattino, un quotidiano. Su tutti i treni Alta Velocità, inoltre, è disponibile un servizio di bar e ristorante nella speciale carrozza risto-bar; i viaggiatori hanno a disposizione, su alcune tratte, un servizio di accesso internet WiFi e una piena copertura telefonica.
all'arrivo: nel cuore delle città, collegamenti con la rete ferroviaria regionale e con altri mezzi di trasporto. A Roma e Milano, i clienti di prima classe potranno beneficiare anche dei servizi di noleggio dedicati ai clienti Alta Velocità.

Adattato da www.trenitalia.com

	Vero	Falso
1. I treni Frecciarossa collegano tutta l'Italia.		
2. È possibile comprare i biglietti chiamando il Call Center.		
3. È possibile avere informazioni sia in stazione che sul treno.		
4. Si offre a tutti i viaggiatori un aperitivo di benvenuto in treno.		
5. Su tutti i treni c'è un servizio ristorante.		
6. Può collegarsi a Internet soltanto chi viaggia in prima classe.		

Parliamo un po'...

- Quali sono secondo te i vantaggi e gli svantaggi del treno in Italia?
- Hai mai preso il treno in Italia? Come ti è sembrato?
- Nel tuo Paese prendi il treno?
- Quali sono le differenze tra i treni del tuo Paese e i treni italiani?
- È utile investire denaro su questo mezzo di trasporto?
- ...

Si dice così!
Here are some useful expressions to...

Invite someone	Che ne dici di uscire un po'? Perché non usciamo un po'? Andiamo a fare un giro?
Accept an invitation	Va bene! D'accordo! Con piacere! Buona idea! Sì, volentieri.
Decline an invitation	Mi dispiace ma non posso. Veramente non mi va molto. Grazie, ma preferisco di no.
Ask for information on train times and journeys	A che ora parte? A che ora arriva? Da che binario parte? Dove devo cambiare?
Ask for the cost of the ticket	Quanto viene il biglietto di seconda classe?
Buy a ticket	Un Intercity per Roma con posto a sedere prenotato, per favore.

Sintesi grammaticale

- **The negative indefinites (*Indefiniti negativi*) *nessuno* and *niente***

Nessuno and niente express quantities equal to zero.

Nessuno is used only in the singular and can refer to people or things. It can be masculine or feminine.

When followed by a noun, nessuno can be an adjective.

Example:
Quest'anno non ho fatto nessun viaggio.

When NOT followed by a noun, nessuno can be a pronoun.

Example:
Nessuno va alla stazione di notte, non è sicuro.

When nessuno is followed by a masculine noun, its ending is the same as the indefinite article appropriate to that noun: *nessun pericolo, nessuno spazio, nessuno zaino.*

Niente is used only in the singular and can only refer to things. It is invariable.

Example:
Non ho niente da dire.

Nulla is a synonym of niente.

Nessuno and niente are used primarily in negative sentences. When used in negative sentences they follow the verb; when used in affirmative sentences they precede the verb.

Examples:
Non ho ancora fatto niente.
Non c'è nessun pericolo anche se piove o fa brutto tempo.

Niente è comodo quanto viaggiare in aereo.
Nessuno che conosco prende il treno!

- ## The imperfect tense (*L'imperfetto*)

The imperfect tense is used mainly to talk about habitual actions in the past. It is possible to add expressions that highlight the repetitive nature of the activity.

Example:
Generalmente ci alzavamo verso le otto uscivamo dall'hotel verso le nove e la mattina visitavamo una chiesa, o un museo.

The imperfect tense of regular verbs is formed by adding the ending to the stem of the infinitive.

	VISITARE	**PRENDERE**	**USCIRE**
io	visitavo	prendevo	uscivo
tu	visitavi	prendevi	uscivi
lui/lei/Lei	visitava	prendeva	usciva
noi	visitavamo	prendevamo	uscivamo
voi	visitavate	prendevate	uscivate
loro	visitavano	prendevano	uscivano

Here are three irregular verbs in the imperfect tense.

	FARE	ESSERE	DIRE
io	facevo	ero	dicevo
tu	facevi	eri	dicevo
lui/lei/Lei	faceva	era	diceva
noi	facevamo	eravamo	dicevamo
voi	facevate	eravate	dicevate
loro	facevano	erano	dicevano

1. **Write at least one expression to...**
   - Ask for information about someone's appearance or personality: ....
   ....
   - Express an opinion about someone: ....
   - Agree with what someone has said: ....
   - Invite someone: ....
   - Accept an invitation: ....
   - Decline an invitation: ....
   - Talk about routine activities in the past: ....
   ....

2. **What words from units 10 and 11 do you want to remember? Try to also include adjectives, nouns, verbs and adverbs associated with the words you want to remember.**

   1. ....
   2. ....
   3. ....
   4. ....
   5. ....
   6. ....
   7. ....
   8. ....

3. **Do you know any other words that relate to the topic in the unit? If you do, what are they? Where did you hear or read these words?**

NEW WORDS	tv	radio	internet	out and about	newspaper	classmates	other (please specify)

4. **Think back to your knowledge at the start of the course. How do you rate your current skills in the four areas listed below?**

	excellent ++	good +	satisfactory -	unsatisfactory - -
Speaking				
Listening				
Reading				
Writing				

5. **Think back to your knowledge at the start of the course. To what extent has your knowledge of Italian culture improved?**

- A lot
- Quite a bit
- Not much
- Not at all

6. **Do you want to continue studying Italian?**

Yes, because ....

....

....

No, because ....

....

....

Alleghe, Belluno

Ti vesti alla moda?

Entriamo in tema

- Che tipo di abbigliamento preferisci? Sportivo o elegante?
- Quanta importanza dai all'abbigliamento?
- Quali stilisti italiani conosci?
- Ti piace la moda italiana?
- Hai un capo di abbigliamento italiano?
- Qual è il capo di abbigliamento che ti piace di più?

Comunichiamo

1. Listen to the dialogue taking place in a clothing store and decide whether the statements that follow are true or false.

	Vero	Falso
1. Marco compra i pantaloni grigi.		
2. I pantaloni grigi sono un po' larghi.		
3. Marco porta una taglia media.		
4. Marco compra una camicia a righe.		
5. Marco ottiene uno sconto.		

2. Listen to the dialogue again and read the text. Check your answers to exercise 1.

Marco: Allora Marta, secondo te sono più belli questi pantaloni neri qui o quei pantaloni marroni in vetrina?
Marta: Secondo me questi neri, sono molto eleganti. Ma anche quelli grigi in vetrina sono belli. Dai, provali tutti e due!
Marco: Va bene.
dopo la prova
Marco: Allora, che ne dici di questi grigi? Vanno bene?
Marta: Mah... Sono un po' larghi di vita, forse quelli neri ti stanno meglio.
Marco: Allora, ti piacciono?
Marta: Beh sì, ti stanno molto bene.
Marco: Ok, allora prendo questi neri. Senti, mi serve anche un maglione. Che ne dici di questo giallo a righe?
Marta: Marco, quel giallo è orribile... Questo qui rosso è molto meglio. Tu che taglia porti?
Marco: La media.
Marta: Vediamo... Ecco, prova questo.
dopo la prova
Marco: Va bene?
Marta: Sì, è perfetto.
Marco: Allora lo prendo?
Marta: Sì, prendilo.
alla cassa
cassiera: Allora, i pantaloni vengono 95 euro, il maglione 80. In tutto sono 175 euro.
Marco: Mi fa un piccolo sconto, per favore?
cassiera: Mmh... va bene: facciamo 160 euro.
Marco: La ringrazio.
cassiera: Prego. Ecco i suoi vestiti. E qui c'è lo scontrino.

UFFICIO INFORMAZIONI

Italians don't usually ask for a discount in shops, unless they are regular customers. Either way, they ask for the reduction politely and don't push the matter if the salesperson says no. Whenever you buy something, not just clothing, always keep the receipt as it serves as a guarantee and is needed if you want to exchange the goods.

3. Reread the dialogue and find the expressions used to...

chiedere e dire la taglia	chiedere e dire come sta qualcosa	chiedere e fare uno sconto	chiedere e dire un'opinione
....	....	....	....
....	....	....	....
....	....	....	....

4. Put the customer's lines in the correct order.

Una ragazza entra in un negozio di abbigliamento per comprare una gonna e una camicetta.

Commessa

1. Buongiorno, posso aiutarLa? ☐
2. Certo signora. Che taglia porta? ☐
3. Ecco, questa è una 40. Il camerino è lì. ☐
4. Secondo me è perfetta. ☐
5. La prendo subito. Le piace? ☐
6. Sì, aspetti... Abbiamo questa rossa o questa gialla. ☐
7. Allora, la gonna viene 60 euro e la camicetta 45. In tutto sono 105 euro. ☐
8. No signora, mi dispiace. I prezzi sono già scontati. ☐

Cliente

a. Allora, come mi sta?
b. Mh... allora, prendo questa rossa. Quanto pago?
c. Sì, vorrei provare la gonna nera in vetrina.
d. Mi può fare un piccolo sconto?
e. Bene allora la prendo. Senta, vorrei vedere anche quella camicetta grigia.
f. Va bene, grazie lo stesso.
g. Sì, è molto bella. Avete anche altri colori?
h. Porto la 40.

5. Work with a partner to produce a dialogue in which one of you is person *A* and the other is person *B*. Your roles are outlined below.

A. Entri in un negozio per fare spese. Devi comprare almeno tre capi di abbigliamento. Rispondi alle domande del commesso. Chiedi di provare i vestiti. Chiedi il prezzo. Chiedi un piccolo sconto. Paghi e saluti.

B. Chiedi al cliente la taglia, il colore, la misura dei capi di abbigliamento che vuole comprare. Rispondi alle sue richieste.

Impariamo le parole - Abbigliamento

6. Write the words provided under the correct picture.

calze - pantaloni - cintura - camicia - giacca - cravatta - gonna - scarpe
maglietta - sciarpa - guanti - giubbotto - cappotto - maglione - stivali - cappello

1. .... 2. .... 3. .... 4. ....

5. .... 6. .... 7. .... 8. ....

9. .... 10. .... 11. .... 12. ....

13. .... 14. .... 15. .... 16. ....

Due camicie, due magliette, due giacche.

but...

Un paio di pantaloni, un paio di scarpe, un paio di calze, un paio di occhiali.

7. **Match each of the expressions below to the correct picture.**

a quadri - a fiori - a pois - a tinta unita - a righe - a fantasia

> **UFFICIO INFORMAZIONI**
>
> For clothing in general the Italian word for size is **taglia**: *un vestito, una camicia, un paio di pantaloni taglia 38* (or *piccola/media/grande*). Italians often merely use the **letter** for these: *porto una S (= piccola, small); porto una M (= media, medium); porto una L (= grande, large); porto una XL (= molto grande, extra large)*. For footwear the word for size is **numero**: *un paio di scarpe, di stivali numero 40.*

8. **Study your classmates for a couple of minutes and then, without saying the person's name, describe two or three items that one of them is wearing, as in the example. The others need to try and guess who you are describing.**

- Ha una camicia a tinta unita e le calze blu.
- È Robert?
- Sì/no...

Facciamo grammatica

Osserva!

- Secondo te sono più belli questi pantaloni neri qui o quei pantaloni marroni in vetrina?
- Secondo me quelli neri. Ma anche quelli grigi in vetrina sono belli.

The words in red are used to identify an item.

9. **What is the rule?**

Questo is used to identify something that, in relation to the speaker, is 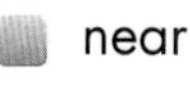 near  far

Quello is used to identify something that, in relation to the speaker, is 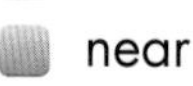 near ☐ far

10. **Complete the table.**

maschile singolare	femminile singolare	maschile plurale	femminile plurale
....	quest...	questi	....
....	....	quelli	quelle

When quello is followed by a noun, its form changes as shown.

	maschile	femminile
singolare	il vestito .... vestito	la camicia .... camicia
	l'orologio quell'orologio lo zaino .... zaino	l'amica quell'amica
plurale	i pantaloni quei pantaloni	le borse .... borse
	gli stivali .... stivali gli ombrelli .... ombrelli	

11. Repeat the dialogue below using different items of clothing and colours each time. Also change any other words in the sentence as necessary.

- Secondo te sono più belli questi pantaloni neri o quei pantaloni grigi in vetrina?
- Secondo me sono più belli questi neri. Ma anche quelli grigi in vetrina sono belli.

rosso, bianco,
nero, giallo, grigio
marrone, verde, blu

maglione, camicia,
maglietta, gonna, calze
giacca, scarpe, cintura

12. Complete the following sentences with the correct forms of *questo* and *quello*.

1. Questa camicia blu non mi piace, preferisco .... bianca.
2. Marco mi passi .... maglione, per favore?
3. Elena, sei elegantissima! .... scarpe sono splendide e anche .... gonna.
4. Mi piacciono molto le gonne, soprattutto .... lunghe di cotone.
5. Signorina, vorrei vedere .... stivali neri che sono in vetrina.
6. Senta, vorrei cambiare .... pantaloni neri con .... grigi dello stesso modello.

Entriamo in tema

- Che tipo di regali ti piace ricevere?
- Hai mai ricevuto un regalo inutile?
- Hai mai riciclato un regalo che ti hanno fatto?
- Sei bravo a fare i regali o compri sempre le stesse cose?
- Quando parlano di regali, gli italiani dicono "basta il pensiero". Sei d'accordo o di solito fai regali costosi?

Comunichiamo

13. Listen to the dialogue and answer the questions.

1. Perché Anna chiede un consiglio ad Elisa?

   ....

2. In che modo si veste Giulio?

   ....

3. Che cosa consiglia Elisa a Anna?

   ....

4. Perché Anna ha dei dubbi per comprare il bracciale?

   ....

5. Di che materiale dovrebbe essere il bracciale?

   ....

27

14. Listen to the dialogue again and read the text. Check your answers to exercise 13.

Anna: Elisa, ho bisogno di un consiglio.
Elisa: Dimmi tutto.
Anna: Domani è il compleanno di Giulio e devo ancora comprare il regalo.
Elisa: Hai già un'idea?
Anna: Mah, qualcosa di abbigliamento, non so esattamente...
Elisa: Regalagli una camicia.
Anna: No, ne ha già molte.
Elisa: Allora prendigli un paio di pantaloni.
Anna: No, i pantaloni vuole sempre provarli. Altrimenti poi dice che sono troppo larghi o troppo stretti...
Elisa: Una cravatta?
Anna: No, regalare una cravatta a Giulio non è una buona idea. Lo sai, si veste sempre molto classico e per le cravatte ha gusti difficili...
Elisa: Ho trovato, compragli un bracciale.
Anna: Beh, a me piacciono i bracciali da uomo, però non sono sicura... non ho molti soldi.
Elisa: Sta' tranquilla, un bracciale d'argento o d'acciaio costa meno di una cravatta o di una camicia.
Anna: Va bene... Ma dove lo compro?
Elisa: Vieni con me, ti accompagno io. Conosco una gioielleria qui vicino.

Impariamo le parole - Materiali, difetti, accessori e negozi

15. Place the words provided under the correct heading in the table.

seta - portachiavi - anello - acciaio - oro - borsa - stretto - corto - portafoglio
argento - bracciale - lungo - collana - pelle - largo - lana - orecchini - cotone

materiali	diffetti del capo d'abbigliamento	accessori d'abbigliamento

16. Where can I buy these items? Match each group of items to a shop.

1. portafogli, cinture, portachiavi
2. bracciali, collane, orecchini, orologi
3. scarpe, stivali, sandali
4. quaderni, matite, penne
5. libri, guide turistiche, calendari, cd

a. calzature
b. pelletteria
c. gioielleria
d. libreria
e. cartoleria

17. Describe in detail what these people are wearing.

Facciamo grammatica

Osserva!

In the dialogue on page 158 Elisa uses the direct (informal) imperative to give Anna advice.

18. Reread the dialogue on page 158 and write the imperative forms used by Elisa next to their infinitives.

1. Dire a me ....
2. Regalare a lui ....
3. Prendere a lui ....
4. Comprare a lui ....
5. Stare ....
6. Venire ....

19. What is the rule?

The direct (informal) imperative of -are verbs ends in ....

The direct (informal) imperative of -ere verbs ends in ....

The direct (informal) imperative of -ire verbs ends in ....

Where do pronouns go when used with the direct (informal) imperative?

....

The negative direct (informal) imperative is formed with **non** + infinitive.

- Non comprare questa cravatta, è troppo costosa!

Here are some irregular direct imperatives:

Dire	Dì
Fare	....
Dare	Dà

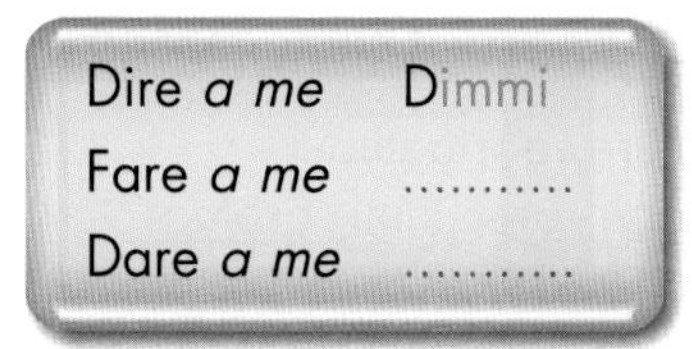

Dire *a me*	Dimmi
Fare *a me*	....
Dare *a me*	....

20. Create a conversation.

È il compleanno di Rossella, la fidanzata di Marco. Marco vuole farle un regalo e ti chiede consiglio. Insieme a un compagno inventa un dialogo e ricordate che:

- Marco ha 100 euro a disposizione;
- l'anno scorso Marco ha regalato a Rossella un paio di scarpe;
- Rossella ha gusti difficili per l'abbigliamento;
- Rossella ama gli accessori e i gioielli.

21. Complete the text using the direct (informal) imperative of the verbs in brackets, adding a pronoun where necessary.

Ecco alcuni consigli per comprare vestiti in maniera intelligente:

1. Se non hai necessità, (comprare) (1)............................... i vestiti quando ci sono i saldi, puoi risparmiare un sacco di soldi.
2. (Guardare) (2)................................. attentamente la qualità del prodotto, non (considerare) (3)......................... soltanto la marca.
3. (Fare) (4)................................. un giro anche al mercato, puoi trovare vestiti economici e di qualità.
4. Quando vai a comprare i vestiti, (comprare i vestiti) (5)................................. con un amico o un'amica. È sempre utile avere un'altra opinione.
5. (Chiedere) (6)................................. anche consiglio ai commessi, sono lì per questo.
6. Se decidi di comprare qualcosa, (chiedere) (7)................................. uno sconto, ma non (insistere) (8)................................. se non lo fanno.

7. Se fai un regalo, (informarsi) (9)................................. se è possibile cambiare quello che compri.
8. (Ricordarsi) (10)................................. di conservare lo scontrino.

Conosciamo gli italiani

22. Read the text and decide whether the statements that follow are true or false.

Pitti Immagine, la moda a Firenze

Pitti Immagine a Firenze è la prima manifestazione della stagione della moda in Europa e nel mondo. *Pitti Immagine* mostra, con una visione globale e moderna, la moda maschile, femminile e per bambini contemporanea, dall'abbigliamento agli accessori. Tanti eventi coinvolgono la città di Firenze e sono presenti gli stilisti italiani e stranieri più conosciuti.
Una tendenza degli ultimi anni è la grande attenzione non solo alla moda classica, ma anche a quella sportiva. Infatti, lo sport è sicuramente uno dei driver fondamentali della moda degli ultimi 15 anni. In *Pitti Immagine* ci saranno abiti, accessori, foto, video e campagne pubblicitarie, che rappresentano il segno dello sport nella moda e viceversa.
Alcuni stilisti presenti a *Pitti Immagine* hanno recepito il problema dell'anoressia nel mondo della moda, quindi non ci saranno soltanto le solite modelle magrissime. Tra gli altri, Elena Mirò presenta la sua collezione "ciao, magre!" con le bellissime modelle con taglia superiore alla 46
Pitti Immagine non è soltanto moda al femminile, ovviamente. La moda maschile è ormai allo stesso livello della moda femminile, questa non è una novità. La vera novità di *Pitti Immagine* negli ultimi anni sono i bambini. Il giro di affari intorno alla moda per bambini ha numeri incredibili: pensate che quest'anno a Firenze hanno presentato 527 collezioni di vestiti, scarpe ma anche di orologi e costosissimi gioielli appositamente prodotti per i bambini. "I bambini stanno diventando sempre più esigenti ed è giusto dargli tutta l'attenzione che desiderano. I bambini devono sognare e noi li aiutiamo a sognare con abbigliamento e accessori tutti per loro", dice uno degli organizzatori di *Pitti Bimbo.* E i bambini, come si comportano? A prima vista sfilano come professionisti, eleganti, aggressivi, per niente imbarazzati. I genitori orgogliosi li accompagnano e sognano un futuro modello o una futura modella in famiglia. Probabilmente per i bambini è un gioco, ma qualche nostalgico preferisce ancora vederli giocare con i giocattoli, invece di vederli in passerella.

UFFICIO INFORMAZIONI

The first Pitti fashion shows were held in *Palazzo Pitti* in Florence. The palace, one of the most famous and beautiful in Florence, today houses various important museums. One of these is the *Galleria del costume*, the largest museum dedicated to Italian fashion with historic garments dating back as far as the 16th Century. Clothing by famous contemporary Italian designers such as Valentino, Armani, Missoni and Versace are also on display.

	Vero	Falso
1. *Pitti Immagine* è una manifestazione di moda solo femminile.		
2. La moda sportiva è sempre più importante negli ultimi anni.		
3. Le modelle di Elena Mirò sono magrissime.		
4. Gli stilisti creano accessori e gioielli per bambini.		
5. I bambini partecipano alle sfilate di *Pitti Immagine*.		

Parliamo un po'...

- Sei mai stato a una sfilata di moda?
- Esistono manifestazioni importanti come *Pitti Immagine* nel tuo Paese?
- Cosa pensi di queste manifestazioni?
- Cosa pensi dei bambini e delle bambine, di cui parla l'articolo, che fanno i modelli e le modelle?

Si dice così!

Here are some useful expressions to...

Ask for an opinion on something	Che ne dici di questi?
Give an opinion	Secondo me sono più belli i pantaloni neri.
Ask how something looks	Va bene il maglione? Vanno bene i pantaloni?
Ask what size someone takes	Che taglia hai? Che taglia porti?
Say what size you take	Porto la 46.
Ask for a discount	Mi fa un piccolo sconto?
Describe how someone is dressed	Marco veste in modo sportivo/ elegante/classico. Anna porta i jeans. Luisa indossa un vestito blu.

Sintesi grammaticale

- **The pronouns *questo* and *quello***

These are used to identify things or people that are near to or far from the subject.

Questo is used to identify something that is near to the speaker.
Quello is used to identify something that is far from the speaker.

Questo and quello when used as pronouns take the place of nouns and are generally accompanied by a gesture in the direction of the item in question.

Masculine singular	Feminine singular	Masculine plural	Feminine Plural
questo	questa	questi	queste
quello	quella	quelli	quelle

- **The adjectives *questo* and *quello***

Questo and quello can also be followed by nouns.

Attenzione!

When quello is followed by a noun, its form is dictated by that noun.

Masculine singular	Feminine singular	Masculine plural	Feminine Plural
questo maglione	questa camicia	questi pantaloni	queste scarpe
questo orologio	questa amica	questi stivali	
questo zaino			
quel maglione	quella camicia	quei pantaloni	quelle scarpe
quell'orologio	quell'amica	quegli stivali	
quello zaino			

• The affirmative and negative direct (informal, *tu*) imperative (*imperativo*)

The imperative is used to give advice or orders.

Examples:
Prova i pantaloni neri!
Chiudi la porta!

The ending is -a for *-are* verbs, and -i for *-ere* and *-ire* verbs.

COMPRARE	DECIDERE	SENTIRE
compra	decidi	senti

All pronouns follow the direct (informal) imperative.

Example:
Prova *i pantaloni*! Provali!

The negative direct (informal) imperative is formed by placing non in front of the infinitive.

COMPRARE	DECIDERE	SENTIRE
non comprare	non decidere	non sentire

When this happens, pronouns can go in two places

1) Pronouns can go between *non* and the infinitive:

   Example:
   Posso prendere la macchina? No, non la prendere!

2) Pronouns can go after the infinitive, which loses its final *-e* to accommodate the pronoun

   Example:
   Posso prendere la macchina? No, non prenderla!

• A few irregular direct (informal, *tu*) imperatives

DIRE	DARE	FARE	ANDARE	STARE	ESSERE	AVERE
di'/dici	da'/dai	fa'/fai	va'/vai	sta'/stai	sii	abbi

When pronouns are added to *dire*, *dare*, *fare*, *andare* and *stare*, the consonant in the pronoun becomes a double letter.

Funzioni

1. Put the dialogue in the correct order.

A. Mh... mi sembra un po' stretta. Forse è meglio la 41.
B. Sì, grazie. Vorrei vedere una camicia bianca per me.
C. Che taglia porta?
D. Mi dispiace ma le camicie bianche taglia 41 sono finite. Però abbiamo questa blu, molto bella.
E. Buongiorno, posso essere utile?
F. Io porto la 40.
G. Va bene, allora provo questa blu.
H. Bene, aspetti un momento.... Ecco, questa camicia bianca è l'ultimo modello.

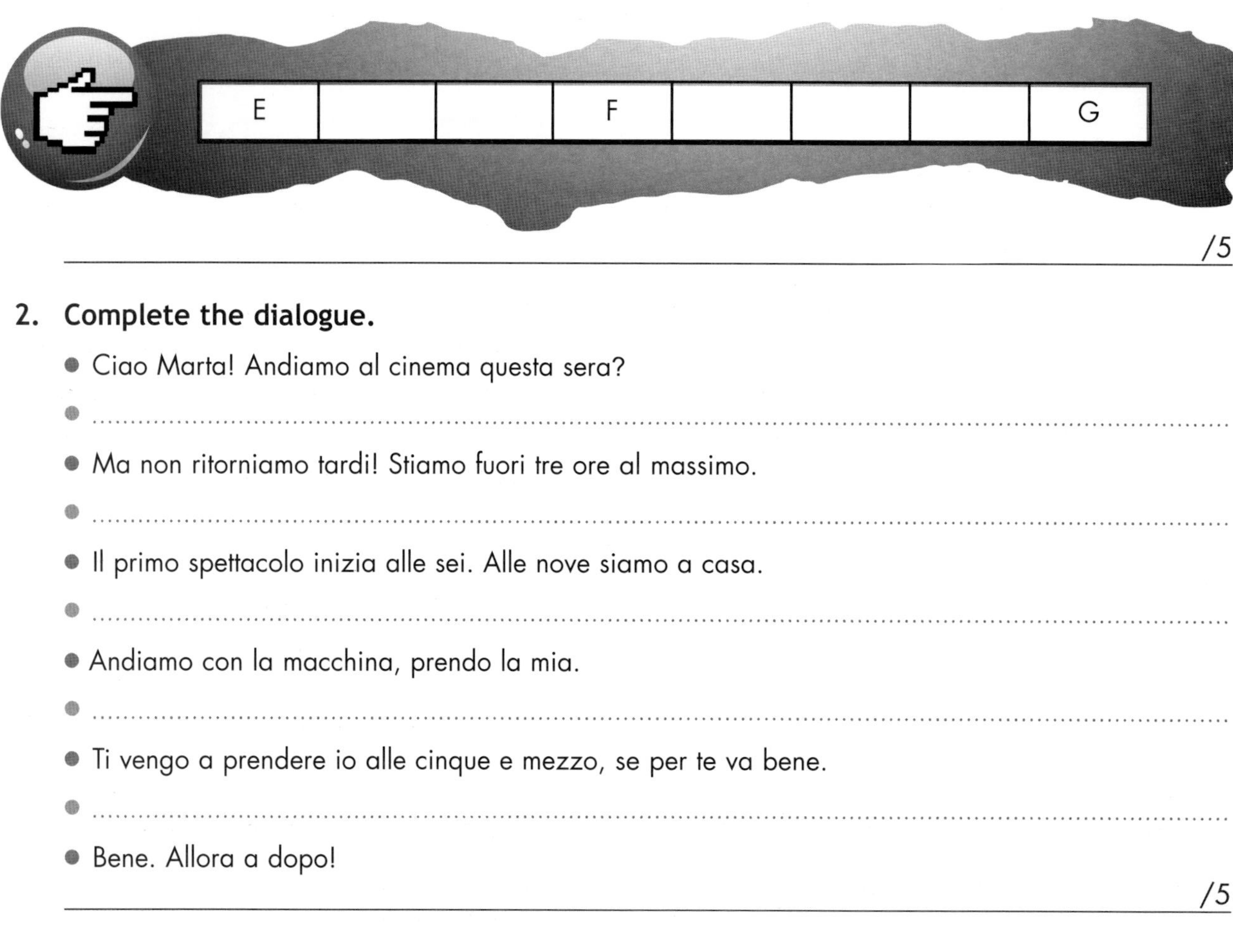

E			F				G

/5

2. Complete the dialogue.

- Ciao Marta! Andiamo al cinema questa sera?
- ....
- Ma non ritorniamo tardi! Stiamo fuori tre ore al massimo.
- ....
- Il primo spettacolo inizia alle sei. Alle nove siamo a casa.
- ....
- Andiamo con la macchina, prendo la mia.
- ....
- Ti vengo a prendere io alle cinque e mezzo, se per te va bene.
- ....
- Bene. Allora a dopo!

/5

Grammatica

3. Complete the following with the perfect or imperfect tense of the verb in brackets.

A.
L'estate scorsa, quando ero in Italia, di solito (*andare*) .... al mare e (*restare*) .... lì tutto il giorno; una volta però, (*andare*) .... in montagna.

B.
Quando (*essere*) .... piccolo giocavo spesso con mio fratello e i miei cugini.

C.

- Che cosa (*tu - fare*) .... ieri sera?
- Prima (*andare*) .... al cinema e poi (*andare*) .... in pizzeria.

D.

L'anno scorso Marta e Giovanni (*frequentare*) .... i corsi all'università ogni mattina. Dopo i corsi (*pranzare*) .... in mensa e di pomeriggio (*studiare*) .... insieme in biblioteca

/10

---

4. Circle the correct option in each case.

1. Vorrei vedere quegli/quelle/quei pantaloni, per favore.
2. Mi dà quelle/quegli/quella mele rosse?
3. Quel/Quello/Quella ragazzo si chiama Marco.
4. Quella/Quello/Quei macchina sportiva è velocissima.
5. Ti piacciono quei/quelli/quegli stivali?

/5

---

5. Complete the following with the direct (informal) imperative of the verb in brackets.
Marco lascia la sua casa a Marcello per qualche giorno e in un messaggio gli scrive alcune istruzioni.

Ciao Massimo,
ti do soltanto alcune istruzioni per trovarti meglio in questi giorni: quando esci (*chiudere*) (1)............................ bene le finestre; (*stare*) (2)........................ attento perché la finestra della cucina è un po' rotta. Se il telefono suona, (*rispondere*) (3)........................ e (*lasciare a me*) (4)........................ un messaggio. In camera mia c'è un computer, (*usare il computer*) (5)........................ quando vuoi. Per avere l'acqua calda (*accendere*) (6)........................ lo scaldabagno, ma (*tu - ricordarsi*) (7)........................ di accenderlo almeno 2 ore prima di fare la doccia!
Ho iniziato a mangiare un formaggio in frigo, (*finire il formaggio*) (8)........................ altrimenti va a male. Quando fumi, (*aprire*) (9)........................ la finestra altrimenti rimane il cattivo odore di fumo. Questo è tutto! Allora (*tu - divertirsi*) (10)........................ Ci vediamo tra 3 giorni!
Marco

/10

Vocabolario

6. Use the words provided to complete the text. Be aware: there are two words too many!

stretti - scontrino - lunghi - un paio - cambiare - due - maglione

Una signora entra in un negozio di abbigliamento per comprare (1)............................ di stivali e un maglione. La signora porta il numero 40 ma gli stivali sono (2)............................ quindi decide di prendere gli stivali numero 41.
La signora va nel camerino e prova anche un (3)............................ di lana blu che è un po' largo di spalle. Alla fine la signora compra anche un paio di jeans per il marito. I jeans sono di buona qualità e anche economici perché costano solo 35 euro. In ogni caso la signora li può (4)............................ se conserva lo (5)............................ .

/5

Punteggio Totale /40

Ciao, io sono Anna. E tu?

Esercizi

Funzioni

1. Answer the following questions.

1. ● Di che nazionalità sei? ● ....
2. ● Di dove sei? ● ....
3. ● Qual è il tuo indirizzo? ● ....
4. ● Qual è il tuo numero di telefono? ● ....

2. Choose the correct option in each case.

1. Quanti/Come/Qual è il tuo numero di telefono?
2. Quanti/Come/Dove sono Marco e Luisa? Sono in classe?
3. Dove/Come/Quanti sono gli studenti di italiano negli Stati Uniti? Molti o pochi?
4. Di dove/Dove/Come è Marco? Di Roma?
5. Scusa, non ho capito. Qual/Come/Dove è il tuo nome?

3. Are the following greetings formal or informal?

1. ● Buongiorno, signora Rinaldi.	formale ☐	informale ☐
● Buongiorno, signor Rossi.	formale ☐	informale ☐
2. ● Buonasera, signor Tarini.	formale ☐	informale ☐
● Ciao, Carlo.	formale ☐	informale ☐
3. ● Ciao, ragazzi, a dopo.	formale ☐	informale ☐
● Ciao, Marco.	formale ☐	informale ☐
4. ● Arrivederci, Claudia.	formale ☐	informale ☐
● Arrivederci.	formale ☐	informale ☐

4. Complete the dialogues with the expressions provided. Take care to choose the appropriate formal or informal option.

E tu - quanti - si chiama - buongiorno - ha - dov'è - dove - ti chiami

1. ● Ciao. Io sono Giorgio. Tu come ....?
   ● Mi chiamo Luigi.

2. ● Lei di ...., signor Smith?
   ● Io sono di Liverpool. ....?
   ● Io sono di Milano.

3. ● Scusi, signora. Lei come ....?
   ● Sono Francesca Ardagna.

4. ● ...., signora Lavino.
   ● Ciao, Carlo.

5. ● .... anni ...., signor Galli?
   ● Ho 53 anni.

6. ● Scusa, di .... sei?
   ● Di Napoli.

5. **Write conversations between the people named below. Take care to use the formal or informal form as appropriate.**

Il signor Rossi/Il signor Bianchi	Mike/Maria
Felipe/Signor Smith	La signora Calà/La signora Benatti

Esempio:
- Ciao. Io mi chiamo Pablo. E tu?
- Piacere, Pablo, io sono Alexis.
- Di dove sei, Alexis?
- Sono americana, di Boston. E tu?
- Io sono spagnolo, di Madrid.
- Quanti anni hai?
- Ho venticinque anni.

Vocabolario

6. **Provide the correct adjective of nationality for each country listed.**

Cuba	cubano	Finlandia	finlandese
Messico		Francia	
Bolivia		Canada	
Corea		Norvegia	
Brasile		Giappone	
Italia		Irlanda	

7. **Complete the sentences.**

1. Francesca è italian......
2. Robert è ingles......
3. Pablo è spagnol......
4. Erica è tedesc......
5. Mike è canades......
6. Irina è russ......
7. Jean Paul è frances......
8. Sophie è marocchin......
9. Diego è argentin......

8. ***Chi sono?*** **Complete the table, adding the city they come from and their age.**

Sandro Rossi — Mike Tafuri — Erica e Lara Schneider — Robert Murphy

Amelie e Lauran Givon — Robert Pearson — Josè Guerreira — Raul e Sara Lopez

nome	cognome	nazionalità	città	età

9. Now write a brief introduction for them, as in the example.

1. Sandro Rossi è italiano, di Firenze. Ha 24 anni.
2. ....
3. ....
4. ....
5. ....
6. ....
7. ....
8. ....

10. Which expressions use *essere*? Which use *avere*?

1. .... fame

2. .... stanco

3. .... sonno

4. .... allegro

5. .... sete

6. .... triste

11. Write the numbers.

1 .....n.....

12 .....od.....c.....

5 c.....n.....u.....

21 v.....nt.....n.....

18 di.....i.....tt.....

0 .....e.....o

77 .....ett.....n.....as.....t.....e

80 .....tt.....nt.....

13 .....red.....c.....

31 t.....e.....t.....no

58 c.....n.....u.....nt.....tto

33 tr.....n.....a.....r.....

Grammatica

12. Complete the answers to the following questions.

1. Sei americano? Sì, ...
2. Marco è in classe? No, ...
3. Hai 25 anni? No, ...
4. Marta e Mariella hanno fame? Sì, ...
5. La tua ragazza è stanca? Sì, ...
6. Pablo è di Parigi? No, ...
7. I tuoi amici sono a casa? Sì, ...
8. Tu e Luisa siete amici? Sì, ...

13. Rewrite the following sentences in the plural.

1. Io sono italiano. Noi ....
2. Tu hai ventidue anni. Voi ....
3. Io ho un libro di italiano. Noi ....
4. Veronica è studentessa. Veronica e Caterina ....
5. Tu hai un cellulare nuovo. Voi ....
6. Mike è di New York. Loro ....
7. Tu sei straniero. Voi ....

14. Write the following words under the correct heading in the table.

tavolo - sedie - studenti - porta - finestra - zaini - libro
penne - foglio - amico - ragazzi - orologio

maschile singolare	maschile plurale	femminile singolare	femminile plurale

Per concludere

15. Put the words in order to make sentences.

1. Di / siete / ragazzi? / dove ....
2. George / è / inglese. / non ....
3. Qual / numero / il tuo / è / di telefono? ....
4. Mi / 24 anni. / Marco / e ho / chiamo ....
5. Come / scrive / il tuo / si / nome? ....

16. Find the mistakes and then write the sentences correctly.

1. Come ti chiama? ....
2. Io sono venti anni. ....
3. Ciao, signora Rossi! ....
4. Sono di america. ....
5. Io e Pablo sono amici. ....

17. Write an introduction for yourself, giving your name, surname, age, nationality, city, address and telephone number.

....
....
....
....
....

Pronuncia

18. Listen to the words and repeat them.

19. Listen to them again. Which sound are you hearing?

	1	2	3	4	5	6	7	8	9	10	11	12
chiedere	✓											
ciao		✓										

20. Listen to the words. Which sound are you hearing?

	1	2	3	4	5	6	7	8	9	10	11	12
che cosa	✓											
certo		✓										

Parola chiave

21. Complete the diagram with words from the list provided. Feel free to add other words you know.

cosa? - dove? - come si scrive? - chi? - come stai? - quale? - quanto? - come si pronuncia? qual è il tuo numero di telefono? - come si dice? - quanti anni hai?

altri interrogativi

....

....

....

....

....

COME?

funzione principale

interrogativo per fare domande

domande con altri interrogativi

Chi è Maria?

Qual è il tuo indirizzo?

....

....

....

domande con *come*

Come ti chiami?

....

....

....

....

Lavori o studi?

Funzioni

1. Add the lines provided on the right to the conversation between Anna and Robert below.

- Io mi chiamo Anna. E tu?
- Robert. Sei italiana, Anna?
- ....
- ....
- No, sono di Roma.
- ....
- No, non studio, lavoro.
- Che lavoro fai?
- ....
- Giornalista! È un lavoro interessante, vero?
- Sì, molto. E tu sei studente?
- Sì, studio architettura.
- ....
- Ventitré e tu?
- Ventisei.

a. Bello! Senti ma quanti anni hai?
b. Ah, e sei di qui?
c. Sono giornalista per un giornale locale.
d. Sì, sì, sono italiana.
e. Che fai qui a Bologna? Studi?

2. Complete the dialogue between Marco, Giulia and Michelle.

- Ciao Giulio, come stai?
- ....
  (saluti e rispondi)
- Anch'io sto bene, grazie.
  ....
  (chiedi a Giulio se conosce Michelle, la tua amica francese)
- No, non ci conosciamo.
- ....
  (presenti Michelle a Giulio)
- Piacere.
- Piacere. Sei a Firenze in vacanza, Michelle?
- ....
  (rispondi)
- Buona scelta! Firenze è la città giusta per studiare la storia dell'arte.

Vocabolario

3. *Che lavoro fanno?*

1. Franco lavora in un'officina, ripara le automobili.
   Franco fa il ....
2. Antonio lavora in un ristorante, cucina i piatti per i clienti.
   ....
3. Elisa lavora all'Università per Stranieri, insegna italiano.
   ....
4. Elena lavora in un bar, porta i cibi e le bevande ai clienti seduti ai tavoli.
   ....
5. Pietro lavora in una ditta. Progetta case, strade, ponti.
   ....
6. Francesca lavora in un piccolo negozio di abbigliamento. Mostra e vende i vestiti ai clienti.
   ....

4. **Complete the job wanted advert published on a website with the words provided.**

fare - a - ho - cameriera - anni - ristoranti - in - frequento

LAVORO

Mi chiamo Marisa, ho 23 (1)......................... e abito (2)......................... Roma, vicino alla stazione centrale. (3)......................... la Facoltà di Lettere all'Università *La Sapienza* di Roma e cerco un lavoro, a tempo parziale, preferibilmente nel pomeriggio.
(4)......................... molta esperienza come cassiera e come commessa (5)......................... negozi di abbigliamento, ma sono disponibile anche a (6)......................... lavori come la baby sitter o la (7)......................... in bar o (8)......................... Ho una macchina e posso andare in tutte le zone della città.

Città	Roma
Zona	Stazione centrale
Telefono	348 - 7453129
Tipo di lavoro richiesto	Commessa, cassiera, cameriera, baby sitter
Caratteristiche del lavoro	A tempo parziale, preferibilmente nel pomeriggio
Esperienza	2 anni di esperienza
Educazione	Diploma Scuola superiore
Altri requisiti	A tempo pieno, part time

5. **Using the advert above to guide you, write an advert to help you find work in Italy (50/60 words).**

....
....
....
....

Città	
Zona	
Telefono	
Tipo di lavoro richiesto	
Caratteristiche del lavoro	
Esperienza	
Educazione	
Altri requisiti	

Grammatica

6. Complete the following sentences with the present tense of the regular verbs in brackets.

1. John è in Italia da poco tempo e non (parlare) .... bene l'italiano.
2. Io e la mia fidanzata (lavorare) .... nello stesso ufficio.
3. Paolo e Francesca (leggere) .... un libro.
4. Ragazzi, (chiudere) .... la finestra, per favore?
5. Simona la mattina (dormire) .... sempre fino a tardi.
6. Giorgio, (vedere) .... quella ragazza alta? È mia sorella Lucia.
7. Claudio e Alessandro (partire) .... domani mattina con il treno.
8. Gli italiani (mangiare) .... la pasta quasi tutti i giorni.
9. La libreria in Piazza del Duomo (aprire) .... la mattina alle 9.
10. Mark è sempre attento in classe e (rispondere) .... bene a tutte le domande.

7. Complete the following sentences with the present tense of the irregular verbs in brackets.

1. Nino, perché non (venire) .... a Firenze sabato?
2. Buongiorno signora Martini. Come (stare) ....?
3. Domani Marco e Francesca (venire) .... a cena a casa mia.
4. Per stare in forma io (bere) .... minimo 2 litri di acqua al giorno.
5. I miei genitori (andare) .... in vacanza la prossima settimana.
6. Molti italiani (bere) .... un bicchiere di vino a pranzo o a cena.
7. In questo periodo lavoro molto e (stare) .... fuori casa tutto il giorno.
8. ● Ragazzi, che (noi - fare) .... stasera?
   ● (Noi - andare) .... al cinema?
9. Io e la mia fidanzata (stare) .... insieme da due anni.
10. (Io - fare) .... una doccia e (venire) .... subito da te.
11. Allora ragazzi, cosa (fare) ....?
    (Stare) .... a casa o (venire) .... alla festa con noi?
12. Mike e Dennis sono studenti motivati e (fare) .... i compiti ogni giorno.

8. Choose the correct definite article in each case.

	singolare				plurale				singolare				plurale		
	il	lo	la	l'	i	gli	le		il	lo	la	l'	i	gli	le
libro								chiave							
orologio								banca							
amiche								stadio							
casa								amici							
materia								ospedale							

9. Write the words provided under the correct heading in the table, as in the example.

compiti - lezioni - alberi - facili - vuoto - l' - alti - lo - zaino - gli - lo - stadio - il - macchina - caro
i - casa - libro - veloce - pieno - interessante - la - albergo - le - grande - difficili - la

10. Complete the text by adding the missing prepositions.

Sabato prossimo Carlo va (1)............... teatro con Francesca. Paolo, invece, sta (2)............... casa per studiare. Anna e Laura vanno (3)............... Sicilia per visitare Palermo. Roberto va (4)............... campagna a fare un giro in bicicletta. Lucia e Riccardo vanno (5)............... pizzeria o poi (6)............... vedere un film. Io invece vado in giro con Nino, un mio amico. Nino vive e lavora (7)............... Firenze, ma viene (8)............... Napoli.

Per concludere

11. Put the words in order to make sentences.

1. Frequento / facoltà / Roma / di / la / Medicina / a

   ....

2. Anna / insegnante / una / privata / in / fa / l' / scuola

   ....

3. Ciao / Luisa / questa / la mia / è / Marco / ragazza

   ....

4. Lino / Firenze / e / a / Gina / vengono

   ....

5. Mark / ma / Italia / americano / abita / in / è

   ....

12. Find the mistakes and then write the sentences correctly.

1. Che cosa lavori? ....
2. Faccio insegnante. ....
3. Le lezione di italiano è difficile. ....
4. Gli studenti fate il test. ....
5. Julie va a Italia per le vacanze. ....

Pronuncia

13. Listen to the words and repeat them.

14. Listen to them again. Which sound are you hearing?

	1	2	3	4	5	6	7	8	9	10	11	12
giornalista	✓											
dialoghi		✓										

15. Listen to the words. Which sound are you hearing?

	1	2	3	4	5	6	7	8	9	10	11	12
Angela	✓											
righe		✓										

Parola chiave

16. Complete the diagram with words from the list provided. Feel free to add other words you know.

andare a casa - teatro - piazza - va bene - tornare - palestra - andare a fare un giro
Roma - come va? - pizzeria - ritornare - letto

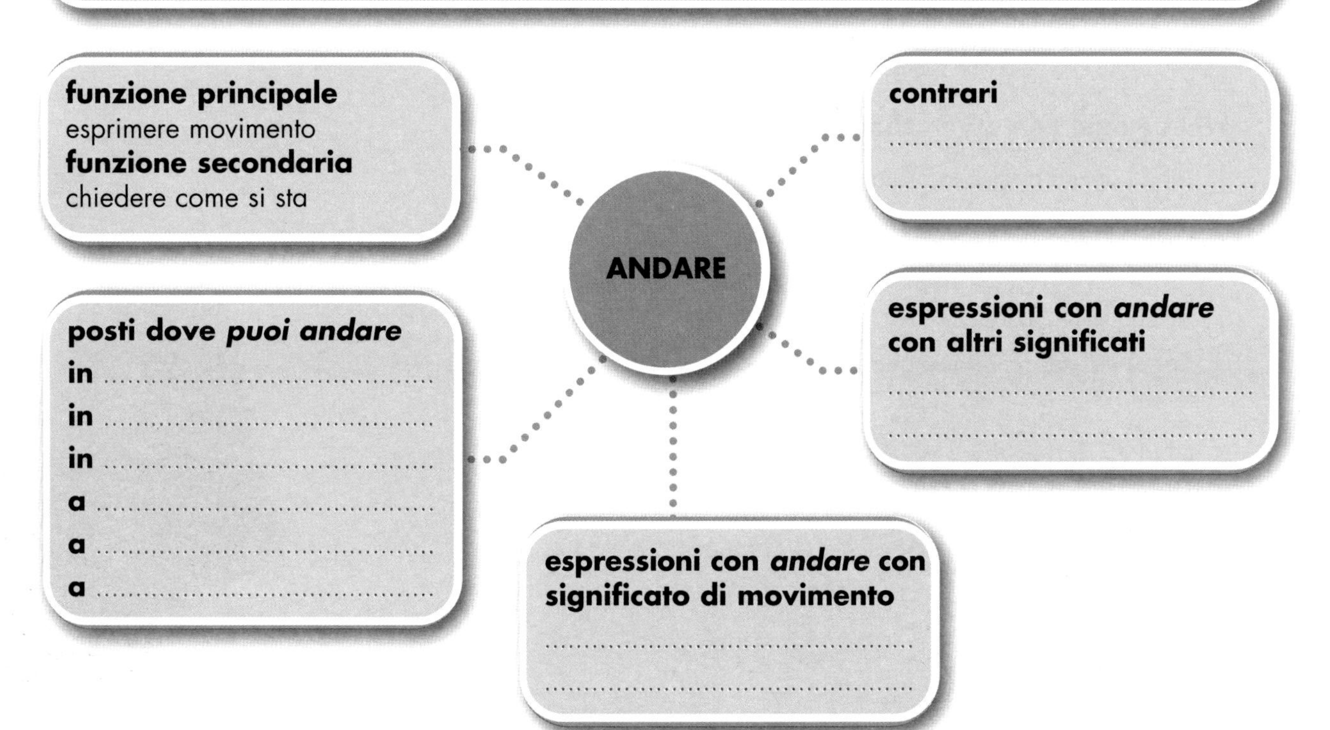

Una bottiglia d'acqua, per favore.

Funzioni

1. What is the correct expression for...?

1. Ordinare qualcosa. f
2. Esprimere un gusto. e
3. Esprimere una preferenza. c
4. Chiedere il prezzo. a
5. Chiedere il permesso. b
6. Chiedere a qualcuno di fare qualcosa. d

a. Quant'è?
b. Posso fumare una sigaretta?
c. Preferisco una pizza.
d. Può chiudere la finestra, per favore?
e. Mi piace il gelato.
f. Vorrei un caffè.

2. Reread the dialogue below, taken from page 39, and complete the summary.

- Cameriere, scusi.
- Prego, dica.
- È possibile aprire la finestra? Fa molto caldo.
- Certo, la apro subito.
- Ah, senta, può portare un'altra bustina di zucchero, per favore?
- Va bene.
- Scusi, ancora un'ultima cosa: posso fumare in questa sala?
- No, in questo bar non può fumare.
- Ma non c'è nessuno qui!
- Signore, mi dispiace, ma in Italia nei locali pubblici non è possibile fumare.
- D'accordo, allora mi può portare il conto?
- Sì, subito.

Il cliente chiede al cameriere se (1)...................................... aprire la finestra e se può (2)...................................... una bustina di zucchero. Poi il cliente chiede il permesso di (3)...................................... una sigaretta. Il cameriere risponde che nel bar (4)...................................... fumare anche se non c'è nessuno. Il cliente deluso, chiede al cameriere se può (5)...................................... il conto.

3. What would you say in the following situations?

1. Non capisci qualcosa in italiano. Chiedi al professore di ripetere.

   ....

2. Sei in classe, hai freddo e la finestra è aperta.

   ....

3. Sei in classe, un compagno parla a bassa voce e non lo capisci.

   ....

4. Chiedi a tuo padre il permesso di prendere la macchina per stasera.

   ....

5. Chiedi al cameriere di aggiungere il ghiaccio nella tua Coca.

   ....

Vocabolario

4. Complete the text with the words provided.

menu - preferisce - tavolino - chiede - prendono
sceglie - prendere - chiamano - pagano - con la

Nadia e Claudia sono seduti al (1)................................... di un bar per (2)................................... qualcosa e danno uno sguardo al (3)................................... Nadia prende un cappuccino mentre Claudia (4)................................... qualcosa da mangiare. Purtroppo non ci sono molte cose e alla fine Claudia (5)................................... una pizzetta con i funghi e un panino (6)................................... mozzarella. Arriva il cameriere e (7)................................... a Nadia e Claudia cosa (8)..................... .... Dopo il pranzo veloce, Claudia e Nadia (9)................................... il cameriere e chiedono il conto. In tutto (10)................................... 7 euro e cinquanta.

5. Put the letters in the correct order to reveal words from the menu of the *Le contrade* bar.

1. tatel _ _ _ _ _
2. naponi _ _ _ _ _ _
3. talego _ _ _ _ _ _
4. nertocto _ _ _ _ _ _ _ _
5. punopaccic _ _ _ _ _ _ _ _ _ _
6. chiribece _ _ _ _ _ _ _ _ _
7. lerammatal _ _ _ _ _ _ _ _ _ _
8. matrizenoz _ _ _ _ _ _ _ _ _ _

Bar "Le Contrade"

CAFFETTERIA

Caffè	0,80
Caffè corretto	0,95
Caffè d'orzo in tazza piccola	0,80
Caffè d'orzo in tazza grande	0,95
Cappuccino	1,20
Latte	1,00
Latte macchiato	1,20
Tè al limone/al latte	1,20

PANINI

Pomodoro, mozzarella, rucola	2,40
Prosciutto e mozzarella	2,70

TRAMEZZINI

Tonno e pomodoro	2,00
Tonno e maionese	2,00
Prosciutto e formaggio	2,00
Spinaci e funghi	2,00

6. Write the following words under the correct heading in the table.

carne - vino - acqua - scatola - pesce - arance - grissini - succo di frutta - mele - etto - mozzarella
bustina - bottiglia - pane - uva - grammi - lattuga - patate - litro - pacco - chilo - birra

cose da mangiare	cose da bere	contenitori	misure e pesi
carne, pesce arance, grissini mele, mozzarella patate	vino, acqua succo di frutta birra.	scatola, bustina, bottiglia	etto, bustina bottiglia, litro

7. Match a line from the left to one on the right to make sentences.

1. Vado al supermercato e...
2. Marta è vegetariana e...
3. La mozzarella è...
4. Il Chianti è...
5. Dal fruttivendolo...

a. compro due chili di arance.
b. faccio la spesa.
c. un famoso vino italiano.
d. non mangia carne e pesce.
e. un ottimo formaggio.

8. **Write four rules for making a good sandwich. You can use the words provided.**

carne, pane, crudo, cotto, ketchup, insalata, pomodoro
alto, schiacciato, fetta di formaggio

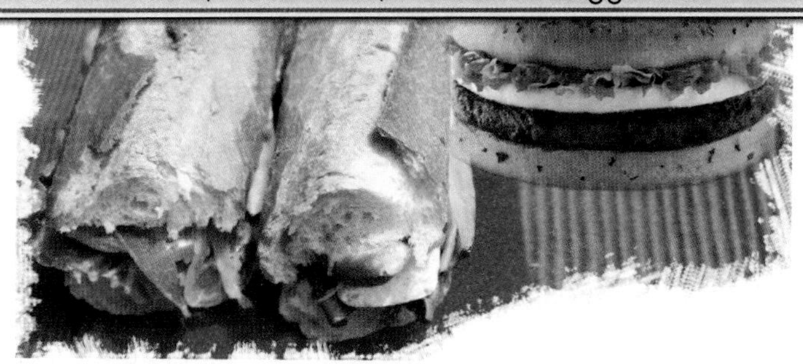

1. ....
2. ....
3. ....
4. ....

Grammatica

9. **Choose the correct expression to complete the following mini dialogues.**

non piace - piacciono - mi piace - non mi piacciono - ti piace

A
- .... questa pasta? È una mia nuova ricetta.
- Sì, ... molto.

B
- Non sopporto i reality show.
- Davvero? A me invece .... molto. Sono divertenti.

C
- A Luisa .... andare a ballare.
- Peccato! Allora sabato non andiamo in discoteca.

D
- .... i film italiani, sono noiosi!
- Ma che dici? Secondo me sono i migliori.

10. **Complete the following dialogues with the correct form of the verbs in brackets.**

A
- Allora, stasera noi (uscire) ....?
- Certo, (finire) .... di lavorare e passo da te.
- Vengono anche Giulia e Roberto?
- No, (preferire) .... restare a casa.

B
- Quando (partire) .... per le vacanze tu e Claudia?
- Mah, non so... se Claudia (riuscire) .... ad avere le ferie, probabilmente (partire) .... il primo agosto.

C
- Mike, come va con il corso di italiano?
- Generalmente bene. Quando l'insegnante parla velocemente però (capire) .... poco.

11. Replace the expressions in blue with *ci*, remembering to position it appropriately.

1. Sono un tipo sportivo e vado in palestra. Vado in palestra almeno 2 volte alla settimana.

   ....

2. Gli italiani vanno spesso al bar. Vanno al bar principalmente a colazione e dopo pranzo.

   ....

3. Marta va a Palermo domani. Resta a Palermo tutta la settimana.

   ....

4. Vado sempre in vacanza in Toscana. Torno in Toscana ogni estate.

   ....

5. Sara ed Elena sono di Roma ma vivono a Firenze. Vivono a Firenze da tre anni.

   ....

Per concludere

12. Put the words in order to make sentences.

1. Vai / al supermercato / tu / o / vado / ci / io?

   ....

2. Conosco / ci / bar *Le contrade*, / il / ogni mattina / faccio / colazione

   ....

3. Non / con / crema / piacciono / i cornetti / la / mi

   ....

4. Questa / e / a / casa / Paolo / sera / mangiano / Miriam

   ....

5. Mi / organizzare / con / amici / piace / gli / cene

   ....

13. Find the mistakes and then write the sentences correctly.

1. Mi posso portare il conto? ....
2. Scusi, posso pago con la carta di credito? ....
3. Cameriere, scusi può fumare in questo locale? ....
4. È posso avere un'altra birra, per favore? Questa è calda! ....
5. Mi può dai un'altra bustina di zucchero? ....
6. Cameriere, posso portare un menu per favore? ....

14. Write a short paragraph (50/60 words) in which you talk about the following:

- le tue abitudini alimentari;
- dove mangi di solito (a casa o fuori);
- cosa pensi delle abitudini alimentari degli italiani.

....

....

....

....

....

Pronuncia

15. Listen to the words and repeat them.

16. Listen to them again. Is the sound hard or soft?

	1	2	3	4	5	6	7	8	9	10
suono intenso / facciamo	✓									
suono tenue /dieci		✓								

11	12	13	14	15	16	17	18	19	20

Parola chiave

17. Complete the diagram with words from the list provided. Feel free to add other words you know.

gustoso - saporito - disonesto - buona idea! - delizioso - cattivo - affettuoso - che buono!
insapore - musica - gentile - cattivo - onesto - malvagio - libro - disgustoso

BUONO

categoria grammaticale
aggettivo

sinonimi (cibo,alimenti)
....
....
....

sinonimi (persone)
....
....
....

espressioni con *buono*
....
....

contrari (cibo,alimenti)
....
....
....

contrari (persone)
....
....
....

altro
buona ....
buon ....

Unità 4

Vado a piedi o prendo l'autobus?

Funzioni

1. What would you say to...?

1. Richiamare l'attenzione di qualcuno.
2. Informarti sugli orari dell'autobus.
3. Esprimere incertezza.
4. Informarti su dove comprare un biglietto.
5. Dire l'orario.
6. Esprimere abilità.

a. So parlare lo spagnolo.
b. Sono le otto e mezzo.
c. Senta, scusi!
d. Non so esattamente.
e. Dove posso comprare un biglietto?
f. A che ora passa l'autobus?

2. ***Che ore sono?*** **Write the time shown in both the ways possible.**

A.
1. ....
2. ....

12:00

B.
1. ....
2. ....

05:15

C.
1. ....
2. ....

14:45

D.
1. ....
2. ....

07:40

Vocabolario

3. Choose the correct option in each case.

1. Io prendo l'autobus/in l'autobus/a autobus per andare al lavoro.
2. In genere vado a casa con piedi/in piedi/a piedi.
3. C'è una fontana prima il semaforo/prima dal semaforo/prima del semaforo.
4. Per Piazza del Campo vai/prendi/giri la prima a sinistra.
5. Per il Museo d'arte devi scendere/prendere/salire alla terza fermata.
6. Via Machiavelli è sempre a dritto/dritto/in dritto, a cinque minuti da qui.
7. La fermata dell'autobus è in fronte/a fronte/di fronte a casa mia.
8. La stazione del metrò è lontano all'/lontano dall'/lontano dell' ufficio.

4. Write down the opening days and times of the following places.

Banca Monte dei Paschi
Lunedì – Venerdì
08:45 13:00
14:45 17:00

La Scuola di italiano per stranieri è aperta ....

....

La Banca Monte dei Paschi è aperta ...., la mattina

.... e il pomeriggio ....

L'Ufficio dei Vigili Urbani è aperto ....

....

5. Complete the text with verbs from the list. Be aware: the list contains two verbs more than are needed!

vuoi - puoi - devi - vogliono - devi - vuole - puoi - può - devo - vuoi - possono - devi

Se (1)........................... girare la città con i mezzi pubblici, (2)........................... avere un biglietto. (3).......................... comprare il biglietto in edicola o dal tabaccaio. Quando sali su un autobus o su un pullman (4).......................... convalidare subito il biglietto. Infatti spesso (5).......................... salire il controllore e se vede che sei senza biglietto o con il biglietto non convalidato, ti fa la multa. In molte città italiane esiste un biglietto unico. Con questo biglietto i viaggiatori (6).......................... prendere tutti i mezzi di trasporto: l'autobus, la metropolitana e il treno fino a una certa distanza. I mezzi pubblici sono una buona soluzione per le persone che (7).......................... evitare il traffico e arrivare nel centro delle città senza problemi. (8).......................... una città più pulita? Allora (9).......................... lasciare la macchina in garage e usare i mezzi pubblici. In questo modo (10).......................... dare realmente una mano a risolvere i problemi di inquinamento e di traffico nelle città.

6. Complete the text with words from the list.

i vigili - centro - al traffico - parcheggio - prendere - a piedi

Camminare in macchina nelle città italiane è un problema perché oggi la maggior parte dei centri storici delle città sono chiusi (1)...................... Quando devo andare in centro la soluzione migliore è (2)...................... l'autobus. Con la macchina infatti non posso arrivare in centro e ho sempre il grosso problema del (3)...................... Ormai quasi tutti i posteggi sono a pagamento e posteggi liberi sono soltanto in periferia. E poi se non rispetti qualche regola (4)...................... fanno multe costose. Quando devo andare in centro quindi vado quasi sempre in autobus, economico e comodo. Se ho un po' di tempo in più, faccio una passeggiata (5)...................... È bello girare per le strade del (6)......................: scopro stradine e traverse che in macchina non vedo mai.

7. Keri's diary is damaged. Supply the missing letters.

Lune...... matt........., ore 12 e tren......
Visita museo di arte con Laura

Mar........... da........ 10 a........ 12
Lezione di italiano

...........ledì pome................., ...re 17
Lezione di tennis

Gio........... ore 10
Scambio di conversazione con Mario

Ve.............. se......
Aperitivo da Korè *con i ragazzi*

Sa..........., ore 8 e ...... quarto
Appuntamento in centro per cena fuori

...........nica
LIBERA tutto il ....rno!!!

Grammatica

8. Supply the correct indefinite article in each case.

Vicino a casa mia c'è...

1. .... ufficio postale, 2. .... giardino, 3. .... piscina, 4. .... banca, 5. .... negozio di abbigliamento, 6. .... gelateria, 7. .... studio di avvocato.

9. Supply either the definite or the indefinite article as appropriate.

1. .... zona dove abito è piena di verde.
   Voglio abitare in .... zona piena di verde.

2. Cerco .... farmacia.
   Cerco .... farmacia *Cristaldi.*

3. Compro .... biglietto.
   Compro .... biglietto per il concerto di Vasco.

4. Conosco Mary, ... ragazza di Mike.
   Conosco .... ragazza simpatica.

5. Visito .... Galleria di arte moderna di Roma.
   Visito .... museo.

6. Cerco .... palestra per fare un po' di sport.
   .... palestra dove vado è in Via Libertà.

10. Complete the following with the present tense of the verb *volere*.

1. Matteo e Marcello .... andare al cinema stasera.
2. Gaia .... prendere l'autobus, io preferisco andare a piedi.
3. Ragazzi, ... un caffè?
4. Io .... uscire presto da casa per non trovare traffico.
5. Nina, ... un po' della mia pizza? Per me è troppa.
6. Io e Antonio non .... andare in discoteca, quindi restiamo a casa.

11. Complete the following with the present tense of the verb *dovere*.

1. Per guidare la macchina in Italia tu .... avere 18 anni.
2. Kate .... preparare una presentazione per l'esame finale.
3. Tutti .... timbrare il biglietto sull'autobus.
4. Per finire il lavoro in tempo noi .... lavorare molto.
5. A che ora voi .... tornare a casa?
6. Ho un impegno a Firenze e .... essere lì alle 15.

12. Complete the following with the present tense of the verb *potere*.

1. Se non piove, noi .... andare in piazza.
2. Marta non .... venire alla festa stasera.
3. La domenica mattina io .... dormire più a lungo.
4. Se non ti piace prendere l'autobus, ... prendere la metropolitana.
5. I mezzi pubblici .... aiutare a risolvere il problema del traffico in città.
6. Secondo me, voi .... avere buoni risultati se studiate con impegno.

13. Put the words in order to make sentences and, in each case, indicate the function of *sapere*.

	conoscenza	abilità
1. giocare / sai / bene / tu / calcio? / a	☐	☐
....		
2. sappiamo / a che ora / arrivati / sono / non / a casa / i ragazzi	☐	☐
....		
3. adesso / tutta / Maria / sa / verità / la	☐	☐
....		
4. mio / due / figlio / e / ha / già / anni / parlare / sa	☐	☐
....		
5. gli italiani / le / non / lingue / parlare / straniere / sanno	☐	☐
....		

Per concludere

14. Put the words in order to make sentences.

1. Scusi / dove / albergo / è / sa / l' / *Jolly*?

....

2. Per / in Piazza di Spagna / andare / prendere / la / deve / metropolitana

....

3. Scusi / biglietto / posso / un / dove / comprare / per l'autobus?

....

4. Il / parte / per / da / 18 / pullman / Firenze / Piazza Gramsci / alle

....

5. La / a / aperta / stazione / 6 / è / dalle / mezzanotte

....

6. Senta / passa / per / a / ora / che / scusi / autobus / andare / l' / allo stadio?

....

15. Find the mistakes and then write the sentences correctly.

1. È tardissimo, devo vado a casa.

....

2. Sono le mezzanotte e Marco è ancora fuori.

....

3. Scusi, mi puoi dire dov'è la stazione?

....

4. La prossima fine settimana voglio fare un giro fuori città.

....

5. John è un studente attento e intelligente.

....

6. La biblioteca è aperta tutti i giorni da 9.00 alle 18.30.

....

BIBLIOTECA PALAZZO PASTORE

ORARIO VALIDO

BIBLIOTECA

lunedì, mercoledì e giovedì	9.00 - 12.30	14.00 - 18.30
martedì e venerdì	9.00 - 12.30	
sabato	8.30 - 12.30	

BIBLIOLAB
(SERVIZIO DI MEDIATECA E INFORMAGIOVANI)

lunedì, mercoledì e giovedì	14.30 - 18.30
martedì e venerdì	9.00 - 12.30
sabato	8.30 - 12.30

16. Think about your day tomorrow and write about it briefly (80/100 words).
Talk about the things you must do, the things you want to do and the things you can do.

....

....

....

....

....

Pronuncia

17. Listen to the words and repeat them.

18. Listen to them again. Which sound are you hearing?

	1	2	3	4	5	6	7	8	9	10	11	12
gli	✓											
Napoli		✓										

Parola chiave

19. Complete the diagram with words from the list provided. Feel free to add other words you know.

autobus - comprare - edicola - convalidare - giornaliero - vendere - metropolitana - mostra d'arte
a tempo - biglietteria - turno in uffici o negozi - pullman - tabaccheria - settimanale

Dove abiti?

Funzioni

1. **Marcella, Franco, Maria, Luigi and Maria are looking for a place to live. Read the adverts and decide which house is best for each.**

A. Stanza singola in centro.
In appartamento con altre 3 persone.
2 bagni. 350 euro spese escluse.
Connessione internet.
Solo ragazze.

B. Doppia appena fuori le mura.
A 2 minuti da fermata autobus.
Preferibilmente settimana corta.
Ottimo prezzo.
No Erasmus.

C. Appartamento a 3 km da Siena.
Riscaldamento autonomo.
Posto auto.
650 euro spese escluse.
No animali.

D. Ampio e luminoso appartamento.
Immediata periferia.
Giardino comune.
850 euro trattabili.
Animali ammessi.

1. Marcella aspetta un figlio e insieme al marito cerca una nuova casa. Vogliono prendere un cane.
2. Luigi e Maria sono fidanzati e vogliono andare a vivere insieme. A Siena centro però gli appartamenti sono troppo cari.
3. Franco lavora a Siena. Cerca una sistemazione economica, anche fuori dal centro della città.
4. Maria è una ragazza Erasmus che sta a Siena per 3 mesi. Vuole dividere un appartamento con altre ragazze.

2. **What is your ideal house like? Describe it, mentioning...**

- il posto
- i servizi della zona
- il numero di stanze
- le qualità della casa
- l'arredamento

....

....

....

....

....

....

....

3. Match a line from the left to one on the right to make sentences.

1. Buongiorno. Avete una
2. Serviamo la colazione
3. La stanza è luminosa e dà
4. Senta, io ho un cane e
5. Potete aggiungere un letto singolo

a. su un giardino interno.
b. nella stanza matrimoniale?
c. dalle 8 alle 9.30 circa.
d. voglio portarlo con me.
e. stanza singola per domani sera?

Vocabolario

4. Write the words provided under the correct picture.

comodino - lavastoviglie - specchio - cuscino - lampada - posate - forno
frigorifero - poltrona - armadio - lavandino - divano - libreria - tappeto - lavatrice

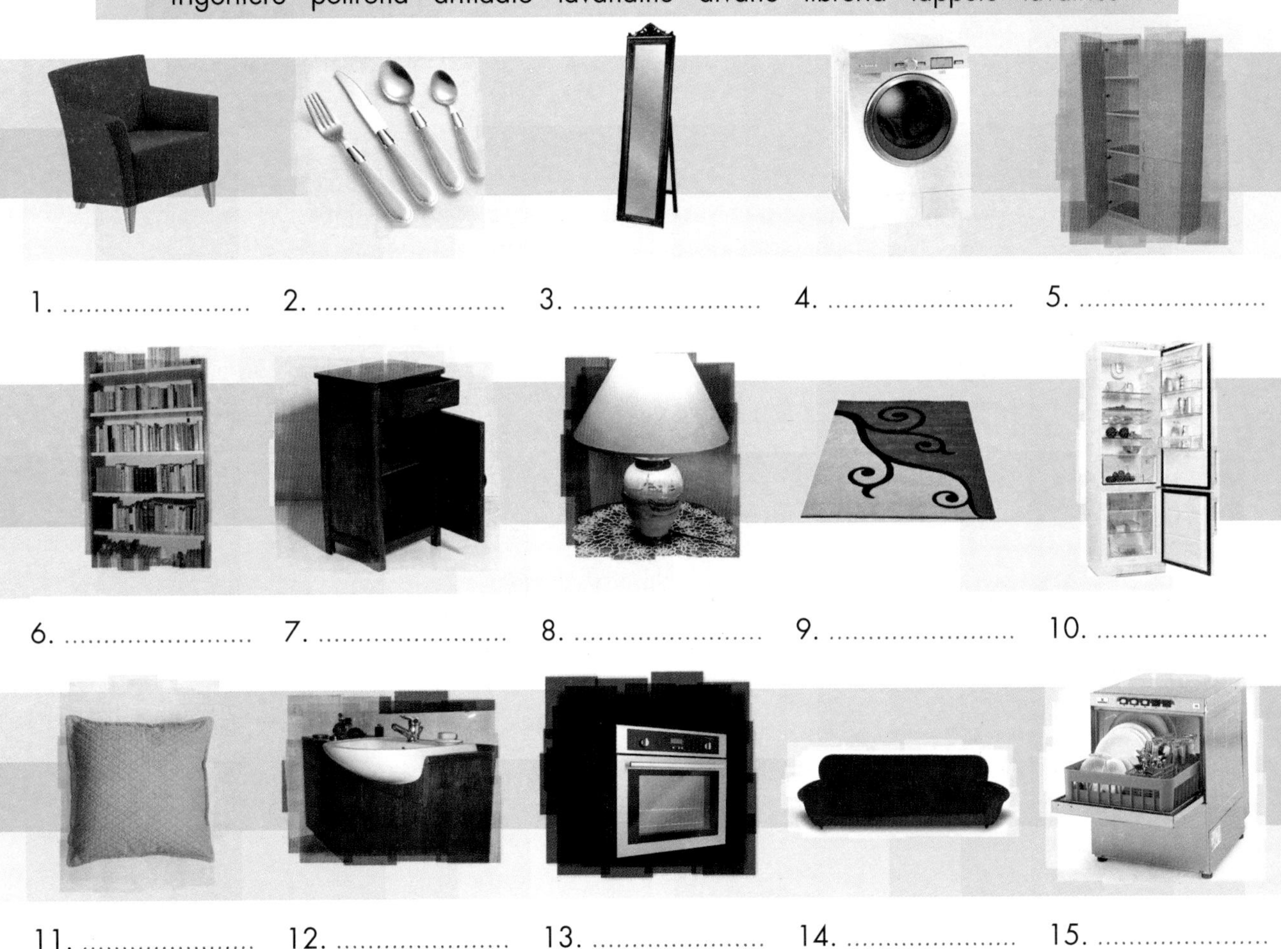

1. .... 2. .... 3. .... 4. .... 5. ....

6. .... 7. .... 8. .... 9. .... 10. ....

11. .... 12. .... 13. .... 14. .... 15. ....

5. Which rooms do each of the objects from exercise 4 go in? Write them under the correct heading in the table. Some objects could go in more than one of the rooms.

stanza da letto	cucina	soggiorno	bagno

6. Complete the text with words from the list provided.

spolvero - buttano - apparecchiano - stiro - passo l'aspirapolvere - lavano - passo 

Di solito faccio i lavori di casa il venerdì sera, quando tutti sono fuori. Per prima cosa (1)................................ in tutta la casa, specialmente sotto il tavolo della cucina. Poi (2).................................. i mobili e alla fine, (3).................................. lo straccio. Se ho tempo poi mi dedico a fare qualcosa per me e (4).................................. le camicie. I miei compagni di casa odiano fare le faccende di casa ma per me è rilassante, insomma le faccio con piacere. Quello che non sopporto però è che i miei compagni di casa non fanno neanche le cose quotidiane: non (5).................................. la tavola prima di cena, (6).................................. i piatti quando vogliono, (7).................................. la spazzatura solo quando siamo coperti dai rifiuti. Per questi motivi litighiamo spesso e certe volte vorrei veramente cambiare casa.

7. Choose the correct option in each case.

1. Marco va in vacanza con la moglie. Ha bisogno di una camera singola/doppia/matrimoniale.
2. Ho una macchina e molti bagagli quindi cerco un albergo con televisione/parcheggio/sauna.
3. Franco non sopporta il caldo. Vuole una stanza con la sauna/il frigobar/l'aria condizionata.
4. Devo ricevere una chiamata dall'estero quindi voglio il frigobar/telefono/bagno in camera.
5. Se prendiamo una camera doppia/arredata/accessoriata invece di due singole, possiamo risparmiare un po' di soldi.
6. Prendo sempre una camera con bagno/aria condizionata/colazione, così quando arrivo in albergo posso fare la doccia comodamente.

8. Which word or expression is the odd one out in each group?

1. doppia singola matrimoniale libera
2. cucina ripostiglio divano camera da letto
3. piatti posate bicchieri tavolo
4. prenotare stirare lavare ordinare
5. villa appartamento albergo monolocale
6. accogliente luminoso pulito veloce
7. salotto balcone portineria studio
8. frigobar colazione aria condizionata bagno in camera

Grammatica

9. Complete the sentences with *è / sono* or with *c'è / ci sono*.

1. Nella mia camera .... una finestra.
2. In casa mia .... due divani e quattro poltrone.
3. I piatti .... sulla tavola.
4. Ho preso casa da poco e non .... ancora i mobili.
5. Nella mia zona .... un bel giardino.
6. Dove .... le posate?
7. La fermata dell'autobus .... vicino casa mia.
8. I miei compagni .... tutti in classe.

9. La mia casa non .... molto luminosa.
10. Generalmente la mattina presto non .... molto traffico.
11. In questo albergo non .... l'aria condizionata.
12. Nell'albergo *Belvedere* .... camere molto carine.

10. Use the preposition provided and, where necessary, the definite article. If the definite article is needed, combine it with the preposition to produce one word.

1. Prima di lasciare l'Italia voglio andare (a) .... Venezia.
2. Le chiavi sono (su) .... tavolo. Non dimenticare di prenderle.
3. Ho visto la villa (di) .... signori Rossi. È molto bella.
4. I vestiti sono (in) .... armadio.
5. Ragazzi, dobbiamo decidere i turni (di) .... pulizie di casa.
6. L'albergo offre molti servizi (a) .... clienti.
7. Ragazzi, venite a cena (a) .... casa mia?
8. Chiedo (a) .... mie amiche se stasera sono in casa.

11. Correctly combine the prepositions and definite articles provided and place the resulting prepositional article in the right place in the sentence.

Appartamento ci sono quattro stanze. ⟶ (in+il) = Nell'appartamento...

1. Il mio appartamento è quarto piano di un palazzo antico. (a+il) ....
2. In tutte le stanze albergo c'è l'aria condizionata. (di+l') ....
3. Ho uno splendido balcone con vista mare. (su+il) ....
4. Il costo di una casa dipende molto zona in cui si trova. (da+la) ....
5. I proprietari di alberghi criticano il comportamento turisti italiani. (di+i) ....
6. I prezzi degli affitti sono molto diversi varie città italiane. (in+le) ....
7. In un albergo di lusso è importante anche la qualità ristorante. (di+il) ....
8. In Italia non è comune lasciare grosse mance camerieri. (a+i) ....
9. La camera singola viene 40 euro giorno. (a+il) ....
10. L'affitto appartamenti in centro è molto caro. (di+gli) ....

Per concludere

12. Put the words in order to make sentences.

1. Nella / ci / e luminose / tre stanze / sono / casa / grandi
....
2. La periferia / è / città / la zona più economica / della
....
3. Divido / alcuni / la casa / amici / con
....
4. L'appartamento / Marco / è / lontano / di / centro / dal
....
5. Chiedo / il / bagno / sempre / in / in / albergo / camera
....

13. Find the mistakes and then write the sentences correctly.

1. L'appartamento è al numero 34 di la strada principale. ....
2. Nella mia casa c'è ancora pochi mobili. ....
3. Tralla cucina e il soggiorno c'è la mia camera da letto. ....
4. Arrivo in albergo alle 18 in punto circa. ....
5. Scusi, nella stanza è l'aria condizionata? ....

14. Read both the following information and the letter written by Maurizio on page 63. Write Maurizio a reply.

Anche Maurizio è un compagno di casa con molti difetti: quando si alza fa rumore e sveglia gli altri ragazzi, quando torna a casa il pomeriggio tiene la musica ad alto volume e vuole decidere sempre lui cosa vedere in televisione. Scrivi un biglietto di risposta a Maurizio: chiedi scusa per il tuo comportamento a casa ma fai notare anche i suoi errori.

Pronuncia

34 **15. Listen to the words and repeat them.**

34 **16. Listen to them again. Which sound are you hearing?**

	1	2	3	4	5	6	7	8	9	10
conosci	✓									
ascolta		✓								

	11	12	13	14	15	16	17	18	19	20

Parola chiave

17. Complete the diagram with words from the list provided. Feel free to add other words you know.

appartamento - monolocale - luminosa - padrone di casa - accogliente - passare lo straccio
calda - corridoio - affitto - soggiorno - contratto - villa - salotto - spolverare - lavare i piatti

CASA

tipi di casa
....
....
....

aggettivi della casa
....
....
....

pagare la casa
....
....
....

pulire e riordinare la casa
....
....
....

parti della casa
....
....
....

La mia giornata a Firenze

Funzioni

1. What is the function of these expressions?

1. Di solito alle 11 vado a lezione.
2. Quante volte alla settimana esci la sera?
3. Vado in palestra 3 volte alla settimana.
4. Ci sentiamo presto.
5. Come ti trovi?
6. Cosa fai di bello?

1	2	3	4	5	6

a. Chiedere a una persona informazioni in maniera informale (sul suo lavoro, lo studio, il tempo libero ecc.).
b. Salutare in maniera informale.
c. Esprimere azioni abituali.
d. Chiedere informazioni su come sta qualcuno in un posto.
e. Esprimere la frequenza.
f. Chiedere con quale frequenza si fa qualcosa.

2. Complete the conversation between Jenny and her friend.

- Allora Jenny, come va qui a Firenze?
- ....
  (rispondi e dici che sei impegnata e hai poco tempo libero)
- Perché? Cosa fai?
- ....
  (rispondi e dici che hai le lezioni all'università e lavori)
- Davvero? Senti, ma cosa fai di bello? Lavori tutti i giorni o soltanto alcuni giorni alla settimana?

- ....
  (rispondi e specifichi quando lavori)
- Beh, almeno non sei occupata tutti i giorni. Senti, ma riesci a seguire anche le lezioni?
- ....
  (rispondi e specifichi che gli orari di lavoro e delle lezioni sono diversi)
- Insomma, sei sempre di corsa...
- ....
  (rispondi e dai qualche informazione sui tuoi orari: quando ti alzi, esci di casa, arrivi a lezione ecc.)
- Ma almeno il fine settimana riesci a rilassarti un po'?
- ....
  (rispondi e dai qualche informazione su quello che fai di solito il fine settimana)
- Bene. Allora, se ti va, possiamo uscire insieme una di queste sere.
- ....
  (rispondi di sì e dai la tua disponibilità per il fine settimana)
- Ok. Allora ti telefono sabato così ci mettiamo d'accordo. Ciao Jenny, buona giornata.
- ....
  (rispondi)

Vocabolario

3. Complete the sentences with the expressions provided. Be aware: there are two more expressions than are needed!

con calma - in orario - domani - giusto in tempo - in ritardo - alla fine - immediatamente

1. Devo andare. Non voglio arrivare .... all'appuntamento con Elena.
2. Stai tranquilla, il film inizia alle 21 quindi siamo perfettamente ....
3. Mi alzo presto la mattina perché voglio fare colazione ....
4. Devi cominciare .... il lavoro perché deve essere pronto entro stasera.
5. Se esco alle 8 da casa faccio .... a prendere l'autobus delle 8.15.

4. How often do you do the following things? Write sentences using appropriate adverbs.

1. Andare in palestra.
   ....
2. Visitare un museo o una mostra.
   ....
3. Alzarsi dopo le 10.
   ....
4. Andare a dormire dopo mezzanotte.
   ....
5. Parlare italiano con i compagni di corso.
   ....
6. Organizzare una cena a casa.
   ....
7. Parlare al telefono con un parente.
   ....
8. Studiare per più di 5 ore.
   ....

5. Choose the correct option in each case.

1. Devo cominciare a studiare sul serio. Sono già al secondo anno fuori lezione/corso.
2. Tutti gli studenti devono sopportare/sostenere almeno 20 esami.
3. Non ho studiato abbastanza. A questo appello/questa chiamata non mi presento.
4. Frequento la facoltà/l'autorità di Medicina a Bologna.
5. Quando sono all'università mi fermo a mangiare in cantina/mensa.
6. Se vuoi avere informazioni devi andare alla segreteria/amministrazione studenti.
7. Se voglio laurearmi/diplomarmi, devo scrivere la tesi.
8. Dopo il corso possiamo andare a studiare in libreria/biblioteca.

Grammatica

6. Choose the correct form of the verb in each case.

1. Sabato pomeriggio incontro/mi incontro con Anna in centro.
2. Marco vede/si vede i suoi amici ogni fine settimana.
3. Marco e i suoi amici vedono/si vedono ogni fine settimana.
4. Mia madre prepara/si prepara il pranzo per tutta la famiglia.
5. Mettiamo/Ci mettiamo i libri nello zaino prima di andare a lezione.

6. La commessa del negozio non è molto gentile e non saluta/si saluta mai i clienti.
7. Quando vado in centro, incontro/mi incontro sempre qualcuno che conosco.
8. Lavo/Mi lavo la macchina ogni domenica.

7. Supply the correct reflexive pronoun to complete each sentence.

1. Gaia .... alza ogni mattina alle 7.
2. Alberto e Cristina .... conoscono da molti anni.
3. .... faccio la barba ogni tre giorni.
4. Marcello, a che ora .... vediamo stasera?
5. I ragazzi .... incontrano in piazza domani mattina alle 8.
6. Come .... trovi nella nuova casa?
7. Ragazzi, ... annoiate durante la lezione?
8. Per andare al lavoro Maria .... veste sempre in maniera elegante.

8. Write the questions that fit with the answers provided, as in the example.

1. Di solito, a che ora ti svegli la mattina?	La mattina mi sveglio alle 7.
2. ....?	Faccio colazione alle 7.30.
3. ....?	Di solito mi preparo in mezz'ora.
4. ....?	Sì, se l'autobus passa in orario.
5. ....?	Torno a casa e mi riposo.
6. ....?	Di solito ceno a casa.
7. ....?	Quasi sempre il fine settimana.

9. Rewrite the sentences to produce ones that are plural and negative.

1. Mi vesto in maniera sportiva.	Noi invece ....
2. Kate si mette il vestito nero.	Mary e Lana invece ....
3. Mi preparo in fretta.	Noi invece ....
4. Ti svegli presto.	Voi invece ....
5. Sara si riposa il pomeriggio.	Anna e Maria invece ....
6. Ti annoi quando visiti un museo.	Voi invece ....
7. Mi diverto quando vado in discoteca.	Noi invece ....
8. Nino si addormenta tardi.	Voi invece ....

10. Alter the following sentences using *mai* or *quasi mai*.

1. Faccio sempre colazione al bar.
   ....
2. Marco e Marina stanno sempre insieme.
   ....
3. Dopo pranzo, quasi sempre mi riposo un po'.
   ....
4. Per andare al lavoro prendo quasi sempre l'autobus.
   ....
5. Le lezioni finiscono sempre prima delle 17.
   ....
6. Quasi sempre il sabato sera mangio fuori.
   ....

11. Choose the appropriate adverb of frequency to change the sentences as in the example. In some cases more than one of the adverbs would work.

Leggo un po' ogni giorno.
Leggo sempre un po'.

spesso - quasi mai - raramente - sempre - mai - generalmente

1. Sono vegetariano e non mangio la carne.
   ....
2. Fumo pochissimo, al massimo una sigaretta dopo cena.
   ....
3. Vado in palestra almeno 4 volte alla settimana.
   ....
4. Esco soltanto il sabato sera.
   ....
5. Molti pomeriggi studio in biblioteca.
   ....

Per concludere

12. Find the mistakes and then write the sentences correctly.

1. La mattina mi alzo tardi mai. ....
2. Ragazzi, non spesso uscite la sera? ....
3. La domenica, di solito incontro con i miei amici. ....
4. Perché non quasi mai studi il pomeriggio? ....
5. Sempre non mangiamo alla mensa universitaria. ....

13. Put the words in order to make sentences.

1. Giuliana / e / trucca / in / si / si / pettina / dieci minuti
   ....
2. Tutte / Francesco / le mattine / rade / fa / si / la doccia / poi / si / e
   ....
3. Spesso / addormentiamo / sera / la / sul / ci / divano
   ....
4. Marco / svegliano / Francesca / mattina / si / 7.30 / ogni / e / alle
   ....
5. Vado / palestra / alla / tre / settimana / almeno / volte / in
   ....
6. Paola / e / una vacanza / prendono / non / un / Roberta / da / si / anno
   ....
7. Massimiliano / non / con / si diverte / nervoso / noi / e diventa
   ....
8. Vi / vestito / mettete / elegante / il / un / per / matrimonio / di Carlo e Francesca / ?
   ....

14. **Write an e-mail as instructed below.**
Sei in Italia per 3 mesi per studiare l'italiano. Scrivi una e-mail (80/100 parole) a un tuo amico/una tua amica e descrivi la tua giornata tipo.

Pronuncia

15. **Listen to the words and repeat them.**

16. **Listen to them again. Which sound are you hearing?**

	1	2	3	4	5	6	7	8	9	10
università	✓									
impegno		✓								

	11	12	13	14	15	16	17	18	19	20
università										
impegno										

Parola chiave

17. **Complete the diagram with words from the list provided. Feel free to add other words you know.**

aereo - partire - regolare - attento - puntuale come un orologio - impreciso - autobus - preciso essere - esatto - ritardatario - inesatto - arrivare - approssimativo - tornare - treno - persona

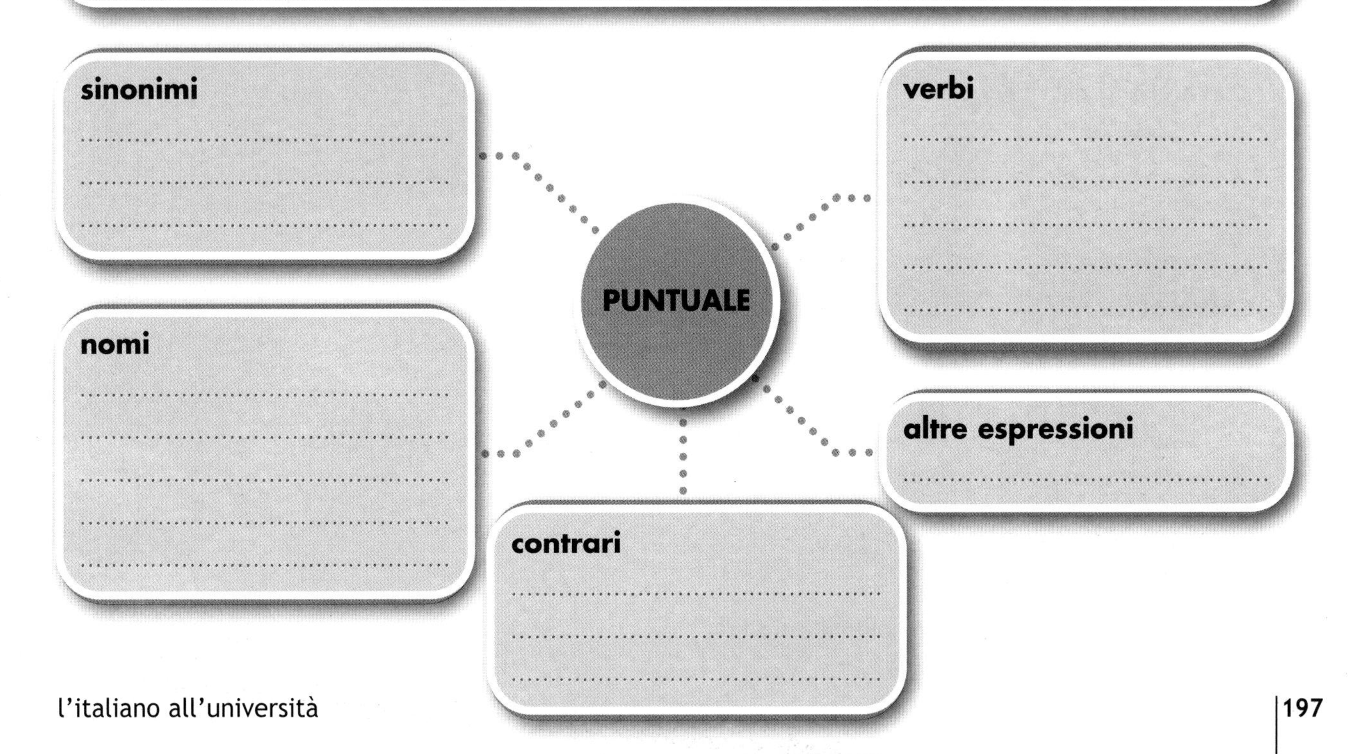

Che tempo fa?

Funzioni

1. Study the map and answer the questions.

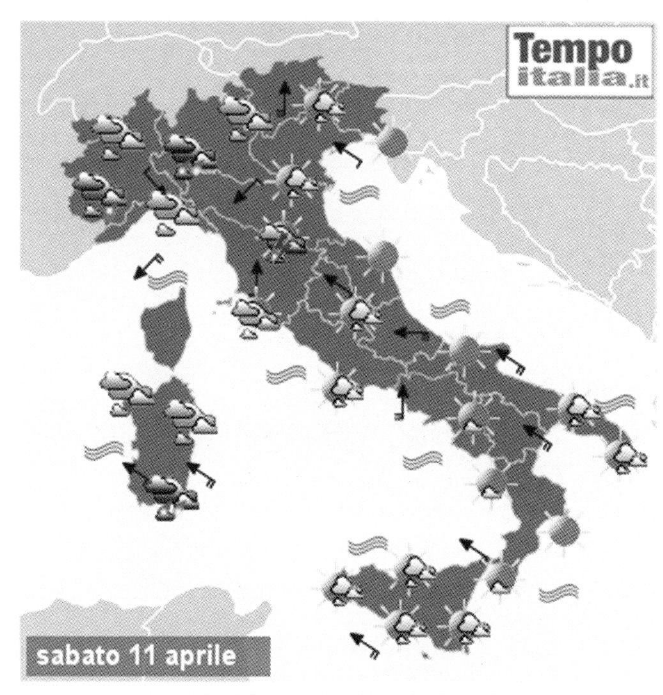

Torino	12°C
Milano	18°C
Venezia	21°C
Genova	16°C
Bologna	20°C
Firenze	21°C
Perugia	18°C
Roma	18°C
Napoli	20°C
Bari	19°C
Catania	16°C
Palermo	18°C
Cagliari	11°C

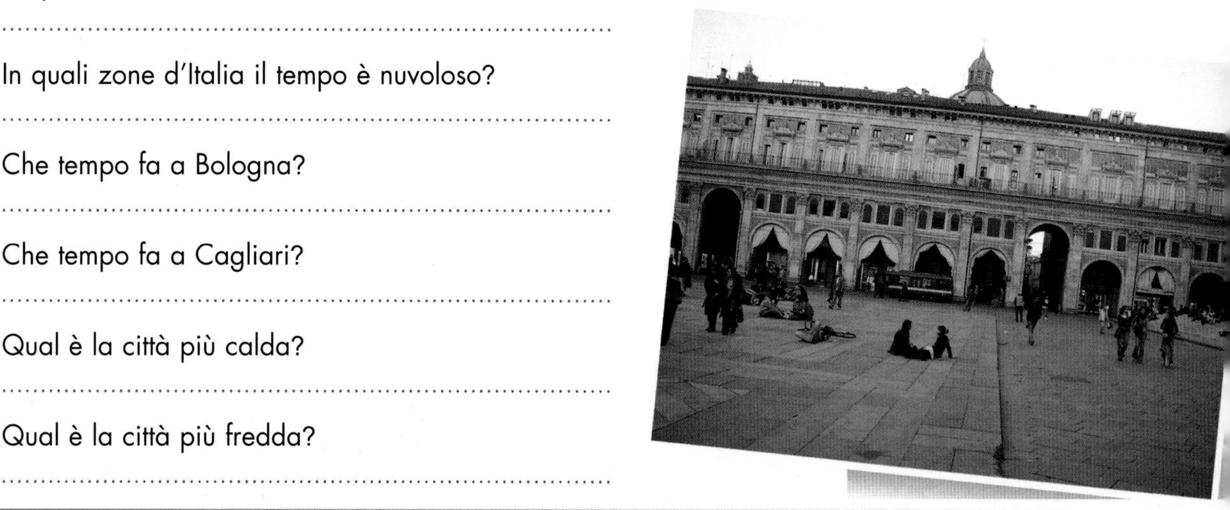

1. In quali zone d'Italia c'è il sole?
   ....
2. In quali zone d'Italia il tempo è nuvoloso?
   ....
3. Che tempo fa a Bologna?
   ....
4. Che tempo fa a Cagliari?
   ....
5. Qual è la città più calda?
   ....
6. Qual è la città più fredda?
   ....

Vocabolario

2. Write the name of the season under each description.

1. È la stagione più calda dell'anno. Chi può, va al mare.
   ....
2. In questa stagione cadono le foglie e le piogge sono frequenti.
   ....
3. Fa freddo e nel Nord Italia nevica.
   ....
4. Il clima è mite e fioriscono piante e fiori.
   ....

3. **Write the following words under the correct heading in the table, as in the example.**

vento - neve - nuvola - nevica - sole - nebbia - tira vento
nuvoloso - ventoso - soleggiato - nebbioso - innevato

nome	aggettivo	verbo
Pioggia	Piovoso	Piove

4. **Which word or expression is the odd one out in each group?**

1. nord - in mezzo - sud - ovest - est
2. neve - freddo - caldo - mite
3. stagione - marzo - giugno - dicembre
4. pioggia - vento - stagione - sole
5. estate - primavera - gennaio - autunno
6. montagna - mare - campagna - regione
7. città - isole - regioni - laghi
8. clima - giorno - mese - anno

Grammatica

5. **Answer these questions using direct object pronouns.**

1. Conosci bene Roma? ....
2. Dove passi l'estate? ....
3. Visiti le regioni del Sud? ....
4. Puoi prendere l'ombrello? ....
5. Sai dov'è Parma? ....
6. Guardi le previsioni del tempo? ....
7. Raccogli i funghi in autunno? ....
8. Fai il bagno al lago? ....

6. **Use the direct object pronouns *lo*, *la*, *li*, *le* to complete the answers to the following questions and then match them up appropriately.**

1. Puoi prenotare i biglietti del treno?
2. Quando viaggi in macchina usi la carta geografica?
3. Potete portare la macchina fotografica?
4. Quando prendete le ferie quest'anno?
5. Sapete che in Italia ci sono venti regioni?
6. Ti piace il caldo estivo?
7. Accendi spesso il riscaldamento in casa?

a. Sì, tranquillo, ... prenoto io.
b. No, non .... sopporto.
c. .... prendiamo in estate, così andiamo al mare.
d. No, ... uso solo quando fa molto freddo.
e. No, non .... uso. Uso il navigatore.
f. Sì, ... sappiamo.
g. Sì, ... portiamo noi.

1	2	3	4	5	6	7

7. Complete the following with the personal direct object pronouns *mi, ti, ci, vi*.

1. Io e Angelo siamo senza macchina. .... accompagni tu alla stazione?
2. Stai tranquillo. Se il mio treno arriva in ritardo ...., avverto.
3. Se volete possiamo aspettar.............., così partiamo insieme.
4. Ragazzi, se venite a Siena, ... invito a cena nel ristorante migliore della città.
5. .... aiuti a mettere le valigie in macchina, per favore? Sono già in ritardo.
6. Marco, chi è quella persona che .... saluta?
7. Elena, non posso entrare in centro con la macchina ma posso lasciar.............. alla fermata.

8. Use unstressed direct object pronouns to rewrite these sentences.

1. Franco saluta me ogni volta che vede me.

   ....

2. Devo passare a prendere te o ci vediamo in centro?

   ....

3. Bambini, domani porto voi al mare.

   ....

4. Laura non ringrazia mai noi quando la aiutiamo.

   ....

9. Complete the sentences.

1. Faccio molte passeggiate,
2. Posso chiamarti più tardi
3. Dopo la festa Stefano
4. Ragazzi, adesso
5. Compro due libri
6. La macchina è rotta
7. Ho bisogno di un passaggio:
8. Roma è la capitale d'Italia,

a. e devo ancora ripararla.
b. è tardi e devo salutarvi.
c. mi piace farle soprattutto in primavera.
d. Salvo ha la macchina, lo chiedo a lui.
e. e li leggo durante le vacanze.
f. lo sanno tutti.
g. o ti disturbo?
h. mi accompagna a casa.

10. Choose the appropriate verb and complete the following with the *stare* + gerund form.

1. Marta .... un libro in giardino.
2. Tu .... un po' di musica
3. Franco .... un po' di giardinaggio.
4. Io .... per gli Stati Uniti.
5. I bambini .... profondamente.
6. Il cane .... fuori con Nino.
7. Gli studenti .... una relazione.
8. Ti presto il mio ombrello, fuori ....

fare
giocare
partire
scrivere
leggere
dormire
piovere
ascoltare

11. Choose the correct form in each case.

1. L'Italia è un Paese con molto/molta/molti/molte città d'arte.
2. Sfortunatamente viaggio poco/poca/pochi/poche perché non ho tempo.
3. In alcune città del Nord la temperatura è molto/molta/molti/molte bassa.
4. Nella mia zona in inverno ci sono poco/poca/pochi/poche piste da sci.
5. Quando vado in vacanza conosco sempre molto/molta/molti/molte persone.

6. Mi piace molto/molta/molti/molte visitare posti nuovi.
7. Faccio poco/poca/pochi/poche viaggi all'anno.
8. Quando viaggio visito molto/molta/molti/molte posti nuovi.
9. Sono un principiante e so sciare poco/poca/pochi/poche.
10. Ho poco/poca/pochi/poche voglia di andare in vacanza con Alex.

Per concludere

12. Find the mistakes and then write the sentences correctly.

1. In Irlanda pioggia spesso. ....
2. In inverno nella mia città il tempo è molto piove. ....
3. Qui all'ombra fa freddo. Andiamo in un posto più sole. ....
4. Non posso venire in viaggio con voi perché ho poco soldi. ....
5. La temperatura sta scendando sensibilmente. ....
6. In Sicilia neve poco in inverno. ....
7. Paolo, accompagnaci a casa per favore? ....
8. Massimo e Gianni stanno mangiandi un gelato. ....
9. Londra è una città nebbia. ....
10. Quando viaggio, visito molto musei. ....

13. Put the words in order to make sentences.

1. L'inverno / la temperatura / sta / e / aumenta / finendo
....
2. Che / in questo / tempo / fa / nella tua / periodo / città?
....
3. In / un clima / Italia / molti / vengono / turisti / perché / mite / c'è
....
4. Luisa / in Francia / invece / andando / andando / i miei amici / stanno / sta / a Roma
....
5. Leggo / specialmente / quando / sono in vacanza / molti / in estate / libri
....
6. Molti / in vacanza / generalmente / ad agosto / vanno / italiani / al mare
....
7. I cannoli / e li / in Sicilia / sono / sempre / dolci tipici siciliani / quando vado / mangio
....
8. Possiamo / e fa / perché / il tempo / bello / caldo / andare al mare / è
....

14. What time of year do you like best and why (100/120 words)?

....
....
....
....
....

Pronuncia

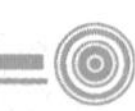

36

15. Listen to the words and repeat them.

36

16. Listen to them again. Which sound are you hearing?

	1	2	3	4	5	6	7	8	9	10
famose	✓									
Genova		✓								

11	12	13	14	15	16	17	18	19	20

Parola chiave

17. Complete the diagram with words from the list provided. Feel free to add other words you know.

essere in tempo - fa bel tempo - ammazzare il tempo - fa brutto tempo - c'è un tempo splendido
passare il tempo - arrivare in tempo - che tempo fa? - il tempo è denaro - com'è il tempo?
il tempo è bello/brutto/nuvoloso/soleggiato - il tempo passa

TEMPO

ATMOSFERICO

espressioni con *fare*

....

....

....

espressioni con *essere*

....

....

....

....

CRONOLOGICO

espressioni con significato di *trascorrere*

....

....

espressioni con significato di *entro un limite definito*

....

....

....

altre espressioni

....

....

Che cosa hai fatto nel fine settimana?

Funzioni

1. Put the following dialogue in the correct order.

A. ● Che film hai visto?
B. ● Sì, per me è un film bellissimo.
C. ● Cosa hai fatto ieri sera?
D. ● Ti è piaciuto?
E. ● Sì, l'ho visto la settimana scorsa.
F. ● E a te è piaciuto?
G. ● Ho visto *Alla ricerca della felicità*.
H. ● No, non molto. Secondo me è un film un po' lento. Tu l'hai visto?
I. ● Ho visto un film su Sky Cinema.

1	2	3	4	5	6	7	8	9
C								

2. Supply the questions to complete the following conversation

Paolo: ....?
Luca: Sabato scorso sono andato a Siena.
Paolo: ....?
Luca: Ci sono andato in autobus.
Paolo: ....?
Luca: Sì, ci sono andato con Sandra.
Paolo: ....?
Luca: Abbiamo visitato il Duomo, Piazza del Campo e il Museo Civico.
Paolo: ....?
Luca: Abbiamo mangiato in un buon ristorante e ho assaggiato dell'ottimo vino.
Paolo: ....?
Luca: Siamo ritornati a Firenze verso le sette e mezzo.

Vocabolario

3. Complete the sentences.

1. Sabato ho invitato qualche amico a cena e quindi
2. Amo la natura e quando posso
3. Sono stanco morto! Questo fine settimana
4. Ho bisogno di qualche vestito,
5. Andiamo a visitare la mostra di Caravaggio?
6. Sono ingrassato, dovrei

a. fare un po' di sport in più.
b. voglio dormire fino a tardi.
c. ho cucinato tutto il giorno.
d. Domenica l'ingresso è gratis.
e. mi accompagni a fare spese?
f. faccio lunghe passeggiate in campagna.

4. Complete the sentences with the words provided.

fa - stamattina - scorso - scorsa - ieri - fa

1. Sono andato al cinema la settimana ....
2. Ho incontrato Mary poco ....
3. Ho telefonato a Nino l'altro ....
4. Ho controllato la posta due giorni ....
5. L'anno .... sono stato a Parigi
6. .... Anna si è alzata tardi.

5. Complete the sentences with expressions from the list provided.

hanno fatto un po' di sport - sono andate a una festa
ha letto un libro - avete visitato una mostra - ha fatto una passeggiata
ho guardato - sei andato a teatro - ha fatto spese

Il fine settimana scorso...

1. Lisa e Mary .... e si sono divertite.
2. Maria .... in campagna.
3. Tu .... a vedere una commedia?
4. Voi .... alla Galleria d'arte contemporanea, vero?
5. I miei amici sono andati in palestra e ....
6. Elisa .... di poesie.
7. Marta .... nei negozi del centro.
8. Io sono stato a casa e .... la TV.

6. Reread the dialogue on page 102 and complete the following summary.

Francesco sabato mattina (1)........................ tardi, ha sistemato casa e ha stirato (2)........................ camicie. Di pomeriggio ha incontrato (3)........................ amici. Prima è andato (4)........................ un giro in centro e poi (5)........................ una mostra di pittura. Di sera Francesco è uscito con (6)........................ Siccome non (7)........................ i biglietti per lo spettacolo al Teatro dei Rozzi, (8)........................ di andare al *Barone Rosso*. Lì hanno bevuto (9)........................ e hanno ascoltato (10)........................ buona musica dal vivo.

Grammatica

7. Complete the sentences on the right using those on the left to guide you.

1. Ieri sera sono uscito.	Anche Martina ieri sera ....uscita........
2. Marco è andato al bar.	Anche Francesca ....è endata.... al bar.
3. Noi siamo restati a casa.	Anche Anna e Maria ...loro sono restati... a casa.
4. I miei genitori sono partiti.	Anche Marcello ....è partito........
5. Sono nato nel 1989.	Anche le mie sorelle .... nel 1989.
6. Sabato sei tornato tardi.	Anche voi .... tardi.
7. Anna si è divertita molto.	Anche noi .... molto.
8. Alberto si è alzato presto.	Anche Luisa e Gino .... presto.

9. Ti sei messa il vestito nuovo. — Anche Emy e Ely .... il vestito nuovo.
10. Finalmente mi sono rilassato. — Anche voi finalmente ....

8. Complete the following extract from Alessandra's diary with the perfect tense of the verbs in brackets.

Caro diario,
ecco che cosa ho fatto domenica. La mattina presto (partire) (1)........................... per Bologna. (Arrivare) (2)........................... alle nove e mezzo e (incontrare) (3)........................... alcune amiche bolognesi. (Noi - fare) (4)........................... un giro in città, (bere) (5)........................... .... un caffè e poi (vedere) (6)........................... una bella mostra di pittura. A pranzo (io - mangiare) (7)........................... in una piccola trattoria con un'amica, poi alle tre, dopo una passeggiata, (prendere) (8)........................... il treno per Parma. Qui (visitare) (9)........................... .... alcune chiese, poi, verso le sette e mezzo, (tornare) (10)........................... a Firenze. (Cenare) (11)..........................., (guardare) (12)........................... la TV, (ascoltare) (13)........................... un po' di musica e poi (andare) (14)........................... a letto. Insomma (essere) (15)........................... una giornata rilassante e (io - divertirsi) (16)........................... ....

9. Rewrite the sentences using *del*, *dello*, *della*, *dei*, *degli* or *delle*.

1. Ho visto alcuni amici. ....
2. Ho bevuto un po' di vino. ....
3. Ho conosciuto alcune ragazze. ....
4. Ho messo un po' di zucchero nel caffè. ....
5. Ho comprato qualche libro. ....
6. Ho preparato un po' di pasta per cena. ....
7. Ho portato qualche dolce. ....
8. Ho scritto alcune e-mail. ....

10. Rewrite the sentences adding *già* or *ancora*.

1. Avete fatto gli esercizi?
....
2. Oddio è tardissimo! E devo fare la doccia!
....
3. Avete visitato il Duomo? Io non ho potuto visitarlo.
....
4. Sono già le 11 ma Matteo non si è alzato.
....
5. Il dottore è andato via? Quando lo posso trovare?
....
6. Sei arrivato a casa? Hai fatto presto.
....
7. Tuo figlio ha 6 anni? Allora ha cominciato ad andare a scuola.
....
8. Non ho riordinato la casa, ma voglio farlo questo pomeriggio.
....

11. Answer the questions using direct object pronouns.

1. Ha visitato la mostra? ....
2. Hai aperto le finestre? ....
3. Hai finito i compiti? ....
4. Hai letto il libro? ....
5. Hai fatto le fotografie? ....
6. Hai mangiato la pizza? ....
7. Hai portato le birre? ....
8. Hai spento lo stereo? ....
9. Hai fatto il bucato? ....
10. Hai cucinato gli spaghetti? ....

Per concludere

12. Put the words in order to make sentences.

1. La settimana /siamo / a fare / una passeggiata / scorsa / andati
....
2. Ieri / sono / visto / e / un film interessante / andata / al cinema / ho
....
3. Abito a Roma / ancora / ho / il Vaticano / un mese ma non / visto / da
....
4. Anna e Franco / un corso / un anno / frequentato / hanno / di giapponese / fa
....
5. Elena / buonissimi / degli / spaghetti / ha / al pesto / cucinato
....
6. Yumo / in Italia / due mesi / arrivata / fa / parla / un po' di italiano / e già / è
....
7. Ho / 35 euro / del concerto / e li / comprato / i biglietti / ho / pagati
....
8. Ieri / alla festa / invitate / e le / Simona e Miriam / ho / ho / incontrato
....

13. Find the mistakes and then write the sentences correctly.

1. Ieri ha stato una bella giornata. ....
2. Hai veramente dei amici simpatici! ....
3. Marina è uscito ieri sera con Marcello. ....
4. Hai portato i libri o li hai dimenticato a casa? ....
5. Sabato sera non mi ho divertita per niente. ....
6. Lo scorso fine settimana non siamo usciti e siamo rimanuti a casa. ....
7. Non ho già finito di fare gli esercizi. ....
8. Ho conosciuto Marisa il mese fa. ....

14. Write about what you usually do in your free time and at the weekend. (100/150 words).

....
....

....

....

....

....

....

Pronuncia

15. Listen to the words and repeat them.

16. Listen to them again. Which sound are you hearing?

	1	2	3	4	5	6	7	8	9	10
simpatico	✓									
dialogo		✓								

	11	12	13	14	15	16	17	18	19	20

Parola chiave

17. Complete the diagram with words from the list provided. Feel free to add other words you know.

andare fuori - (fuori) dai gangheri - stare/restare a casa - entrare - allo scoperto
fuori - (fuori) dal coro - fare un giro - (fuori) di testa

USCIRE

sinonimi
....
....

contrari
....
....

con significato di *diventare molto nervoso*
uscire ....

con significato di *apparire, spuntare*
uscire ....

con significato di *mostrare le reali intenzioni*
uscire ....

con significato di *impazzire, diventare pazzo*
uscire ....

con significato di *dire o fare cose diverse rispetto agli altri*
uscire ....

La nuova famiglia italiana

Funzioni

1. Read the following information about various people and match the parents (g.) to their children (f.).

A.
Mi chiamo Giovanni e ho 29 anni. Sono un tipo che ama la libertà, ma da due anni sono fidanzato con Marta, una ragazza che amo tantissimo. Io e Marta andiamo molto d'accordo e vogliamo sposarci appena possibile. Purtroppo in questo momento Marta non lavora quindi non possiamo comprare una casa. Una soluzione può essere quella di trovare una casa in affitto ma le spese sono abbastanza alte, quindi preferisco restare a casa con i miei. Se Marta trova un lavoro, allora possiamo sposarci e vivere insieme.

B.
Sono Caterina, ho 43 anni e faccio la giornalista. Sono separata da un anno e ho un figlio di 15 anni. Purtroppo mio figlio non ha un'adolescenza serena. Io sono quasi sempre fuori casa per lavoro e quando sono a casa lo trovo sempre nervoso... non mi racconta mai quello che fa a scuola o con i suoi amici. Non so cosa fare... Chiude la porta della sua stanza, naviga tutto il giorno in internet e rifiuta ogni tipo di rapporto con me. Probabilmente ha bisogno anche della figura paterna che non ha.

C.
I miei genitori sono divorziati e io vivo con mia madre. Ho un ottimo rapporto con mamma e papà e anche loro si vogliono bene anche se non stanno più insieme. Mamma adesso si è fidanzata e anche papà ha una ragazza. Io sto bene a casa e vado d'accordo con i miei genitori. Anche il fidanzato di mamma e la fidanzata di papà sono molto simpatici e affettuosi con me.

D.
I miei genitori sono separati e io vivo con mia madre. Lei è sempre fuori per lavoro e la vedo pochissimo. Io e mia madre non andiamo molto d'accordo e spesso litighiamo: quando torna a casa vuole sapere quello che faccio, ma io non parlo volentieri con lei e preferisco navigare in internet. Non sopporto poi quando entra in camera mia e si lamenta del disordine che c'è, del letto che non è rifatto... Insomma, la stanza è mia e ci vivo io! Mia madre non sta quasi mai in casa, e quando la vedo si lamenta sempre di qualcosa.

E.
Sono Pietro, sono sposato con Francesca da 32 anni e abbiamo un figlio ormai adulto. Nostro figlio ha un lavoro e una fidanzata, ma non si decide a uscire di casa. Non capisco perché i ragazzi di oggi vogliono restare con i genitori fino a quando sono adulti. Capisco che a casa hanno tutte le comodità... ma insomma, un po' di spirito di indipendenza! Mia moglie invece fa di tutto per tenere nostro figlio a casa e dice che non guadagna soldi sufficienti per essere indipendente. È vero non guadagna molto, ma può sicuramente prendere almeno una piccola casa in affitto.

F.
Ho 40 anni e una bambina di 12 anni. Sono divorziata da 3 anni dal mio ex marito, Stefano, ma fortunatamente i nostri rapporti sono rimasti buoni. Nostra figlia Maria vive con me, ma Stefano viene a trovarla ogni fine settimana e passano un po' di tempo insieme. Da un anno vivo insieme a Franco, il mio nuovo fidanzato che adora Maria e anche a Maria piace Franco. Anche Stefano ha una ragazza, Laura, quindi Maria spesso passa il fine settimana con il papà e la sua nuova fidanzata. Anche se non siamo una famiglia tradizionale spesso per le feste ci troviamo tutti insieme, io e Franco, Stefano e Laura e ovviamente Maria. Mia figlia è serena e accetta senza problemi la sua nuova famiglia allargata.

(g.) .... /........ (f.)   (g.) .... /........ (f.)   (g.) .... /........ (f.)

2. Choose the correct expression to use in each of the following situations?

1. La tua ragazza ha passato un esame difficile.
   Mannaggia!/Che fortuna!/Congratulazioni!
2. Tuo fratello ha vinto 10.000 euro alla lotteria.
   Che rabbia!/Che fortuna!/Che peccato!
3. La tua squadra ha perso la partita all'ultimo minuto.
   Favoloso!/Che sfortuna!/Che bello!
4. Tua sorella aspetta un bambino.
   Che rabbia!/Che peccato!/Che bello!
5. Devi consegnare due relazioni al tuo professore entro la prossima settimana.
   Congratulazioni!/Accidenti!/Che peccato!

Vocabolario

3. Study Francesca's family tree and answer the questions.

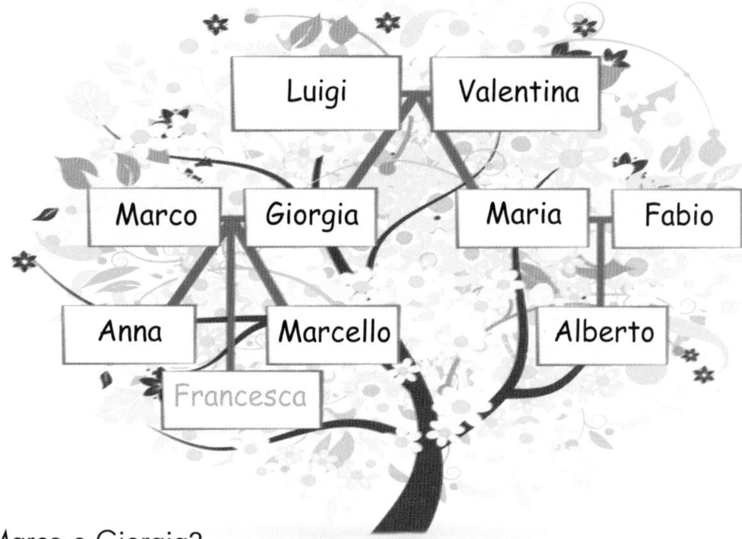

1. Chi sono Marco e Giorgia?
   ....
2. Chi è Anna?
   ....
3. Chi è Alberto?
   ....
4. Chi sono Luigi e Valentina?
   ....
5. Chi è Maria?
   ....
6. Chi è Marcello?
   ....
7. Chi è Francesca rispetto a Maria?
   ....
8. Chi è Francesca rispetto a Luigi e Valentina?
   ....
9. Chi è Luigi rispetto a Marco?
   ....
10. Chi è Fabio rispetto a Giorgia?
    ....

4. Match a line from the left to one on the right to make sentences.

1. È già da un po' che Marco e Laura escono insieme e
2. Sara e Nino sono una bella coppia:
3. Non mi trovo più bene con Alessio,
4. Quando Jenny e Eric si sono conosciuti
5. Giovanni ha divorziato dalla moglie e
6. Dopo molte discussioni Anna e Giulio

a. sono felicemente sposati da 3 anni.
b. prima o poi si fidanzeranno sicuramente.
c. hanno deciso di separarsi.
d. adesso sta insieme a Barbara.
e. litighiamo per qualunque motivo.
f. si sono innamorati a prima vista.

Grammatica

5. Complete the sentences by supplying the appropriate possessive adjective.

1. Anna e Marco fanno una festa per inaugurare la l............... nuova casa.
2. Marcello e Francesco non sopportano i l............... nuovi compagni di casa.
3. Grazie per l'invito. Mi fa piacere conoscere i v............... amici.
4. Dobbiamo uscire presto la mattina perché la n............... scuola è lontana da casa.
5. Nel tempo libero mi piace fare un giro in campagna con i m............... cani.
6. Se vuoi stare insieme ad Antonio, devi accettare i s............... difetti.
7. Venite a trovarmi? Che bello! Mi fa piacere una v............... visita.
8. Elena e la s............... amica Giulia sono molto carine.
9. Com'è il t............... corso di italiano? Facile o difficile?
10. La m............... famiglia è numerosa.

6. Supply the definite article where necessary.

1. Ti presento Marcella, ... mia ragazza.
2. .... mio fratello lavora in banca.
3. Alla festa ho conosciuto Susan e .... sue amiche.
4. Kate è andata in vacanza con .... suoi genitori.
5. Ti presento Dalila, ... mia moglie.
6. Passo le feste di Natale con .... mia famiglia e .... miei parenti.
7. .... mio padre ha 55 anni e lavora in banca, ... mia madre invece è casalinga.
8. Ieri sera ho cenato con .... mio fratello e .... miei cugini.
9. Se vuoi posso chiamarti domani. Mi dai .... tuo numero di telefono?
10. .... miei nonni sono anziani ma ancora attivi.

7. Choose the correct form of the future tense in each case.

1. Il prossimo fine settimana i miei amici andranno/anderanno a Bologna.
2. Domani scriverò/scrivrò una mail alla segreteria per chiedere qualche informazione sui corsi.
3. Io e Marianna ci sposremo/ci sposeremo tra due settimane.
4. Quando facerai/farai 18 anni ti comprarò/comprerò una macchina.
5. Se Marco e Eva continueranno/continuaranno a litigare così, prima o poi si lasceranno.
6. Sono sicura che quest'anno incontrarai/incontrerai l'uomo della tua vita.
7. Quando finirò/finiscerò gli studi, vorrei fare un viaggio in Europa.
8. Domani sarete/esserete ancora a Milano o partirete/partrete?
9. Ti giuro che ti amerò/amrò per tutta la vita!
10. Potrai/Poterai tornare a casa per pranzo o doverai/dovrai restare qui?

8. Make sentences.

1. Vuoi continuare a convivere
2. Non ci siamo ancora sposati
3. Mio padre è pensionato, mia madre
4. Voglio bene a mio fratello
5. Ho litigato con Giorgio

ma
perché
o
invece

a. litighiamo spesso.
b. si è comportato male con me.
c. lavora ancora.
d. pensi di sposarti prima o poi?
e. ci sposeremo l'anno prossimo.

Per concludere

9. Find the mistakes and then write the sentences correctly.

1. Voglio molto bene a mia famiglia. ....
2. Giorgio e Laura sposano tra un mese. ....
3. Devi decidere se vuoi sposare Marco ma se lo vuoi lasciare. ....
4. Più tardi Giorgia anderà a prendere i suoi figli a scuola. ....
5. Li conosco da 10 anni ma non conosco ancora i suoi genitori. ....
6. Stasera Nino prende il suo macchina. ....
7. Ho sposato con Marcella da tre anni. ....
8. Io e Martina abbiamo fidanzati e stiamo bene insieme. ....

10. Put the words in order to make sentences.

1. Passo / famiglia / con / la / le feste / mia
....
2. I / sono sposati / da / miei / anni / genitori / venti
....
3. Quali sono / per il / tuoi / prossimo / i / progetti / anno?
....
4. Marcello e Gaia / insieme / sposarsi / stanno / vogliono/ da molti anni / ma / non
....
5. La famiglia / è molto diversa / italiana / dalla famiglia / attuale / di trenta anni fa
....
6. Ci saranno / gli amici / o inviterete / invitati / al matrimonio / molti / soltanto / più intimi?
....

11. Complete the text with words from the list provided.

o - genitori - perché - ma - marito - coppie - si sposano - famiglia

Come cambia la famiglia italiana

Donne di trent'anni senza figli né (1)........................ che rimangono a vivere con i (2)........................; è questo un primato che l'Italia ha rispetto agli altri Paesi europei. La formula tradizionale italiana di famiglia ha avuto infatti molte trasformazioni e sono presenti oggi molte situazioni diverse: famiglie unipersonali, (3)........................ senza figli (4)........................ famiglie con un solo genitore. È uno dei dati dell'indagine Eurispes per la festa della donna: *Quattro ritratti per l'8 marzo*, la posizione della donna in (5)........................, in politica, al lavoro e rispetto al fenomeno dell'immigrazione. (6)........................ il modello familiare classico della coppia resiste e rappresenta la scelta del 72,4% delle trentenni italiane anche se, tra queste, il 9,3% ha formato una coppia senza figli. Questo rappresenta secondo l'indagine un modello familiare "che aumenta continuamente a partire dai primi anni Ottanta" (7)........................ le donne (8)........................ sempre più tardi, ma soprattutto per la "professionalizzazione femminile": per il lavoro le donne possono rinunciare ad avere figli.

adattato da http://www.edscuola.it

12. Briefly write about someone in your family and about your relationship with him or her (80/100 words).

....

....

....

....

....

Pronuncia

13. Listen to the words and repeat them. 38

14. Listen to them again. Which sound are you hearing? 38

	1	2	3	4	5	6	7	8	9	10
insieme	✓									
divorzio		✓								

11	12	13	14	15	16	17	18	19	20

Parola chiave

15. Complete the diagram with words from the list provided. Feel free to add other words you know.

parenti - unita - genitori - fratelli - mettere su - familiari - allargata - cugini - farsi una - affare di famiglia reale - essere figlio di papà/di famiglia - distrutta - amare - interessi di famiglia - tradizionale - riunire

FAMIGLIA

verbi

....

....

....

nomi di familiari

....

....

....

aggettivi

....

....

....

....

....

altre espressioni

....

....

....

....

sinonimi

....

....

Mi sembra...

Esercizi

Funzioni

1. Put the following dialogue in the correct order.

A. ● E gli altri amici di Maurizio come sono?
B. ● E che tipo è?
C. ● Ho capito. E fisicamente com'è?
D. ● Allora, come è andata ieri sera?
E. ● Guarda, mi sembrano tutte persone simpatiche. Alcuni sono un po' introversi, ma sai... ieri ci siamo visti per la prima volta quindi non posso ancora dirlo.
F. ● Molto carina. Alta, snella con i capelli biondi e mossi e gli occhi chiari. E un bel sorriso.
G. ● Mah... veramente non abbiamo parlato molto. Però mi sembra una persona cordiale e gentile.
H. ● Bene. Sono uscita con Maurizio e i suoi compagni di corso. Finalmente ho conosciuto Marcella, la ragazza che piace a Maurizio.

1	2	3	4	5	6	7	8
D							

Vocabolario

2. Correctly rearrange the letters to reveal the adjectives.

1. simos _ _ _ _ _
2. volac _ _ _ _ _
3. buostro _ _ _ _ _ _ _
4. vanegio _ _ _ _ _ _ _
5. naziona _ _ _ _ _ _ _
6. gregavossi _ _ _ _ _ _ _ _ _ _
7. copatinati _ _ _ _ _ _ _ _ _ _
8. tocadulema _ _ _ _ _ _ _ _ _ _

3. Read the text and complete the table.

Maria è italiana e abita a Roma. È una bella ragazza e fa l'infermiera in un ospedale. Ha 25 anni ed è alta e magra. Ha gli occhi azzurri e i capelli neri, lisci e lunghi. Io non la conosco molto bene, ma mi sembra educata e allegra anche in situazioni difficili.
Il fidanzato di Maria si chiama Pablo: ha 32 anni, ed è brasiliano, di Rio. Pablo fa il cameriere a Roma in un ristorante in Via Condotti, vicino a Piazza di Spagna. È sempre molto simpatico con tutti; è alto e un po' grasso; ha la pelle scura, gli occhi neri e i capelli lunghi e ricci.

	Nazionalità	Fisico	Occhi	Capelli
Maria				
Pablo				

4. **Write the adjectives provided in the diagram. Be aware: some of the adjectives can be used to describe both appearance and personality!**

interessante - carino - robusto - chiaro - forte - tranquillo - nervoso
muscoloso - brutto - calvo - noioso - scuro - aperto

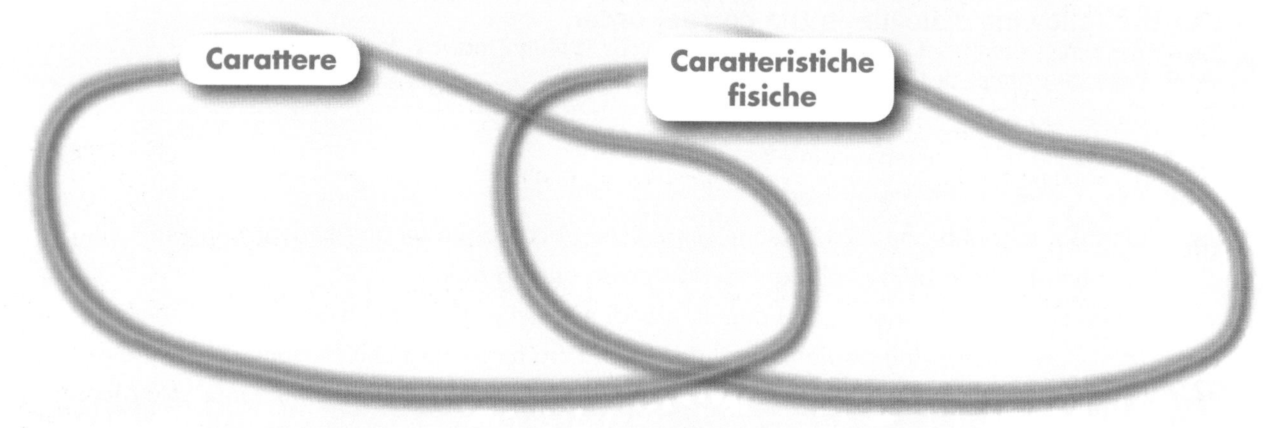

5. **Rewrite the text from exercise 3 (page 213), changing the adjectives that describe appearance and personality to ones that have the opposite meaning.**

Maria è ....
....
....
....
....
....
....
....

Grammatica

6. **Complete the dialogues with expressions from the list provided. Be aware: there are two more expressions than you need!**

a me è sembrato - mi sembrano - mi è sembrato - non mi è sembrato
invece - a me sì - neanche a me - a me no

A.
- Non mi piace visitare i musei. E a te?
- .... lo adoro la storia dell'arte!

B.
- Non mi piace andare in discoteca.
- ...., preferisco un locale più tranquillo.

C.
- Il film di ieri mi è sembrato molto interessante.
- Davvero? .... a me no. .... noioso.

D.
- Marco e Maria .... simpatici.
- Anche a me sembrano simpatici.

E.
- .... un test difficile.
- Neanche a me, è stato abbastanza semplice. Speriamo di prendere un buon voto.

7. **Complete the following sentences by adding indirect object pronouns.**

1. Signor Rossi, ... dispiace chiudere la porta, per favore?
2. Quello che gli altri dicono di Vito non .... interessa. Per me è sempre un caro amico.
3. Allora ragazzi, come .... è sembrata Roma? .... è piaciuta?
4. Professoressa, posso far.............. una domanda?
5. I miei amici cambiano casa e domani .... do una mano a traslocare.
6. Massimo devo chieder.............. un favore. .... servono 100 euro in prestito.
7. Elena, non abbiamo la macchina. .... presti la tua?
8. Non ho sentito Alberto e Stefania. Appena ho un minuto .... telefono.

8. **Rewrite the following sentences using direct or indirect object pronouns.**

1. Nadia è una ragazza molto intelligente e io voglio bene a Nadia. (1 pronome)

   ....

2. Se incontro Maria dico a Maria che cerchi Maria. (2 pronomi)

   ....

3. Ho visto Luigi e Franco e ho dato a Luigi e Franco l'invito per la mia festa. (1 pronome)

   ....

4. Sandro non mi ha ancora perdonato. Ogni volta che vedo Sandro vorrei parlare a Sandro per chiedere scusa a Sandro. (3 pronomi)

   ....

5. Da un po' non sento mia madre. Adesso scrivo un messaggio a mia madre e più tardi provo a chiamare mia madre al telefono. (2 pronomi)

   ....

6. È uscito l'ultimo film di Brad Pitt e oggi voglio assolutamente vedere il film! Ho telefonato anche a Marta e Mario per invitare Marta e Mario al cinema e ho detto a Marta e Mario di avvertire anche Franco. (3 pronomi)

   ....

   ....

Per concludere

9. **Find the mistakes and then write the sentences correctly.**

1. Buongiorno Dottore, io sono Marco Rossi. Piacere di conoscerti.

   ....

2. Non sopporto gli arroganti e mi piacciono neanche gli ipocriti.

   ....

3. Giulia è molto carina e simpatica e anche sua sorella è un po' antipatica.

   ....

4. I tuoi amici mi sembra persone interessanti.

   ....

5. Marcello prende le decisioni immediatamente. Insomma è un tipo maleducato.

   ....

6. Non mi piace molto parlare in chat, e a tu?

   ....

7. Ecco il numero di Mario, così puoi telefonarlo e invitarlo alla festa.

....

8. Valerio non va in discoteca perché non si piace ballare.

....

10. Put the words in order to make sentences.

1. Alberto / sembra / persona / mi / aperta / una / non / molto

....

2. Ho conosciuto / e / Mary / oggi / incontro / la / su Facebook

....

3. Come / di / Vito / è / carattere / ?

....

4. Caterina / con / chiari / la ragazza /è / gli / occhi

....

5. A / conoscere / Nino / persone / piace / sempre / nuove

....

6. Anna / ha / chiara / e la / i capelli / carnagione / biondi

....

7. Neanche / a / di Mario / il carattere / piace / me

....

8. Elena / allegro / tipo / socievole / è / e / un

....

11. Complete the text with the words and expressions provided.

corti - sembrano - timido - lo - piacevole - anche a me - tipo - mi
lo - scuri - a me - gli - corporatura - gli - gentile

Finalmente ho conosciuto Davide, un ....(1) interessante. Abbiamo parlato per un mese su una chat, e la settimana scorsa io ....(2) ho inviato una mia foto e lui ....(3) ha inviato la sua e alla fine abbiamo deciso di incontrarci. Davide non è molto alto, ha i capelli ....(4) e gli occhi ....(5) e ha una ....(6) robusta. Non è certamente un bellissimo ragazzo, ma ....(7) non interessano i ragazzi troppo belli perché spesso ....(8) di plastica... Davide invece ha un viso interessante e uno sguardo vivace e profondo e questo mi affascina molto. Davide ha un carattere ....(9) ed è un po' ....(10). Questo per me è stata una novità perché in chat ha sempre molte cose da dire. Ho scoperto che nel tempo libero ....(11) piace andare in bici e fare passeggiate, cioè le stesse cose che piacciono ....(12). Insomma, Davide è una persona ....(13), abbiamo gusti simili e ieri siamo stati bene insieme e vorrei continuare a sentir......................................(14) e a frequentar......................................(15) per conoscerlo un po' meglio.

12. Describe both the appearance and personality of one of your classmates or of one of your friends (100/150 words).

....
....
....
....
....
....

Pronuncia

13. Listen to the words and repeat them.

14. Listen to them again. Is the sound hard or soft?

	1	2	3	4	5	6	7	8	9	10
suono intenso / spesso	✓									
suono tenue / noioso		✓								

11	12	13	14	15	16	17	18	19	20

Parola chiave

15. Complete the diagram with words from the list provided. Feel free to add other words you know.

ho conosciuto un tipo - interessante - cose di questo tipo - un paese tipo l'Italia - intelligente
sei proprio il mio tipo - un tipo di persona - una persona tipo Maria - ti ha cercato un tipo - noioso
un problema di tipo grammaticale - un tipo di lavoro - sei proprio un bel tipo!

TIPO

sinonimo di *persona*
....
....
....

sinonimo di *genere*
....
....
....
....

aggettivi con *tipo*
....
....
....

espressioni
....
....

nella lingua parlata sinonimo di *come* per fare paragoni
....
....

Prendiamo il treno!

Funzioni

1. *Chi lo dice?* Who would say the following?

	viaggiatore	impiegato
1. Il biglietto di seconda classe costa 10 euro.		
2. Scusi, quand'è il prossimo treno per Milano Centrale?		
3. Deve cambiare a Bologna.		
4. Mi dispiace, ma le cuccette sono tutte prenotate.		
5. Da che binario parte questo treno?		
6. Devo arrivare a Firenze entro le 10.		

2. Choose the appropriate expression in each case.

1. Stasera vuoi invitare un amico al cinema. Dici...
   Facciamo il cinema?/Ti piace andare al cinema?/Che ne dici di andare al cinema?
2. Un/Una ragazzo/a che non conosci bene ti invita ad uscire, ma tu rifiuti. Dici...
   Assolutamente no./Mi dispiace ma non posso./D'accordo.
3. Ti hanno invitato a una festa per sabato sera e accetti. Dici...
   Non so, ci penso./Certo, volentieri!/Perché dovrei?
4. Vuoi sapere da dove parte il tuo treno. Dici...
   Da quale luogo parte?/Da che binario parte?/Da che posto parte?
5. Chiedi al controllore se il treno su cui viaggi è in ritardo. Dici...
   Portiamo ritardo?/Facciamo ritardo?/Arriviamo in ritardo?
6. Vuoi comprare un biglietto del treno per Milano. Dici...
   Mi vende un biglietto per Milano?/C'è un biglietto per Milano?/Un biglietto per Milano, per favore.

3. Complete the dialogue with expressions from the list. Then, answer the questions.

ti va di venire - d'accordo - non posso - che ne dici

Carla: Anna, mi aiuti a fare la valigia? Tra un'ora parte il mio treno e sono ancora qui.
Anna: Certo Carla. Ma dove vai?
Carla: Vado a Bologna, da mia cugina, per il fine settimana.
Anna: Ah, bene. Bologna è una città molto bella. Ci sono un sacco di cose da vedere.
Carla: Sì, è vero. Senti, ma (1)............................... con me?
Anna: Grazie, ma (2)............................... Devo assolutamente consegnare un lavoro lunedì mattina.
Carla: Ma dai! Devi lavorare anche il fine settimana?
Anna: Eh, purtroppo sì.
Carla: Però potresti lavorare oggi e domani e raggiungerci domenica mattina. (3)...............................?
Anna: Mmh... va bene, (4)............................... Questo forse posso farlo.
Magari ci sentiamo domani, ok? Senti, come vai alla stazione?
Carla: Prendo l'autobus.
Anna: L'autobus? Ma non sai che oggi c'è lo sciopero?
Carla: Oddio è vero! E adesso come faccio?
Anna: Stai tranquilla. Posso accompagnarti io.
Carla: Ti ringrazio, sei un tesoro. Sicura che non è un problema?
Anna: No, nessun problema. Ho la macchina qui sotto casa.

1. Perché Carla chiede aiuto ad Anna?

....

2. Cosa fa Carla il fine settimana?

....

3. Perché Anna deve lavorare il fine settimana?

....

4. Perché Carla non può prendere l'autobus?

....

5. Come va alla stazione Carla?

....

4. Make sentences as in the example.

1. Che ne dici
2. Ho ricevuto il tuo invito. Accetto
3. Non posso venire con voi al cinema,
4. Perché non
5. Vengo volentieri con voi,
6. Ti ringrazio per l'invito, ma

a. visitiamo la mostra invece di andare a fare spese?
b. mi dispiace.
c. con piacere.
d. non mi va molto di uscire stasera, sono stanco.
e. a che ora ci vediamo?
f. di andare a fare un giro questo fine settimana?

Vocabolario

5. Match each definition to the correct form of transport.

__ 1. Non consuma benzina e la uso quando voglio fare un po' di sport.
__ 2. È il mezzo più veloce ma non arriva nel centro delle città.
a. 3. Le persone molto ricche hanno quello privato.
__ 4. Viaggia per mare e può trasportare moltissime persone.
__ 5. Viaggia sottoterra. È un mezzo di trasporto urbano.

a. elicottero
b. aereo
c. bici
d. metropolitana
e. nave

6. Choose the correct option in each case.

1. Per andare al lavoro prendo la metro/vado nella metro/arrivo dalla metro.
2. Se ci sono troppe persone in autobus è meglio andare/scendere/prendere a piedi.
3. È vietato partire dal treno/arrivare dal treno/salire sul treno quando si sta muovendo.
4. Oggi è una bella giornata: vado la bici/scendo dalla bici/prendo la bici e vado a fare un giro.
5. I passeggeri salgono/scendono/partono sull'aereo 30 minuti prima del decollo.
6. Scusi, posso passare? Devo andare dalla/salire sulla/scendere alla prossima fermata.
7. Prima di salire, devi permettere agli altri passeggeri di scendere/arrivare/prendere dalla metro.

7. Which word or expression is the odd one out in each group?

1. mare - strada - treno - ferrovia
2. aeroporto - porto - stazione - autobus
3. orario - prezzo - anticipo - ritardo
4. tratta - percorso - tragitto - via
5. bigliettaio - viaggiatore - controllore - biglietto
6. Intercity - Eurostar - cuccetta - Diretto
7. biglietto - macchina - tram - pullman
8. cuccetta - binario - carrozza - posto a sedere

Grammatica

8. Choose the correct option in each case.

1. Viaggio da anni in treno e non ho avuto nessun/nessuno/niente episodio spiacevole.
2. Sei troppo esigente! Non ti va mai bene niente/nessuna/nessuni!
3. Nessuni/Nessuno/Nessun voleva partire con me e quindi sono partito da solo.
4. In nessun/niente/nessuno aereo è possibile fumare.
5. A nessuni/nessune/nessuno fa piacere arrivare in ritardo.
6. Non ho niente/nessun/nessuna intenzione di partire con il treno!

9. Rewrite the sentences using the imperfect tense.

1. Mi alzo la mattina presto e prendo l'autobus per andare a lavorare.
....
2. È una bella giornata: il sole splende e non fa troppo caldo.
....
3. Elisa ha un bellissimo gatto che si chiama Felix.
....
4. Passate tutta l'estate al mare o fate qualcosa di diverso?
....
5. Non capisco bene gli italiani quando parlano velocemente.
....
6. Devo studiare molto se voglio superare gli esami.
....
7. Francesca crede di cucinare bene, ma in realtà cucina malissimo.
....
8. Perché non vai mai alle feste? Non ti piacciono?
....

10. Complete the sentences with the perfect or imperfect tense of the verb in brackets.

1. Quando Silvano (uscire) ...., fuori (piovere) ....
2. L'idraulico (arrivare) .... mentre i signori Bianchi (cenare) ....
3. Ieri, mentre mia moglie (leggere) .... io (preparare) .... la cena.
4. Quando (io - telefonare) ...., Linda (dormire) ....
5. Da ragazzo (leggere) .... spesso libri d'avventura, da giovane (cominciare) .... a leggere romanzi più impegnati.
6. Quando Franco (avere) .... l'incidente, la strada (essere) .... bagnata.
7. Sabato io e Gabriella (vedere) .... un film che ci (piacere) .... molto.
8. Domenica scorsa (io - svegliarsi) .... alle 10, (fare) .... colazione e (andare) .... a fare un giro fuori. Quando (io - tornare) .... a casa, mia moglie (dormire) .... ancora e visto che a casa da solo mi annoiavo, (io - uscire) .... di nuovo.
9. Quando (essere) .... in Italia, di solito (bere) .... sempre il cappuccino dopo pranzo. Poi però mi (loro - dire) .... che il cappuccino si beve solo a colazione.
10. La festa (finire) .... tardi, dopo mezzanotte.

Per concludere

11. Find the mistakes and then write the sentences correctly.

1. Subito dopo che arrivavo alla stazione il treno è partito. ....
2. Roberto, che ti dici di andare a fare un giro questo fine settimana? ....
3. Attenzione, treno in arrivo. Andare via dalla linea gialla. ....
4. Quando siamo stati piccoli io e mio fratello giocavamo sempre insieme. ....
5. D'estate andavo sempre in campagna dai nonni e una volta andavamo al mare. ....
6. Ieri volevo studiare, ma poi ho uscito. ....
7. Non mi va uscire stasera, preferisco restare a casa. ....
8. Qualche volta vado a lavoro in autobus, qualche volta in piedi. ....
9. Quando parlava Francesco diciva sempre le stesse cose. ....
10. Oggi è una bella giornata ma ieri facava freddo. ....

12. Put the words in order to make sentences.

1. Ero / impegnato / ogni mattina / molto / frequentavo / perché / le lezioni
   ....
2. Quando / perché / in Italia / il treno / ero / comodo / era / prendevo
   ....
3. Scusi / parte / per / da che / binario / treno / il prossimo / Firenze?
   ....
4. Sono / autobus / affollato / dall' /scesa / era / perché / troppo
   ....
5. Ho / molte / italiane / che / città / conoscevo / visitato / prima non
   ....

13. Write about what you were doing last year with regard to your routine, work, study and free time (100/150 words).

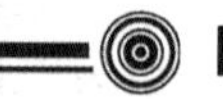

Pronuncia

40

14. Listen to the words and repeat them.

40

15. Listen to them again. Which sound are you hearing?

	1	2	3	4	5	6	7	8	9	10
piccola	✓									
bici		✓								

	11	12	13	14	15	16	17	18	19	20
piccola										
bici										

Parola chiave

16. Complete the diagram with words from the list provided. Feel free to add other words you know.

volentieri - con piacere - no, grazie - trovarsi d'accordo - per niente - essere d'accordo
andare d'accordo - va bene - andare d'amore e d'accordo - perfettamente - molto
restare d'accordo - mi dispiace, non posso - mettersi d'accordo

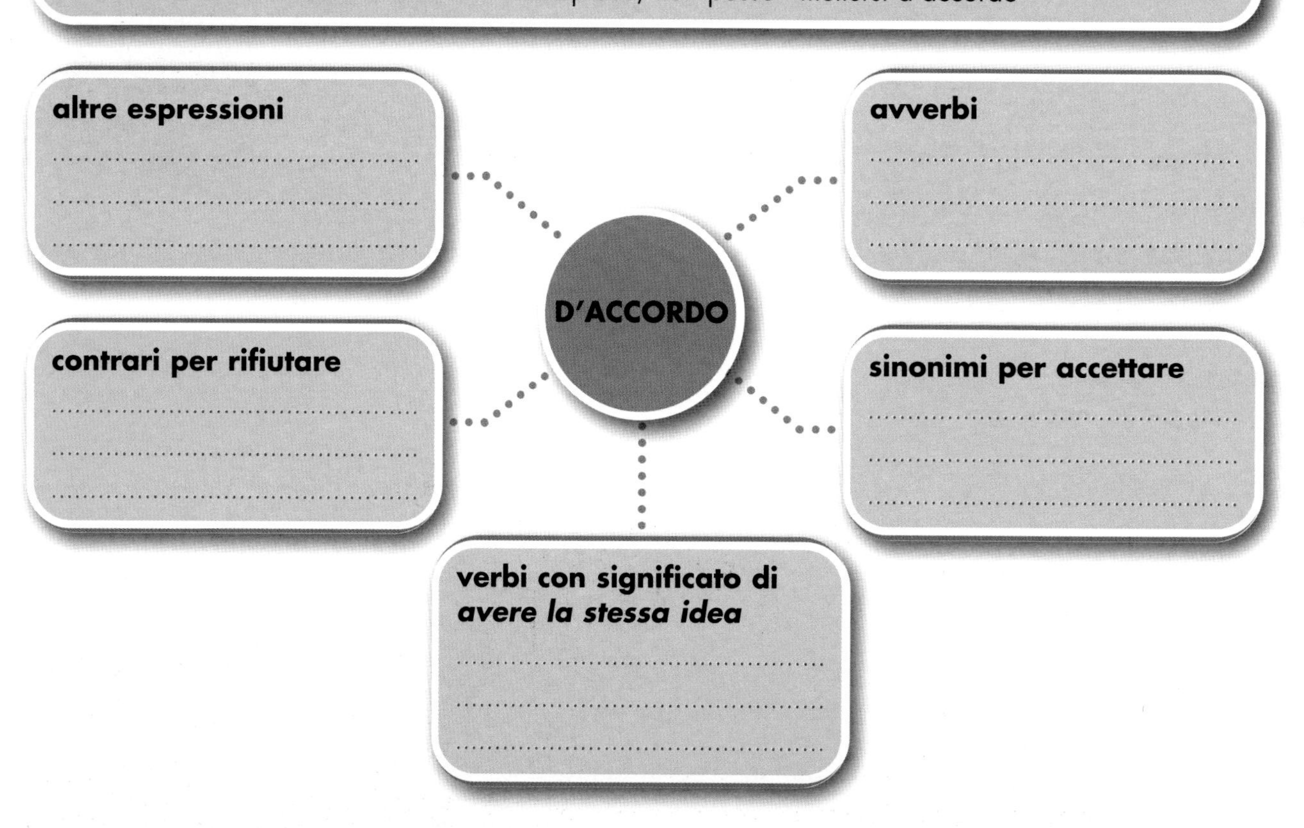

Ti vesti alla moda?

Funzioni

1. Complete the following conversation between a sales assistant and a customer.

- ....
  (saluti e chiedi il prezzo di due gonne in vetrina)
- Quella blu costa 90 euro, quella bianca 75.
- ....
  (per te sono care e chiedi uno sconto)
- Purtroppo non posso fare nessuno sconto.
- ....
  (chiedi di vedere il maglione rosso in vetrina)
- Sì, lo prendo subito. Ecco, Le piace?
- ....
  (rispondi e chiedi il prezzo)
- Questo viene 55 euro. Ma forse per Lei ci vuole la misura più grande.
- ....
  (rispondi che è un regalo e chiedi se eventualmente lo puoi cambiare)
- Certo, ma deve conservare lo scontrino.

2. Write at least one expression for each of the following.

1. Dire la taglia. ....
2. Chiedere un parere. ....
3. Descrivere come è vestita una persona. ....

Vocabolario

3. Match each word to its definition.

a. sciarpa	b. stivali	c. giacca	d. maglione	e. gonna
f. guanti	g. giubbotto	h. cappello	i. maglietta	l. cravatta

- ☐ 1. Lo indossi quando fa freddo, sopra una camicia.
- ☐ 2. Li indossi per coprire le mani.
- ☐ 3. La indossano le donne. Può essere lunga o corta.
- ☐ 4. La indossano gli uomini nelle occasioni più formali.
- ☐ 5. Lo indossi quando esci.
- ☐ 6. La indossi quando fa freddo, per coprire il collo.
- ☐ 7. La indossano generalmente gli uomini con una camicia e una cravatta.
- ☐ 8. La indossi da sola quando fa caldo o sotto una camicia.
- ☐ 9. Scarpe alte che arrivano fino al ginocchio.
- ☐ 10. Lo metti in testa. Può essere sportivo o elegante.

4. **Complete the conversation between the sales assistant in a clothing store and a customer with words from the list provided.**

vanno - un paio - scontrino - numero - secondo me - vengono
largo di spalle - porta - cambiare - taglia

- Buongiorno, posso esserLe utile?
- Sì, grazie. Vorrei vedere gli stivali neri che sono in vetrina.
- Che (1)........................... ha?
- Io porto il 40.
- Bene, aspetti un momento.... Ecco, provi questi.
- Mh (2)........................... sono un po' stretti. Forse è meglio il 41.
- Un momento... Mi dispiace, ma gli stivali 41 sono soltanto marroni.
- Va bene, li provo lo stesso.
  (*Dopo un po'*)
- Come (3)...........................?
- Bene, questi sono perfetti. Li prendo.
- Bene. Desidera altro?
- Sì, vorrei provare quel maglione di lana blu.
- Che (4)........................... porta?
- Sono una 42.
- Ecco, il camerino è lì.
  (*Dopo la prova*)
- Allora, come va?
- Non so... il colore è molto bello... ma veramente mi sembra un po' (5)...........................
- No, signora... Se vuole prendo la taglia 40, ma questo modello si porta un po' largo.
- Va bene, allora prendo questo. Senta, poi vorrei (6)........................... di jeans per mio marito. (7)........................... una 52.
- Ecco signora, abbiamo questi. Sono di ottima qualità.
- Va bene, li prendo. Quanto pago in tutto?
- Allora, gli stivali (8)........................... 120 euro, il maglione 65 e i jeans 80... in tutto sono 265 euro.
- Mi fa un piccolo sconto, per favore?
- Guardi, possiamo fare 250. Va bene?
- La ringrazio. Senta, posso (9)........................... i jeans se non vanno bene?
- Certo signora, però deve conservare lo (10)...........................

5. **Match each piece of text to a picture.**

A. Gianni è un uomo d'affari che considera l'abbigliamento molto importante. Veste sempre in maniera elegante e classica. Generalmente indossa abiti blu e porta sempre la cravatta.

B. Luigi è un ragazzo che veste in maniera sportiva. Porta sempre i jeans a vita bassa e le scarpe da ginnastica. Oggi indossa una camicia di colore bianco sporco a tinta unita.

C. Luisa è una ragazza che veste in maniera ricercata ma non elegante. In genere porta gonne lunghe a fantasia e spesso indossa cappelli estrosi.

D. Monica fa la modella per Dolce e Gabbana. Oggi per la sfilata indossa un abito nero lungo e scarpe con il tacco alto.

1. .... 2. .... 3. .... 4. ....

6. Which word or expression is the odd one out?

1.	camicia	gonna	pantaloni	pelletteria
2.	sciarpa	calze	marrone	maglione
3.	stretto	elegante	sportivo	classico
4.	bracciale	giubbotto	orologio	orecchini
5.	pelle	cotone	taglia	lino
6.	collana	gioielleria	cartoleria	negozio di abbigliamento
7.	lunghi	larghi	pantaloni	stretti
8.	a righe	a quadri	di lana	a fantasia

Grammatica

7. Complete the following with the correct forms of *questo* and *quello* and, in each case, decide whether they are acting as pronouns or adjectives.

questo - quegli - quei - quelli - quella - quello - quelle - queste - quei

	pronome	aggettivo
1. Posso vedere .... giacca blu?	☐	☐
2. Stefano, ti piace .... vestito o preferisci	☐	☐
.... che abbiamo visto ieri al negozio?	☐	☐
3. Signora, se vuole può dare un'occhiata a .... maglioni nello scaffale in fondo a destra.	☐	☐
4. Quanto vengono .... stivali di pelle?	☐	☐
5. Vorrei provare .... scarpe qui marroni.	☐	☐
E anche .... nere dello stesso modello.	☐	☐
6. Carlo, fai vedere .... pantaloni grigi al signore.	☐	☐
E porta anche .... marroni.		

8. Complete the sentences using the second person singular of the direct (informal) imperative of the verbs in brackets.

1. (Lavare) .... i maglioni a ogni cambio di stagione.
2. (Mettere) .... in ordine i vestiti.
3. (Fare) .... attenzione al prezzo di quello che compri.
4. (Scegliere) .... vestiti di buona qualità anche se costano di più.
5. (Dire) .... la tua opinione sulla moda italiana.
6. (Andare) .... a comprare il regolo per Giorgio!
7. (Pulire) .... le scarpe prima di entrare.
8. (Uscire) .... subito dalla mia stanza!
9. Prima di comprare qualcosa di costoso, (pensare) .... se ti serve veramente.

9. **Complete the sentences using the second person singular of the direct (informal) imperative and an appropriate pronoun.**

1. Prima di comprare il maglione, (provare il maglione) ....
2. Se hai dubbi, (telefonare a me) .... pure.
3. Se non sai cosa regalare a Maria, (regalare a Maria) .... dei fiori.
4. (Vestirsi) .... bene almeno per la cena di stasera!
5. (Mettersi) .... il maglione di lana, oggi fa freddo.

10. **Write sentences with the opposite meaning by using the negative imperative.**

1. Dimmi quello che pensi! ....
2. Prendi la mia macchina! ....
3. Regalami un gioiello! ....
4. Mettiti il vestito elegante! ....
5. Va' a fare spese! ....
6. Togliti il giubbotto! ....

Per concludere

11. **Put the words in order to make sentences.**

1. Non / camicia / sporca / perché / quella / mettere / è

....

2. È / falle / regalo / di Elisa / il compleanno / un bel

....

3. Quell' / che ho visto / costa / in gioielleria / orologio / 250 euro

....

4. Non / ha dei / negozio / niente / in quel / altissimi / comprare / prezzi

....

5. Fammi / la cravatta / hai comprato / neri / vedere / e i pantaloni / che

....

12. **Find the mistakes and then write the sentences correctly.**

1. Marco oggi si veste una giacca blu. ....
2. Mi piacciono molto quelli pantaloni grigi. ....
3. Mi porto la taglia 42. ....
4. Mi dà uno sconto, per favore? ....
5. Mi di' la verità! ....
6. Anna, decida tu dove andare stasera. ....

13. **Is it important to dress well or is it totally unimportant? Give your views (100/150 words).**

....
....
....
....
....
....

Pronuncia

14. Listen to the words and repeat them.

15. Listen to them again. Which sound are you hearing?

	1	2	3	4	5	6	7	8	9	10	11	12
quanti	✓											
questo		✓										
quindi												

Parola chiave

16. Complete the diagram with words from the list provided. Feel free to add other words you know.

male - in maniera elegante - mettersi - svestirsi - un signore - spogliarsi - in modo sportivo - rosso togliersi i vestiti - con gusto - bianco - portare - in fretta - lana - festa - lutto - un damerino

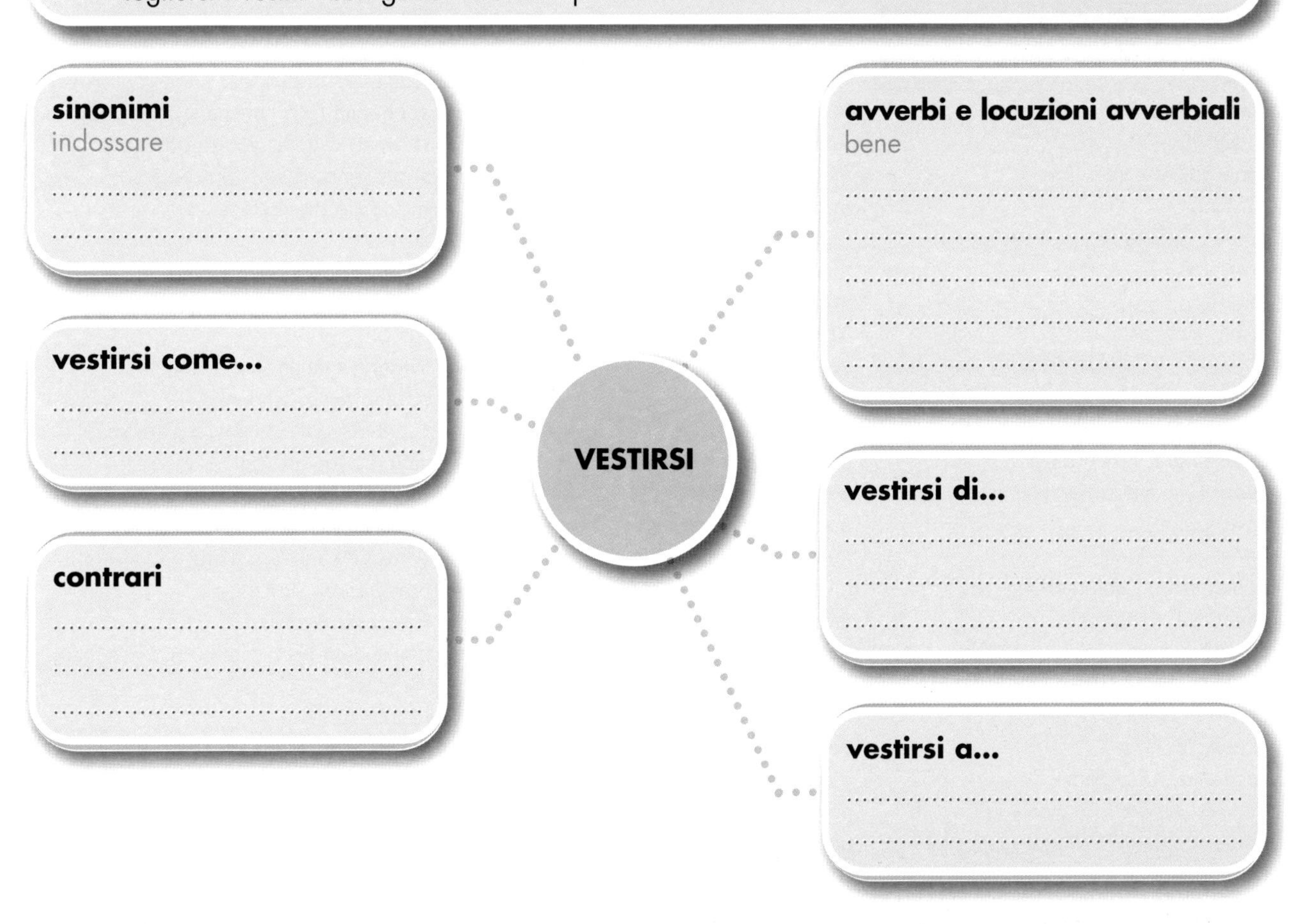

Glossary

The vocabulary is grouped by unit. It is listed alphabetically and is further divided according to the book and section it appears in. Whenever the stress does not fall on the penultimate syllable, and in cases where doubt may occur, the stressed vowel has been underlined (for example: *dialogo, farmacia*).

Abbreviations

avv.	avverbio	adverb
f.	femminile	feminine
m.	maschile	masculine
sg.	singolare	singular
pl.	plurale	plural
inf.	infinito	infinitive
p.p.	participio passato	past participle

Unità 1

Ciao, io sono Anna. E tu?

STUDENT'S BOOK

ciao: hello
e: and
sono (*inf.* essere): I'm
tu: you

Entriamo in tema

entriamo (*inf.* entrare): Let's enter, we enter
tema, *il*: topic

Comunichiamo

americano/a: American
anno: year
argentino/a: Argentinian
avete (*inf.* avere): do you have?, you have (plural)
bene (*avv.*): well
Buongiorno: Good morning
canadese: Canadian
chiedere: to ask
città, *la* (*pl.* le città): city
classe di italiano: Italian class
classe, *la*: class
cognome, *il*: surname
Come si scrive?: How do you spell it?
Come ti chiami?: What's your name?
come (*avv.*): how
comunichiamo (*inf.* comunicare): Let's communicate, we communicate
corso: course
Di dov'è?: Where are you (formal) from?
Di dove sei?: Where are you from?
dire: to say
dove (*avv.*): where
è (*inf.* essere): is
esempio, *l'* (*pl.* gli esempi): example
età, *l'*: age
ha (*inf.* avere): has
ho (*inf.* avere): I have
Ho ... anni.: I am ... years old.
in maniera formale: in a formal manner
in maniera informale: in an informal manner
informazioni, *le* (*sg.* l'informazione): information
inglese: English
insegnante, *l'* (*m./f.*): teacher
italiano/a: Italian
Lei come si chiama?: What is your (formal) name?
Lei: you (formal)
libro: book
Londra: London
maniera: manner
mi chiamo (*inf.* chiamarsi): my name is
mi presento (*inf.* presentarsi): Let me introduce myself
nazionalità, *la* (*pl.* le nazionalità): nationality
nome, *il*: name
per favore: please
piacere: pleased to meet you
professore, *il*: teacher
puoi (*inf.* potere): can you?, you can (singular)
puoi ripetere?: Can you repeat?
Qual è il cognome di...?: What is ...'s surname?
qual(e): which, what
Quanti anni ha...?: How old is ...?
quanto/a/i/e: how much / how many
quindici: fifteen
ragazzo/a: boy / girl, guy
Roma: Rome
salutare: to greet
Salve!: Hi!
sei (*inf.* essere): are you ?, you are (singular)
si chiama (*inf.* chiamarsi): are you (formal) called?, you (formal) are called
si presentano (*inf.* presentarsi): introduce themselves
sì: yes
siamo (*inf.* essere): we are
siete (*inf.* essere): are you ?, you are (plural)
signora: madam, Mrs
studente, *lo*: student
ti chiami (*inf.* chiamarsi): are you called?, you are called
tuo/a: your (singular)
tutto/a: all

Impariamo le parole - Nazionalità

brasiliano/a: Brazilian
francese: French
impariamo (*inf.* imparare): Let's learn, we learn
irlandese: Irish
parola: word
tedesco/a: German

Facciamo grammatica

abbiamo (*inf.* avere): we have
Australia: Australia
australiano/a: Australian
avere fame: to be hungry
avere: to have
Berlino: Berlin
costoso/a: expensive
Dublino: Dublin
essere: to be
facciamo (*inf.* fare): Let's do, we do, we make
fame, *la*: hunger

fidanzato/a: engaged
Francia: France
Germania: Germany
grammatica: grammar
hanno (*inf.* avere): they have
in più: extra
Italia: Italy
lei: she
loro: they
lui: he
Marocco: Morocco
mio/a: my
moglie, *la* (*pl.* le mogli): wife
noi: we
non: not
orologio, *l'* (*pl.* gli orologi): watch, clock
Parigi: Paris
penna: pen
per me: for me
Portogallo: Portugal
pronomi: pronouns
Spagna: Spain
spagnolo/a: Spanish
sposato/a: married
tunisino/a: Tunisian
un/una: a, an
venti: twenty
voi: you (plural)

Comunichiamo

accanto a (*avv.*): next to
anche: also
certo: certainly, of course
che: that
chiede (*inf.* chiedere): asks
chiedi (*inf.* chiedere): ask
Come si dice in italiano?: How do you say it in Italian?
dice (*inf.* dire): says
giusto/a: that's right
grazie: thanks
guarda (*inf.* guardare): look
lì (*avv.*): there
ma: but
matita: pencil
mi dispiace: I'm sorry
no: no
scusa (*inf.* scusare): sorry
su: on
tavolo: table

Impariamo le parole

Oggetti della classe

oggetto: object

Comunichiamo

come si dice?: how do you say?

Facciamo grammatica

femminile: feminine
maschile: masculine
plurale, *il*: plural
sedia: chair
singolare, *il*: singular

Comunichiamo

a casa: at home
abita (*inf.* abitare): lives
adattato/a: adapted
allegare: to attach
alto/a: high
altro/a: other
banca: bank
bonifico: bank transfer
c/c n. (conto corrente): account no. (current account)
cellulare, *il*: mobile phone
centro: centre
certificato di studio: qualification certificate
certificato: certificate
cod. (codice), *il*: number, code
copia autentica: certified copy
copia: copy
cultura: culture
da: from
data: date
e-mail, *l'* (*f.*): e-mail
essere rimborsato/a: to be refunded
falso: false
Firenze: Florence
firma: signature
giorno: day
in via...: in ... road, street
indirizzo: address
iscrizione, *l'* (*f.*): registration, enrolment
lingua: language
lingue conosciute, *le*: languages spoken
medio avanzato: upper-intermediate
medio: intermediate
mese, *il*: month
motivo: reason
nato/a a: born in
nessuno/a: no, none, any, no one
numero: number
pagamento: payment
per nessun motivo: under any circumstances
possono (*inf.* potere): (they) can
professione, *la*: profession
propedeutico: beginner, elementary
Qual è il tuo indirizzo?: What's your address?
Qual è il tuo numero di telefono?: What's your telephone number?
questo/a: this
quota di iscrizione: tuition fee
quota: fee
sito web: website
superiore: advanced
tassa: tax
telefono fisso: landline
titolo di studio: qualification(s)
ufficio informazioni, *l'*: Tourist Information Office
vero: true
via: road, street

Conosciamo gli italiani

abbastanza (*avv.*): quite
America del Nord: North America
America Latina: Latin America
arte, *l'* (*f.*): art
Asia: Asia
attualmente (*avv.*): currently
basso/a: low
cioè: in other words, namely
classico/a: classical, traditional
cucina: cuisine
debole: weak
famiglia: family
forte: strong
generale: general
generalmente (*avv.*): generally
grande: large, big
importante: important
infatti: indeed, in fact
interesse, *l'* (*m.*): interest
la maggior parte: the majority
laurea in Lettere: humanities degree
laurea in Lingue: language degree
lavoro: work
letteratura: literature
libero/a: free
madrelingua: native speaker
moderno/a: modern
molto/a/i/e: much / many
motivazione, *la*: motivation
musica: music
musicale: musical
nel mondo: around the world, in the world
Nord, *il*: the North
o: or
orientale: eastern
origine, *l'* (*f.*): origin
paese, *il*: country
paesi orientali, *i*: eastern countries
parliamo (*inf.* parlare): let's speak, we speak
parte, *la*: part
partner, *il/la*: partner
per: for
percentuale, *la*: percentage
personale: personal
più: more
primo/a: first
quasi (*avv.*): almost
ragione, *la*: reason
regione, *la*: area, region

scelta: choice
secondo/a: second
soltanto (*avv.*): only
storia: history
straniero/a: foreign
studia (*inf.* studiare): studies
studiano (*inf.* studiare): (they) study
studiare: to study
studio, *lo*: study
tempo libero: free time
tempo: time
terzo/a: third
ultimo/a: last
un po' (*avv.*): a little
università, *l'* (*pl.* le università): university

Si dice così!

Che vuol dire "..."?: What does "..." mean?
così: like this
inoltre: in addition, furthermore, plus
non ho capito (*inf.* capire): I haven't understood, I didn't understand

Sintesi grammaticale

aggettivo: adjective
alfabeto: alphabet
chiamarsi: to be called
genere, *il*: gender
negazione, *la*: negative
numero: number
sintesi grammaticale, *la*: grammar summary
sostantivo: noun
verbo: verb
zero: zero

WORKBOOK

esercizio: exercise

Funzioni

a dopo: see you later
Arrivederci: Goodbye
Buonasera: Good evening
Di che nazionalità sei?: What nationality are you?
formale: formal
funzione, *la*: function
informale: informal
Madrid: Madrid
Milano: Milan
Napoli: Naples
rapporto: relationship
Signor: Mr

Vocabolario

allegro/a: happy, cheerful
avere sete: to be thirsty
avere sonno: to be sleepy
Bolivia: Bolivia
Brasile, *il*: Brazil
Canada, *il*: Canada
Chi sono?: Who are they?
chi: who
Corea: Korea
Cuba: Cuba
cubano/a: Cuban
finlandese: Finnish
Finlandia: Finland
Giappone, *il*: Japan
Irlanda: Ireland
marocchino/a: Moroccan
Messico: Mexico
Norvegia: Norway
russo/a: Russian
sete, *la*: thirst
sonno: sleep
stanco/a: tired
triste: sad
vocabolario, *il*: vocabulary

Grammatica

amico/a: friend
finestra: window
foglio: sheet
porta: door
studentessa: student (female)
zaino, *lo*: rucksack

Per concludere

concludere: to conclude, to finish

Pronuncia

pronuncia, *la*: pronunciation

Parola chiave

Come si pronuncia?: How is it pronounced?
Come stai?: How are you? (singular)
con: with
cosa?: what?
domande: questions
interrogativo: question
parola chiave, *la*: key word
principale: main

Scheda di autovaluzione 1

autovalutazione, *l'* (*f.*): self-evaluation
avverbio: adverb
hai letto (*inf.* leggere): did you read?, have you read?, you read, you have read (singular)
isola: island
scheda: form

Unità 2

Lavori o studi?

STUDENT'S BOOK

con: with
lavori (*inf.* lavorare): do you work?, you work
studi (*inf.* studiare): do you study?, you study

Entriamo in tema

Che lavoro fai?: What job do you do?
compagno/a: classmate
descrivere: to describe
interessante: interesting
pensa (*inf.* pensare): think
prova (*inf.* provare): try
prova a descriverli: try to describe them
Qual è un lavoro interessante?: What is an interesting job?
se: if

Comunichiamo

a cinque minuti da qui: five minutes from here
a piedi: on foot
a presto: see you soon
abiti (*inf.* abitare): do you live?, you live (singular)
abito (*inf.* abitare): I live
adesso (*avv.*): now
agenzia di viaggi: travel agency
allora: then
anch'io: me too
anche a te: to you too
andate (*inf.* andare): are you going?, you are going (plural)
apre (*inf.* aprire): opens
Buona giornata: Have a good day
caffè, *il* (*pl.* i caffè): coffee
cassiera, *la* (*m.* il cassiere): cashier
commesso/a, *il/la*: salesperson
Cosa fai? (*inf.* fare): What do you do? (singular)
Da quanto tempo sei in Italia?: How long have you (singular) been in Italy?
facciamo un'altra volta?: Shall we make it another time?
faccio (*inf.* fare): I do, I am (+ job title)
(andare) in giro: (to go) for a wander
insieme (*avv.*): together
lavora (*inf.* lavorare): works
lavorare: to work
lavoro (*inf.* lavorare): I work
libreria: book shop
mesi, *i* (*sg.* il mese): months
mi dispiace: I'm sorry
minuto: minute
monastero: monastery
negozio, *il* (*pl.* i negozi): shop
Nizza: Nice
Olanda: Holland
parla (*inf.* parlare): speaks
part time: part-time
piccolo/a: small
poi (*avv.*): then
prendere un caffè: to get a coffee
prendiamo (*inf.* prendere): shall we get?, we get, we take
qui vicino: near here
quindi: therefore, so

senti (*inf.* sentire): listen
sto (*inf.* stare): I am
studia (*inf.* studiare): studies
studio (*inf.* studiare): I study
tra dieci minuti: in ten minutes time
va bene: fine, o.k.
vado (*inf.* andare): I go
vai (*inf.* andare): you go (singular)
viene da (*inf.* venire): he / she comes from
volta: time

Impariamo le parole - Professioni

autista, *l'* (*m./f.*): driver
autobus, *l'* (*pl.* gli autobus): bus
banche, *le* (*sg.* la banca): banks
bar, *il* (*pl.* i bar): café
cameriere, *il* (*f.* la cameriera): waiter
caserma: police station, barracks
fa (*inf.* fare): is (+ job title), does
farmacia, *la* (*pl.* le farmacie): pharmacy, chemist's shop
farmacista, *il/la*: pharmacist
impiegato/a: employee, clerk
medico: doctor
modo: way
ospedale, *l'* (*m.*): hospital
poste, *le* (*sg.* la posta): post offices
postino: postman
ristorante, *il*: restaurant
scuola: school
segretaria: secretary
strada: street
taxi, *il* (*pl.* i taxi): taxi
uffici privati, *gli* (*sg.* l'ufficio privato): offices (private)
uffici pubblici, *gli* (*sg.* l'ufficio pubblico): offices (public)
ufficio postale: post office
vigile, *il*: police officer

Facciamo grammatica

abitare: to live
andare: to go
aprire: to open
calcio: football
cenare: to have dinner
chiudere: to close
collega, *il/la* (*pl.* i colleghi / le colleghe): colleague
correre: to run
di un'ora: of an hour
discutere: to argue
fare: to do, to make
fine settimana, *il*: weekend
generalmente (*avv.*): generally
giocare a calcio: to play football
giocare: to play (a game)
in centro: in the centre
in televisione: on television
intenso/a: intense
invece: on the other hand
Juve, *la*: Juventus
lezioni, *le* (*sg.* la lezione): lessons
mezzo: half
miei: my (plural)
Milan, *il*: AC Milan
nel tempo libero: in (our) free time
partire: to leave, to depart
partita: match
passare: to spend
pausa: break
perché: because
prendere: to take, to get
serata: evening
spesso (*avv.*): often
stare: to be, to stay, to remain
studiare: to study
suo/a: his / her
suoi: his /her (plural)
tifare per: to support
un po' (*avv.*): a little
vedere: to see, to watch
vivere: to live

Entriamo in tema

che cosa: what
devi (*inf.* dovere): do you have to?, you have to (singular)
difficile: hard, difficult
esami, *gli* (*sg.* l'esame): exams
facile: easy
frequenti (*inf.* frequentare): do you attend?, you attend
fuori (*avv.*): outside
materie, *le* (*sg.* la materia): subjects

Comunichiamo

a scelta fra: chosen from the following
agenzia pubblicitaria: advertising agency
alto/a: high
ambito: field, setting
ancora (*avv.*): still
arabo/a: Arabic
bello/a: beautiful, attractive
capelli lunghi: long hair
capelli, *i*: hair
carino/a: pretty
Cina: China
Come va?: How's it going?
corto/a: short
cosa?: what?
crediti formativi universitari (cfu), *i*: (university) credits
davvero (*avv.*): really, truly
Diritto: Law
duro/a: hard
Economia: Economics
esattamente (*avv.*): exactly
esclusivamente (*avv.*): exclusively
europeo/a: European
fotografo: photographer
fra: between, among
frequentare: to attend, to take (course)
imprenditoriale: business
Informatica: Information Technology
insegnamento: teaching
laboratorio: workshop, laboratory
laurea: degree
Linguistica: Linguistics
lungo/a (*pl.* lunghi/lunghe): long
matematica: mathematics
medicina: medicine
non c'è male: not too bad
politico/a: political
pubblicitario/a: advertising, publicity
qualche volta: sometimes
scrittura: writing, composition
secondo te: In your opinion
Semiotica: Semiotics
soprattutto: especially, above all
statistica: statistics
Storia: History
ti interesserebbe... (*inf.* interessare): Would it interest you ...
ti presento (*inf.* presentare): this is, let me introduce ... to you
totale: total
traduzione, *la*: translation
turistico/a: of tourism, tourist
ultimo/a: last
Unione Europea, *l'* (*f.*): European Union
vero?: isn't she?

Impariamo le parole
Aggettivi qualificativi

aggettivo qualificativo: qualifying adjective
brutto/a: ugly
caldo/a: hot
freddo/a: cold
lento/a: slow
pieno/a: full
vecchio/a: old
veloce: quick
vuoto/a: empty

Facciamo grammatica

adatto/a: suitable, correct
albergo, *l'* (*pl.* gli alberghi): hotel
articolo: article
attenzione, *l'* (*f.*): Be aware, careful
lontano/a: far, distant
macchina: car
mattina: morning
ogni: each
palestra: gym
piazza: piazza, square
pizza: pizza
pizzeria: pizza restaurant
pranzo: lunch
stadio, *lo* (*pl.* gli stadi): stadium
subito (*avv.*): immediately, straight away

teatro: theatre
torno (*inf.* tornare): I return
Toscana: Tuscany
vengo (*inf.* venire): I come
venire: to come
vestito: suit, outfit, dress
vicino/a: near, nearby
vino: wine
vuole (*inf.* volere): wants, is followed by
yogurt, *lo* (*pl.* gli yogurt): yoghurt

Conosciamo gli italiani

a tempo determinato: temporary
a tempo parziale: part time
agricoltura: agriculture
andare in pensione: to retire
cambiare: to change
c'è (*inf.* esserci): is there?, there is
CGIL (Confederazione Generale Italiana del Lavoro): General Confederation of Italian Workers
ci sono (*inf.* esserci): there are
cioè: in other words
circa (*avv.*): about, approximately
CISL (Confederazione Italiana Sindacato Lavoratori): Italian Confederation of Trade Unions
come: as
comune: common
difendono (*inf.* difendere): (they) defend
disoccupazione, *la*: unemployment
dopo: after
esistono (*inf.* esistere): exist
finiscono (*inf.* finire): they finish, they end
forte: strong, big
frequente: frequent
frequentemente (*avv.*): frequently
importanza: importance
in media: on average
interessi, *gli* (*sg.* l'interesse): interests
lavoratore, *il*: worker
lavoro fisso: permanent job
maggiore: most, highest
massimo/a: maximum
mentre: whilst
mondo: world
necessario/a: necessary
negli ultimi anni: in recent years
Nord, *il*: North
normale: normal
occupazione, *l'* (*f.*): employment
ora: hour
organizzano (*inf.* organizzare): they organise
pensione, *la*: pension
percentuale, *la*: percentage
periodo di tempo: period of time
persona: person
più: more, most
poco/a (*pl.* pochi/poche): few
possibile: possible
protesta: protest
quando: when
quando necessario: when necessary
regione, *la*: region
sciopero, *lo*: strike
servizi, *i* (*sg.* il servizio): services
settimana: week
settore terziario: tertiary sector, service sector
settore, *il*: sector
Sicilia: Sicily
sindacato: union
stato, *lo*: country
Sud, *il*: South
superiore: greater, exceeding
svantaggi, *gli* (*sg.* lo svantaggio): disadvantages
tra: between
UIL (Unione Italiana del Lavoro): Union of Italian Workers
vantaggi, *i* (*sg.* il vantaggio): advantages

Sintesi grammaticale

articolo determinativo: definite article
bere: to drink
dare: to give, to indicate
preposizione, *la*: preposition

WORKBOOK

Funzioni

architettura: architecture
buono/a: good
conosce (*inf.* conoscere): he/she knows
giornale, *il*: newspaper
giornalista, *il/la* (*pl.* i giornalisti / le giornaliste): journalist
in vacanza: on holiday
locale: local
rispondi (*inf.* rispondere): answer
storia dell'arte: history of art
vacanza: holiday

Vocabolario

abbigliamento: clothing
automobili, *le* (*sg.* l'automobile): cars
bevande, *le* (*sg.* la bevanda): drinks
cibi, *i* (*sg.* il cibo): food
cliente, *il/la*: customers
cucina (*inf.* cucinare): he / she cooks
ditta: company
insegna (*inf.* insegnare): he / she teaches
mostra (*inf.* mostrare): he / she shows
negozio di abbigliamento: clothing store
officina: garage
piatti, *i* (*sg.* il piatto): dishes
ponte, *il*: bridge
porta (*inf.* portare): he / she carries
progetta (*inf.* progettare): he / she designs
ripara (*inf.* riparare): he / she repairs
seduto/a: sat
vende (*inf.* vendere): he / she sells
vestiti, *i* (*sg.* il vestito): clothing, outfits

Grammatica

a pranzo: with lunch
albero: tree
campagna: countryside
compiti, *i* (*sg.* il compito): homework
da due anni: for two years
doccia: shower
fare un giro in bicicletta: to go for a bike ride
festa: party
film, *il* (*pl.* i film): film, movie
fuori casa: out, out of the house
in bicicletta: by bike
motivato/a: motivated
periodo: period
stasera (*avv.*): this evening
vado in giro (*inf.* andare): I am going out and about
visitare: to visit

Per concludere

Facoltà di Medicina, *la*: (Faculty / School of) Medicine

Pronuncia

righe, *la* (*sg.* la riga): lines

Parola chiave

contrari, *i* (*sg.* il contrario): opposites
esprimere: to express
letto: bed
ritornare: to return
secondario/a: secondary
significato: meaning

Test 1

agenda: diary
capire: to understand
elegante: elegant
in genere (*avv.*): generally, usually
Inghilterra: England
mangiare: to eat
portoghese, *il*: Portuguese
punteggio: points, score
sera: evening
Stati Uniti, *gli*: United States
test, *il* (*pl.* i test): test

Unità 3

Una bottiglia d'acqua, per favore.

STUDENT'S BOOK

bottiglia: bottle
per favore: please

Entriamo in tema

macchinetta: machine
preferisci (*inf.* preferire): do you prefer?, you prefer (singular)
tipi di caffè, *i*: types of coffee

Comunichiamo

al banco: at the counter
buona idea: good idea
cappuccino: cappuccino
cappuccio: cappuccino
colazione, *la*: breakfast
considera (*inf.* considerare): take ... into consideration
consumano (*inf.* consumare): (they) consume, (they) eat and drink
consumazione, *la*: consumption, eating and drinking
cornetto: croissant
Cosa prende da bere? (*inf.* prendere): What drink does he / she order?
Cosa prende da mangiare? (*inf.* prendere): What food does he / she order?
costa (*inf.* costare): (it) costs
crema: custard cream
dare la mancia: to tip
di più: more
ecco a Lei: here you are (formal)
esatto: exactly, correct
euro, *l'* (*pl.* gli euro): Euro
fare colazione: to have breakfast
latte, *il*: milk
(caffè) macchiato: espresso (coffee) with a splash of milk
marmellata: jam
mi piace: I like
(caffè) normale: espresso (coffee)
obbligatoriamente (*avv.*): compulsorily
paga (*inf.* pagare): (he / she) pays
pago (*inf.* pagare): I'll pay, I pay
porto (*inf.* portare): I'll bring, I bring
possiamo sederci: can we sit?, we can sit
preferisco (*inf.* preferire): I prefer
Quant'è?: What does it come to?
resto: change
riceve (*inf.* ricevere): (he / she) receives
scontrino, *lo*: receipt
servizio al tavolo: table service
sfoglia: sfoglia
specialmente (*avv.*): especially
spendono (*inf.* spendere): (they) spend
veramente (*avv.*): really

Impariamo le parole

Cibi e bevande al bar

birra alla spina, *la*: draft beer
cannolo di sfoglia, *il*: puff pastry cannolo
cono gelato, *il*: ice cream cone
cosa, *la*: thing
lattina: can
(non) mi piacciono: I (don't) like (+ item in the plural)
(non) mi piace: I (don't) like (+ item in the singular)
panino: roll
patatine, *le*: crisps
succo di frutta, *il*: fruit juice
tramezzino: sandwich

Comunichiamo

acqua frizzante: fizzy / sparkling water
acqua naturale: still water
aggiunta di panna: whipped cream topping
al burro: butter
al cioccolato: chocolate
all'arancia: orange (flavour)
alla pera: pear (flavour)
(vino) bianco: white (wine)
bibita: beverage, drink
bibite analcoliche, *le*: soft drinks
(birra) bionda: lager
birre estere, *le*: foreign beers
biscotti: biscuits
caffè corretto: liqueur coffee
caffè d'orzo: barley coffee
caffetteria: hot drinks
coca cola liscia: coke without ice
con ghiaccio: with ice
con lo zucchero: with sugar
cono: cone
contrade, *le* (*sg.* la contrada): city quarters
coppetta: cup, tub
funghi, *i* (*sg.* il fungo): mushrooms
gelato: ice cream
in bottiglia: bottled
in lattina: canned, in a can
lambrusco: Lambrusco
latte macchiato: latte
maionese, *la*: mayonnaise
(pizza) margherita: tomato and mozzarella (pizza)
medio/a: medium
mozzarella: mozzarella
ordinare: to order
ordinazione, *l'* (*f.*): order
panna: whipped cream
pizzette, *le*: small pizzas
pomodoro: tomato
preferenza: preference
prezzo: price
prosciutto: ham
prosecco: Prosecco
(vino) rosso: red (wine)
rucola: rocket
senza zucchero: without sugar
senza: without
spinaci, *gli*: spinach
spremuta di arance: freshly squeezed orange juice
tazza: cup
tè al limone: lemon tea
tonno: tuna
vino della casa: house wine

Facciamo grammatica

andare in montagna: to go to the mountains
carne, *la*: meat
dolce, *il*: dessert
esotico/a: exotic, unusual
finire: to finish, to end
formaggio: cheese
mai (*avv.*): never
mare, *il*: sea
non va bene: isn't going well, isn't working
piacere: to like
plurale, *il*: plural
preferire: to prefer
principalmente (*avv.*): especially
pulire: to clean
quello: what it is
relazione, *la*: relationship
secondo, *il*: second course
si coniugano (*inf.* coniugarsi): (they) conjugate
singolare, *il*: singular
spedire: to post, to send
Venezia: Venice
voglio (*inf.* volere): I want

Comunichiamo

abbassare: to lower
accendere: to switch on
aperitivo: aperitif
aria condizionata: air conditioning
bagno: bathroom
bustina: sachet
consultare: to consult, to look at
conto: bill
deluso/a: disgruntled, disappointed
(non) è possibile: it is (not) possible
elenco del telefono: phone book
fa caldo: it's hot
fare una telefonata: to make a phone call
fumare: to smoke
la apro subito: I'll open it immediately
locale pubblico, *il*: public place
mi dica (*inf.* dire): how can I help?
noccioline, *le*: peanuts
permesso: permission
portare: to bring
prego: yes sir / madam
può (*inf.* potere): can you?, you can (formal)
qui (*avv.*): here

sala: room
scusi (*inf.* scusare): excuse me
senta (*inf.* sentire): excuse me, listen
telefonata: telephone call
volume, *il*: volume

Entriamo in tema

alimenti, *gli*: food
gelateria: ice cream parlour
ipermercato: hypermarket
macelleria: butcher's shop
panificio: bakery
paste, *le*: cakes
pasticceria: cake shop
pesce, *il*: fish
pescheria: fishmonger
televisore, *il*: television set

Comunichiamo

aglio: garlic
antipasto: starter
arance, *le* (*sg.* l'arancia): oranges
basilico: basil
benissimo (*avv.*): perfect, great
Ci serve altro?: Do we need anything else?
ci: there
compra (*inf.* comprare): (he / she) buys
comprano (*inf.* comprare): (they) buy
comprare: to buy
compriamo (*inf.* comprare): let's buy, we buy
compro (*inf.* comprare): I buy
Da bere?: To drink?
due etti di...: 200 grams of
è finito (*inf.* finire): it is finished
frutta, *la*: fruit
fruttivendolo: greengrocer
grammi, *i* (*sg.* il grammo): grams
lista: list
mazzetto: (small) bunch
mele, *le* (*sg.* la mela): apples
mezzo litro: half a litre
misure, *le* (*sg.* la misura): measures
morbido/a: soft
olio: oil
pacco: packet
parmigiano: parmesan (cheese)
pasta al pesto: pasta with pesto sauce
perfetto: perfect
pesi, *i* (*sg.* il peso): weights
pinoli, *i* (*sg.* il pinolo): pine nuts
preparare: to prepare
salsicce, *le* (*sg.* la salsiccia): sausages
scrivo (*inf.* scrivere): I write
serve (*inf.* servire): is needed, we need
siamo in dieci: there are 10 of us
spaghetti, *gli*: spaghetti
spesa: shopping
stracchino, *lo*: stracchino cheese
sufficiente: sufficient
supermercato: supermarket
testa d'aglio: garlic bulb
un chilo di...: a kilo of ...
un etto: 100 grams
vogliono (*inf.* volere): (they) want

Impariamo le parole - Alimenti

grissini, *i*: bread sticks
lattuga: lettuce
patate, *le*: potatoes
uva: grapes

Facciamo grammatica

tornano (*inf.* tornare): (they) return

Conosciamo gli italiani

anche se: even though, even if
barista, *il/la* (*pl.* i baristi / le bariste): barman
base, *la*: basis
ben caldo: very hot
bollire: to boil
bravo/a: good
cambiate (*inf.* cambiare): change (plural)
certificato/a: certified
collaboratore, *il*: associate
cresce (*inf.* crescere): grows, is growing
da poco tempo: recently
di cattiva qualità: poor quality
di solito (*avv.*): usually
è di qualità: is good quality
ecco: here are, here is
emerge (*inf.* emergere): it emerges
errori, *gli* (*sg.* l'errore): mistake, error
esperto/a: expert
espresso: espresso coffee
finale: final
foto, *la* (*pl.* le foto): photo
già (avv.): already
ha creato (*inf.* creare): has created
insomma: so, in other words
invece di: instead of, rather than
istituto: institute
mette (*inf.* mettere): he / she puts
milione, *il*: million
montato/a: whisked, whipped
nazionale: national
nota: note, point
notate (*inf.* notare): you notice (plural)
polvere (di caffè), *la*: ground coffee
qualità, *la*: quality
recente: recent
ricerca: study
riscalda (*inf.* riscaldare): he / she reheats
scadente: mediocre, poor quality
scaldare: to heat up, to warm
scaldato/a: heated up
testo: text
usa (*inf.* usare): he/she uses

Si dice così!

cucchiaino: teaspoon
ecco a te: here you are
vorrei (*inf.* volere): I would like

Sintesi grammaticale

discoteca: disco, nightclub

WORKBOOK

Funzioni

a bassa voce: quietly, in a whisper
aperto/a: open
Coca: Coke
d'accordo: okay
dica (*inf.* dire): how can I help?
ghiaccio: ice
gusto: taste, liking
hai freddo: you are cold, are you cold? (singular)
non lo capisci: you don't understand him
sigaretta: cigarette
voce, *la*: voice

Vocabolario

alla fine: in the end
arriva (*inf.* arrivare): (he / she) arrives
chiamano (*inf.* chiamare): (they) call
cinquanta: fifty
contenitore, *il*: container
cose da bere: things you can drink
cose da mangiare: things you can eat
cotto/a: baked ham (cooked)
crudo/a: Parma style ham (raw)
danno uno sguardo (*inf.* dare): (they) take a look
faccio la spesa: I do the shopping
famoso/a: famous
fetta: slice
in tutto: in total, in all
insalata: salad
ketchup, *il*: ketchup
menu, *il*: menu
ottimo/a: excellent
pagano (*inf.* pagare): they pay
purtroppo: unfortunately
scatola: box
sceglie (*inf.* scegliere): (he / she) chooses
schiacciato/a: flat bread
sinistra: left
tavolino: table
vegetariano/a: vegetarian

Grammatica

ballare: to dance
divertente: fun
estate, *l'* (*f.*): summer
ferie, *le*: holidays
il migliore: the best
il primo agosto: the first of August
Ma che dici?: Are you serious?
noioso/a: boring
non so (*inf.* sapere): I don't know

passo da te (*inf.* passare): I'll come to your house
peccato: shame
però: however
probabilmente (*avv.*): probably
reality show, *il*: reality show
restare: to stay, to remain
ricetta: recipe
riuscire: to manage
sportivo/a: sporty
tipo: type of person, guy
uscire: to go out
velocemente (*avv.*): quickly

Per concludere

abitudine, *l'* (*f.*): habit, routine
abitudini alimentari, *le*: dietary habits
carta di credito: credit card
organizzare: to organise

Parola chiave

affettuoso/a: affectionate
categoria grammaticale, *la*: grammatical category
Che buono!: Really tasty!, Really good!
delizioso/a: delicious
disgustoso/a: disgusting
disonesto/a: dishonest
gentile: kind
gustoso/a: tasty
insapore: tasteless, flavourless
malvagio/a: wicked
onesto/a: honest
saporito/a: flavourful, flavoursome
sinonimi, *i*: synonyms

Unità 4

Vado a piedi o prendo l'autobus?

STUDENT'S BOOK

a piedi: on foot
autobus, *l'* (*pl.* gli autobus): bus

Comunichiamo

a destra: right, on the right
a sinistra: left, on the left
biglietto: ticket
cerca (*inf.* cercare): (he / she) is looking for
da... a...: from ... to
dalle 8 alle 20: from 8am to 8pm
devo (*inf.* dovere): do I have to?, I have to
di fronte a (*avv.*): opposite
edicola: newsagent
fermata: bus stop
gira (*inf.* girare): turn
in fondo a (*avv.*): the end of
metri, *i*: metres
mi scusi (*inf.* scusare): excuse me
nazione, *la*: country, nation
posso (*inf.* potere): can I?, I can
proprio (*avv.*): immediately, just
prossimo/a: next
puntuale: on time, punctual
scendere: to get off
va dritto: go straight on

Impariamo le parole - Direzioni

arrivare: to arrive
attraversare: to cross
davanti a (*avv.*): in front of
dietro (*avv.*): behind
direzione, *la*: direction
dritto (*avv.*): straight
girare: to turn
in mezzo a (*avv.*): in the middle of, between
prima di (*avv.*): before

Comunichiamo

Che ore sono?: What time is it?
Dublino: Dublin
è mezzanotte: it's midnight
è mezzogiorno: it's midday
Mosca: Moscow
Pechino: Peking

Facciamo grammatica

abbaia (*inf.* abbaiare): (he / she) barks
abitanti, *gli* (*sg.* l'abitante): residents
autofficina, *l'* (*f.*): garage, car repair shop
bellissimo/a: very beautiful, glorious
cane, *il*: dog
cucciolo: puppy
dovere: to have to, must
è servito/a bene: is close to amenities
fortunato/a: lucky
genitori, *i* (*sg.* il genitore): parents
giardino: garden
giornata: day
ha bisogno di...: he / she needs
ho qualche problema: I have the odd problem
in campagna: in the countryside
in tempo (*avv.*): on time
lontano/a da: far from
lunedì, *il*: Monday
mezzo di trasporto, *il*: means of transport
per fortuna: luckily
perdi (*inf.* perdere): (you) lose, waste (time)
potere: to be able to, can
problema, *il*: problem
pubblico/a: public
rotto/a: broken, broken down
simpatico/a: nice
spazio verde, *lo*: green space
uscire di casa: to leave the house
verde: green
vicini, *i* (*sg.* il vicino): neighbours
volere: to want
vostro/a: your (plural)
zona: area
zoo, *lo* (*pl.* gli zoo): zoo

Entriamo in tema

area pedonale, *l'* (*f.*): pedestrian area
chiuso/a al traffico: closed to traffic
inquinamento: pollution
mezzi pubblici, *i* (*sg.* il mezzo pubblico): public transport
soluzione, *la*: solution
Zona a Traffico Limitato (ZTL): restricted traffic zone

Comunichiamo

A che ora...?: At what time ...?
appartamento: flat, apartment
automobilista, *l'* (*m./f.*): motorist
capacità, *la*: ability
Come posso fare?: What can I do?
consiglia (*inf.* consigliare): (he /she) advises
cucinare: to cook
dal lunedì al venerdì: from Monday to Friday
di niente: Don't mention it
dipingere: to paint
esattamente (*avv.*): exactly
festa del lavoro: Labour Day
fino a (*avv.*): as far as
giovedì, *il*: Thursday
guardi (*inf.* guardare): look
In quale via...?: To which street ...?
indecisione, *l'* (*f.*): indecision
martedì, *il*: Tuesday
non so cosa dire: I don't know what to say
palio di Siena, *il*: Siena's Palio
pesante: heavy
poeta, *il*: poet
Quanto tempo...?: How long ...?
sapere: to know
spagnolo, *lo*: Spanish
strumento musicale, *lo*: musical instrument
suonare: to play (instrument)
tango: tango
ufficio dei vigili: police station
venerdì, *il*: Friday
vigile, *il*: police officer

Impariamo le parole
Giorni della settimana

anno accademico: academic year
calendario: calendar
domenica, *la*: Sunday
dura (*inf.* durare): (it) lasts
giorni della settimana, *i*: days of the week
inizia (*inf.* iniziare): (it) starts, (it) begins
lavorativo/a: working
mercoledì, *il*: Wednesday

pomeriggio: afternoon
Posta: post office
sabato, *il*: Saturday
solo: only
verso (*avv.*): around

Conosciamo gli italiani

affollamento: crowding
aiutare: to help
al massimo: at most, no more than
alla guida: when driving
almeno (*avv.*): at least
anziano/a: elderly
associazione, *l'* (*f.*): association
aumento: increase
carburante, *il*: fuel
caro/a: expensive
cede (*inf.* cedere): (he / she) gives up
centesimi, *i* (*sg.* il centesimo): cents
chilometro: kilometre
ci comportiamo (*inf.* comportarsi): we behave
ciclisti, *i* (*sg.* il ciclista): cyclists
cittadino: citizen
comportamento: behaviour
comuni, *i* (*sg.* il comune): communes, municipalities
continuo/a: continuous
costo: cost
dato: information, fact
di meno: less
diventa (*inf.* diventare): (it) becomes
eccessivo/a: excessive
economico/a: cheap, inexpensive
educatamente (*avv.*): courteously, politely
educato/a: polite, courteous
efficiente: efficient
fila: queue
garage, *il*: garage
ha dichiarato (*inf.* dichiarare): (he / she / it) declared, has declared
impiega (*inf.* impiegare): he / she uses
in effetti (*avv.*): in fact
indicare: to indicate, to say, to state
inquinare: to pollute
intervistato/a: interviewee
lasciano (*inf.* lasciare): (they) leave
lo rivela (*inf.* rivelare): it is revealed
maleducato/a: discourteous, impolite
mediocre: mediocre
metropolitana: underground (train)
minimo/a: minimal
motorino: moped
non prendere: don't take, don't use (+ means of transport)
nostro/a: our
occupano (*inf.* occupare): (they) occupy
ore di punta, *le*: rush hour
parcheggiato/a: parked
passato, *il*: past
passeggero: passenger
pedone, *il*: pedestrian
percorso: route, journey
posto: seat, place
raccomandano (*inf.* raccomandare): (they) recommend, advise
raccomandazione, *la*: advice, recommendation
riduce (*inf.* ridurre): (it) reduces
rispetta (*inf.* rispettare): (he / she) respects, adheres to
rispettano (*inf.* rispettare): do they respect?, they respect
rispetto a: compared to
scarso/a: limited, poor
scelta: choice
sembrano (*inf.* sembrare): (they) seem
sempre più spesso: increasingly
sentiamo (*inf.* sentire): do we hear?, we hear
si comportano (*inf.* comportarsi): (they) behave
sindaci, *i* (*sg.* il sindaco): mayors
smaltire: to get rid of, to eliminate
sondaggio: poll, survey
sottolineano (*inf.* sottolineare): (they) underline, highlight
spostamento, *lo*: journey, movement
stupisce (*inf.* stupire): (it) surprises, astonishes
tempi di attesa, *i*: waiting times
ti sembra: seems to you (singular)
traffico: traffic
tragitto: journey
trasporto: transport
troppo (*avv.*): too
uscita: exit
utilizzare: to use

Si dice così!

Che ora è?: What time is it?
è l'una: it's one o'clock
sono in ritardo: I am late
Sono le cinque meno venti: It's twenty to five
Sono le quattro e mezza: It's half past four
Sono le quattro e un quarto: It's a quarter past four

Sintesi grammaticale

articoli indeterminativi, *gli*: indefinite articles
autostazione, *l'* (*f.*): bus station
cinema, *il* (*pl.* i cinema): cinema
movimento: motion
semaforo: traffic light
stazione, *la*: station
verbi modali, *i*: modal verbs

WORKBOOK

Funzioni

abilità, *l'* (*f.*): ability
dire l'orario: to say what time it is
incertezza: uncertainty
informarti (*inf.* informarsi): to inquire (singular)
orario: time
richiamare l'attenzione: to get (someone's) attention

Vocabolario

a pagamento: not free
biglietto unico: travel card
camminare: to walk, to travel
centro storico: historic centre
certo/a: certain
comodo/a: convenient, comfortable
controllore: ticket inspector
convalidare: to stamp, to validate
convalidato/a: stamped, validated
dare una mano: to give a hand, to help
distanza: distance
è bello: it's nice
esiste (*inf.* esistere): exists
evitare: to avoid
faccio una passeggiata (*inf.* fare): I take a walk
fontana: fountain
grosso problema, *il*: big problem
grosso/a: big, major
in periferia: suburbs, outskirts
in questo modo: in this way
lasciare: to leave
mano, *la*: hand
metrò, *il*: tube (train)
multa: fine
museo: museum
nel centro di: in the centre of
ormai (*avv.*): nowadays
parcheggio: car park
posteggi, *i* (*sg.* il posteggio): parking spaces
pulito/a: clean
pullman, *il* (*pl.* i pullman): coach
realmente (*avv.*): truly, really
risolvere: to resolve
rispetti (*inf.* rispettare): respect, obey
salire: to get on / in, to go up
scambio: exchange
scopro (*inf.* scoprire): I discover
stradina: little street
tabaccaio: tobacconist
ti fa la multa: (he / she) fines you (singular)
traversa: side street
treno: train
viaggiatore, *il*: traveller
vigili urbani, *i* (*sg.* il vigile urbano): (traffic) police

visita: visit

Grammatica

a lungo: (a) long (time)
con impegno: with commitment
fare un po' di sport: to do some sport
figlio/a, *il/la*: son / daughter
guidare: to drive
pieno/a di: full of
piove (*inf.* piovere): it is raining
piscina: swimming pool
presentazione, *la*: presentation
presto: early
sanno (*inf.* sapere): (they) know
sappiamo (*inf.* sapere): we know
sono arrivati (*inf.* arrivare): (they) arrived
studio di avvocato: solicitor's office
studio, *lo*: office, studio
timbrare il biglietto: to stamp the ticket
troppo/a: too much
verità, *la*: truth

Per concludere

attento/a: attentive, careful
biblioteca: library
è tardissimo: it's very late
intelligente: intelligent
palazzo: building
servizio: service
valido/a: valid

Parola chiave

a tempo: time limited
biglietteria: ticket office
concerto: concert
giornaliero/a: daily
mostra: exhibition
settimanale: weekly
turno: shift

Test 2

abituato/a: used to
arrivare: to arrive
aspetto (*inf.* aspettare): I wait for
barbieri, *i* (*sg.* il barbiere): barbers
chiusura: closure
desidera?: what would you like?, would you like?
diverso/a: different
giocare a carte: to play cards
giornale, *il*: newspaper
incrocio: crossroads
inviare: to post
legge, *la*: law
lettera: letter
obbligatorio/a: compulsory
oltre a: other than
orario continuato: continuous opening hours
parcheggio: car park
prosegue (*inf.* proseguire): proceed, continue
regolato/a: regulated
rivista: magazine
sembrare: to seem

Unità 5

Dove abiti?

STUDENT'S BOOK

Entriamo in tema

attico: penthouse
mansarda: loft apartment
monolocale, *il*: studio flat, bedsit
villa: house, villa

Comunichiamo

A che piano è?: What floor is it on?
accogliente: welcoming
affitto: rent
antico/a: old
ascensore, *l'* (*m.*): lift
bagno: bathroom
box doccia, *il*: shower cubicle
camera da letto: bedroom
camera: bedroom
corridoio: corridor, hallway
cortile, *il*: courtyard
cucina: kitchen
dà su... (*inf.* dare): it looks out over
dai: go on (word of encouragement)
descrivimi (*inf.* descrivere): describe (for me)
grazioso/a: pretty, pleasant
impossibile: impossible
ingresso: entrance hall
luce, *la*: light
luminoso/a: bright, sunny
neanche: not even
non è male: it's not bad
parco: park
piano: floor
Quanto paghi di affitto?: How much rent do you pay?
ripostiglio: cupboard, utility room
separato/a: separate
servizi, *i*: bathroom (facilities)
silenzioso/a: quiet
soggiorno: living room, sitting room
stanza da letto: bedroom
stanza: room
studio, *lo*: office
vasca da bagno: bathtub

Facciamo grammatica

al quarto piano: on the fourth floor
armadi, *gli* (*sg.* l'armadio): wardrobes
computer, *il* (*pl.* i computer): computer
divano: sofa
illumina (*inf.* illuminare): (it) illuminates
in casa mia: in my house
lampada: lamp
mobili, *i* (*sg.* il mobile): furniture
oltre: in addition to
padre, *il*: father
poltrona: arm chair
salotto: living room, sitting room
scrivania: desk
tavolo da lavoro: workbench
vestiti, *i*: clothes, clothing

Comunichiamo

bianco/a: white
camino: fireplace
cuscino: pillow
letto matrimoniale: double bed
parete, *la* (*pl.* le pareti): wall (internal)
quadri alle pareti, *i*: pictures on the walls
quadro: picture, painting
tappeto: carpet, rug
telefono: telephone
tenda: curtain
tende alle finestre, *le*: curtains at the windows

Impariamo le parole

Aggettivi per descrivere una casa

antico/a: old
arredamento: decor, furnishings
buio/a: dark
comfort, *i* (*pl.* il comfort): mod cons
costruito/a: built
fa (*avv.*): ago
scomodo/a: uncomfortable

Entriamo in tema

convivenza: cohabitation, shared living
dividi (*inf.* dividere): do you share?, you share (singular)
episodio: episode, event
facilmente (*avv.*): easily
particolare: particular, specific
qualcuno/a: someone
stanza singola: single room

Comunichiamo

a terra: on the floor
altrimenti: otherwise
apparecchio la tavola (*inf.* apparecchiare): I lay the table
basta (*inf.* bastare): enough
butti l'immondizia (*inf.* buttare): (you) empty the bin (singular)
butto la spazzatura (*inf.* buttare): I empty the bin
c'è un mare d'acqua: there is a pool of water
cucino (*inf.* cucinare): I cook
disastro: disaster
fate la doccia (*inf.* fare): (you) have a shower (plural)
immondizia: rubbish
impressione, *l'* (*f.*): impression
in giro: all over the place
in ordine: in order, tidy

insomma: basically
lavandino: sink
lo sapete bene (*inf.* sapere): as you well know (plural)
oggi (*avv.*): today
passare lo straccio: to wipe over with a cloth
pavimento: floor
per ore: for hours
perché non lo fai?: why don't you do it?
rispetto (*inf.* rispettare): I respect, I abide by
sacchetto: bag
sistemare: to sort out
sparecchiare la tavola: to clear the table
sparecchio la tavola (*inf.* sparecchiare): I clear the table
spazzatura: rubbish
spero (*inf.* sperare): I hope
spolvero (*inf.* spolverare): I dust
sporcate (*inf.* sporcare): you dirty (plural)
sporco/a: dirty
sto fuori casa (*inf.* stare): I am out of the house
stoviglie, *le* (*sg.* la stoviglia): dishes
turni, *i* (*sg.* il turno): rota, turns

Impariamo le parole
Lavori di casa

ad alto volume: with the volume turned up
apparecchiare la tavola: to lay the table
ascoltare musica: to listen to music
bravo/a!: well done!
buttare la spazzatura: to empty the bin, to put out the rubbish
fare la spesa: to do the shopping
ideale: ideal
lavare i piatti: to do the washing up
passare l'aspirapolvere: to vacuum
pulire la casa: to clean the house
rifare il letto: to make the bed
spolverare: to dust
stare a casa: to stay in
stirare: to iron

Comunichiamo

a lunedì: see you on Monday
accettiamo (*inf.* accettare): we accept, we welcome
animale, *l'* (*m.*): animal
animali di piccola taglia, *gli*: small pets
arrivederLa: goodbye (formal)
aspetti un momento (*inf.* aspettare): just a moment
camera a notte: room per night
camera doppia: double room
camera singola: single room
confermo (*inf.* confermare): I confirm, I'll take (the room)
controllo (*inf.* controllare): I check
disponibile: available
è tutto pieno: we're fully booked
gatto: cat
in comune: communal, shared
inclusa nel prezzo: included in the price
incluso/a: included
intorno a (*avv.*): around
L'aspettiamo (*inf.* aspettare): we'll expect you (formal)
meglio di niente: better than nothing
mettere: to put
notte, *la*: night
orario: time
ovviamente (*avv.*): obviously
parziale: partial
prenota (*inf.* prenotare): (he / she) books
prenotare: to book, to reserve
Quanto viene...?: How much is ...?
receptionist, *il/la*: receptionist
rifiuti (*inf.* rifiutare): reject
saluto: greeting
soddisfazione, *la*: satisfaction
splendido/a: magnificent
televisore, *il*: television set
toscano/a: Tuscan
ventilatore, *il*: fan
vista: view

Impariamo le parole
Servizi in albergo

a partire da: starting from
abbinato/a: combined
accappatoio: bathrobe
adulto: adult
all'insegna di mare: seaside (holiday)
ampio/a: wide
appena (*avv.*): just
apprezzare: to appreciate, to admire
arco: arch
aria climatizzata: air conditioning
assortimento: range, array
atmosfera: ambiance, character
bambino/a: child
bassa stagione, *la*: low season
bimbo/a: child
bollitore: kettle
cala: bay, cove
camera matrimoniale: double room
canali esteri, *i* (*sg.* il canale estero): foreign channels
cassetta di sicurezza: safe
cercare: to look for
cioccolato: chocolate
codice, *il*: code
comprensivo di tasse: including taxes
confortevole: comfortable
connessione Wireless, *la*: Wi-Fi
cristallino/a: crystal-clear
differenziato/a: various, differentiated
dista... (*inf.* distare): it is ....away
doccia: shower
dormo (*inf.* dormire): I sleep, I stay
dotato di tutto quello che...: equipped with everything that ...
è situato/a: is situated
elettrico/a: electric
escursione, *l'* (*f.*): excursion
esigenza: need
formula: deal, formula
fornito/a: stocked
frigobar, *il*: minibar
funzionalità, *la*: functionality
giovane: young
gratis (*avv.*): free
gratuito/a: free
impianto HI-FI: Hi-Fi system
imprenditore, *l'* (*m.*): business man
indimenticabile: unforgettable
indispensabile: essential
industriale: industrialist
inoltre: furthermore
interamente (*avv.*): entirely, completely
lettore CD, *il*: CD player
lieto/a: pleased
locanda: inn, hotel
Luna di miele: honeymoon
minibar, *il*: minibar
offerta: offer, room option
offerto/a da: paid for by (on the house)
offrire: to offer
ospite: guest
pantofoline, *le*: slippers
partecipare: to take part, to attend
pay TV: pay-per-view TV
personalizzato/a: personalised
piacevole: pleasant
piuma: feather
pollici, *i* (*sg.* il pollice): inches
presa di corrente, *la*: electrical socket
prevede (*inf.* prevedere): provides for
rendere: to make
ricarica (delle) batterie, *la*: battery charger
riccamente (*avv.*): richly, well
riduzione, *la*: reduction
rinnovato/a: refurbished
riunione, *la*: meeting
sconto, *lo*: discount
selvaggio/a: wild, natural
soffice: soft
sole, *il*: sun
sono da intendersi: are for
spazioso/a: spacious
speciale: special
spiaggia, *la* (*pl.* le spiagge): beach
sposato/a: married

stirapantaloni, *lo*: trouser press
stupendo/a: splendid
tassa: tax
televisione, *la*: television
thè, *il*: tea
tipico/a: typical, traditional
tisana: herbal tea
TV, *la*: TV
vassoio: tray
via satellite: satellite
viaggio di nozze: honeymoon

Facciamo grammatica

andare via: to go away, to leave
asciugamani, *gli* (*sg.* l'asciugamano): towels
attaccapanni, *l'* (*pl.* gli attaccapanni): coat rack
documento: ID, document
dorme (*inf.* dormire): (he / she) sleeps
in poi: onwards
inizio: start, beginning
mancia, *la* (*pl.* le mance): tip
8 in punto: 8 precisely, 8 on the dot
presidente, *il*: president
pronto/a: ready
reception, *la*: reception
ritirare: to retrieve
svegliare: to wake

Conosciamo gli italiani

albergatore, *l'* (*m.*): hotelier
albergo a 3 stelle: 3 star hotel
albergo di lusso: luxury hotel
all'estero: abroad
atteggiamento: behaviour
classifica: list, classification, ranking
conferenza: conference
cortese: polite
costano (*inf.* costare): they cost
cura: attention
curano (*inf.* curare): (they) look after, care for
diamo massima attenzione: we pay a lot of attention
difetto: shortcoming
direttore, *il*: manager
esigente: demanding
hai avuto (*inf.* avere): you have had (singular)
idromassaggio: whirlpool
indagine, *l'* (*f.*): survey, study
lasciano (*inf.* lasciare): they leave
media, *la*: average
norvegese: Norwegian
opinione, *l'* (*f.*): opinion
particolare, *il*: detail
preferito/a: favourite
pretendere: to demand, to expect
proprietario/a: owner
protestano (*inf.* protestare): (they) complain
protesti (*inf.* protestare): do you complain?, you complain (singular)
pulizia: cleanliness
rispetto a: compared to
risultato: result
rumoroso/a: noisy
sala conferenze, *la*: conference room
sauna: sauna
soddisfatto/a: satisfied
soldi, *i*: money
spendere: to spend
svedese: Swede
svizzero/a: Swiss

Sintesi grammaticale

preposizioni articolate, *le*: prepositional articles

WORKBOOK

Funzioni

ammesso/a: permitted, allowed
animali ammessi: pets allowed
aspetta (*inf.* aspettare): (he / she) is expecting, is waiting for
ciascuno/a: each
comune: communal, shared
connessione internet, *la*: Internet connection
dividere: to share
immediata periferia: just outside the centre
interno/a: internal, courtyard
letto singolo: single bed
marito: husband
mura, *le* (*sg.* il muro): walls (external)
posto auto, *il*: parking space
preferibilmente (*avv.*): preferably
ragazzo/a erasmus: Erasmus student
riscaldamento autonomo: independent heating
riscaldamento: heating
serviamo (*inf.* servire): we serve
sistemazione, *la*: accommodation
spese incluse: including utilities
stanza matrimoniale: double room
trattabile: negotiable

Vocabolario

accessoriato/a: accessorised
arredato/a: furnished
bagagli, *i* (*sg.* il bagaglio): luggage
balcone, *il*: balcony
caldo, *il*: heat
camicie, *le* (*sg.* la camicia): shirts
cerco (*inf.* cercare): I am looking for
chiamata: telephone call
comodamente (*avv.*): comfortably
comodino: bedside table
coperto/a: covered, engulfed
faccende di casa, *le*: household chores
forno: oven
frigorifero: refrigerator
lavastoviglie, *la* (*pl.* le lavastoviglie): dishwasher
lavatrice, *la*: washing machine
lavori di casa, *i*: housework, household chores
le: them
libreria: book shelf
litighiamo (*inf.* litigare): we argue
mi dedico (*inf.* dedicarsi): I devote myself
odiano (*inf.* odiare): (they) hate
piacere, *il*: pleasure
portineria: concierge
posate, *le*: cutlery
quotidiano/a: daily
rifiuti, *i*: waste, refuse
rilassante: relaxing
risparmiare: to save
sopporta (*inf.* sopportare): (he / she) tolerates, endures
sopporto (*inf.* sopportare): I tolerate, I endure
specchio, *lo*: mirror

Grammatica

criticano (*inf.* criticare): (they) criticise
dipende (*inf.* dipendere): (it) depends
ho preso casa (*inf.* prendere): I have taken, I took
non dimenticare: don't forget
offre (*inf.* offrire): (it) offers
vario/a: various
vista sul mare: sea view

Per concludere

divido (*inf.* dividere): I share
notare: to point out
si alza (*inf.* alzarsi): (he / she) gets up
tiene (*inf.* tenere): (he / she) has

Parola chiave

contratto: contract
padrone di casa, *il*: homeowner
riordinare: to tidy

Scheda di autovaluzione 3

quartiere, *il*: quarter, area of the city

Unità 6

La mia giornata a Firenze

STUDENT'S BOOK

Entriamo in tema

calma: calm
di fretta: hurriedly, in a rush
frenetico/a: frenetic, hectic
puntuale: punctual
rilassato/a: relaxed
ritardatario/a: unpunctual
vita: life

Comunichiamo

addormentarsi: to fall asleep
alla fine di...: at the end of ...
baci, *i* (*sg.* il bacio): kisses
ballo: dance
chiamo (*inf.* chiamare): I call
ci sentiamo presto (*inf.* sentirsi): speak soon
ci vediamo (*inf.* vedersi): we meet (each other)
coinquilino/a, *il/la*: flat mate
cominciano (*inf.* cominciare): (they) start
conversazione, *la*: conversation
corso di balli latino-americani, *il*: Latin American dance class
è di corsa: he / she is in a rush
esatto/a: exact
fortunatamente (*avv.*): fortunately
ho nostalgia: I am homesick, I miss
immediatamente (*avv.*): immediately, straight away
in fretta: quickly
in orario: on time
in ritardo: late
incontro (*inf.* incontrare): I meet
invitare: to invite
la detesto (*inf.* detestare): I hate it
mensa: canteen
mi addormento come un sasso (*inf.* addormentarsi): I go out like a light
mi alzo (*inf.* alzarsi): I get up
mi lavo (*inf.* lavarsi): I wash
mi metto comoda in poltrona: I settle into an armchair
mi preparo (*inf.* prepararsi): I get myself ready
mi sveglio (*inf.* svegliarsi): I wake up
mi trovo bene: I am happy here
mi vesto (*inf.* vestirsi): I dress
migliorare: to improve
momento: moment, time
perdo (*inf.* perdere): I miss
pranzo (*inf.* pranzare): I have lunch
riposo: rest
sasso: stone
si diverte (*inf.* divertirsi): (he / she) enjoys himself / herself
sono di corsa: I am in a rush
sveglia: wake up time
tardi (*avv.*): late
ti scrivo (*inf.* scrivere): I write to you
torna (*inf.* tornare): (he / she) gets in
uscita da casa: leaving the house

Facciamo grammatica

allenarsi: to work out
alzarsi: to get up
annoiarsi: to get bored
divertirsi: to enjoy oneself
mettersi: to put on
ti vedo in forma: you look well
trovarsi bene: to be happy
vedersi: to see each other

Impariamo le parole

Azioni quotidiane

azione, *l'* (*f.*): action
azioni quotidiane, *le*: daily activities
barba: beard
guardiamo (*inf.* guardare): we watch
lavarsi: to wash (oneself)
mi distendo (*inf.* distendersi): I stretch out
mi faccio la barba (*inf.* farsi): I shave
mi tolgo (*inf.* togliersi): I remove, I take off
pettinarsi: to comb (one's hair)
pigiama, *il*: pyjamas
radersi: to shave
rilassarsi: to relax
scarpe, *le* (*sg.* la scarpa): shoes
svegliarsi: to wake up
truccarsi: to put on makeup
vestirsi: to dress

Entriamo in tema

allo stesso tempo: at the same time
dedicarsi: to devote (oneself)
impegno: commitment
stabilito/a: set, fixed
tempo stabilito: set time
ti richiede (*inf.* richiedere): does it demand (of you)?, it demands (of you)
totalmente (*avv.*): totally
trovare: to find
universitario/a: university
utile: useful

Comunichiamo

a tempo pieno: full time
appello: session, slot, invitation
comunque: still, however
continuare: to continue
Cosa fai di bello?: How are you spending your time?
dare gli esami: to sit exams
Facoltà di Ingegneria, *la*: (Faculty / School of) Engineering
impegnato/a: busy
laurearsi: to graduate
mezza giornata: half a day
mi sono abituato/a (*inf.* abituarsi): I have got used to
pagare: to pay
poco: not often, (a) little
pub, *il*: pub
raramente (*avv.*): rarely
ricevere: to receive
scappo (*inf.* scappare): I dash
seguire: to follow, to attend (lessons or course)
sono al secondo anno fuori corso: I should have finished the course two years ago
stile di vita, *lo*: way of life
tagliarsi i capelli: to have one's hair cut
tesi, *la* (*pl.* le tesi): thesis, dissertation
ti offro: I'll buy you, I buy you
volentieri (*avv.*): gladly, definitely

Impariamo le parole - L'università

apposito/a: appropriate, correct
bacheca: notice board
consultabile: available for viewing
consultano (*inf.* consultare): (they) consult
convocazione, *la*: summons, invitation
data dell'esame: exam date
discipline, *le*: subjects
dispone (*inf.* disporre): has available
disporre di: to have available
dopo aver svolto: after having carried out
è in regola: (he / she) is up to date
effettuare: to make, to carry out
essere effettuate: to be made
fare richiesta: to request
immatricolazione, *l'* (*f.*): registration
iscriversi: to enrol
password, *la*: password
prenotazione, *la*: booking
prova, *la*: test
rosso/a: red
saranno affisse: will be posted
segreteria studenti, *la*: student services
sessione d'esame, *la*: exam session
singolo/a: individual, each
sostenere: to take, sit (exam)
tasse di iscrizione, *le*: tuition fees
tredicesimo: thirteenth
utenza: username
valutazione, *la*: evaluation

Comunichiamo

incontrarsi: to meet up
pranzare: to have lunch

Conosciamo gli italiani

alimentare: dietary
attivo/a: active
attuale: current
certamente (*avv.*): certainly
condizione, *la*: situation, condition
consideriamo (*inf.* considerare): we take into consideration
consistente: substantial
culturale: cultural
dedicano (*inf.* dedicare): (they) devote
dedichi (*inf.* dedicare): do you devote?, you devote (singular)
differenza: difference
divertimento: entertainment
divisione, *la*: division

domestico/a: domestic
donne, *le* (*sg.* la donna): women
dormiglione, *il*: sleepy head
dormono (*inf.* dormire): they sleep
fast food, *il*: fast food
forti differenze, *le*: big differences
fotografa (*inf.* fotografare): (it) photographs, (it) gives a snapshot
immagine, *l'* (*f.*): picture, image
iperattivo/a: hyperactive, overly active
lavoro domestico: domestic work, housework
lettura: reading
moltissimo/a: very many, a lot of
occupa (*inf.* occupare): (it) occupies
pagato/a: paid
parenti, *i* (*sg.* il parente): relatives
per la precisione: to be precise
pigro/a: lazy
popolo: people, population
presentare: to introduce
relax, *il*: relaxation
resiste (*inf.* resistere): (it) persists
rimangono (*inf.* rimanere): (they) remain
ruolo: role
si conferma: (it) is confirmed
socializzare: to socialise
socializzazione, *la*: socialising
sorprende (*inf.* sorprendere): it surprises
stare bene a tavola: to eat well
svolto/a: carried out
totalità, *la*: entirety, whole
tradizione, *la*: tradition
uomini, *gli* (*sg.* l'uomo): men

Sintesi grammaticale

frequenza: frequency
verbo riflessivo: reflexive verb

WORKBOOK

Funzioni

abituale: routine
Buona giornata: Good day
ci mettiamo d'accordo (*inf.* mettersi): we can agree a date
occupato/a: busy
riesci (*inf.* riuscire): do you manage?, you manage (singular)
se ti va...: if you fancy it
specifichi (*inf.* specificare): specify
ti telefono (*inf.* telefonare): I'll phone you, I phone you (singular)

Vocabolario

amministrazione, *l'* (*f.*): administration, management
appuntamento: appointment, date
autorità, *l'* (*f.*): authority
cantina: wine cellar
cominciare: to start
diplomarsi: to graduate from school
dormire: to sleep
entro: by, no later than
ho studiato (*inf.* studiare): I have studied, I studied
mi fermo (*inf.* fermarsi): I stop
perfettamente (*avv.*): perfectly
sopportare: to endure, to tolerate
sostenere un esame: to sit an exam
sul serio: seriously

Grammatica

mi riposo (*inf.* riposarsi): I rest
nero/a: black
pochissimo (*avv.*): very little
si riposa (*inf.* riposarsi): (he / she) rests

Per concludere

in dieci minuti: in ten minutes
matrimonio: wedding
nervoso/a: tense, irritable

Parola chiave

aereo: plane
approssimativo/a: approximate
impreciso/a: imprecise
inesatto/a: inexact, estimated
preciso/a: precise
regolare: frequent, regular
ritardatario/a: unpunctual
sinonimo: synonym
tornare: to return

Test 3

chiesa: church
In quanto tempo...?: How long does it take you ...?
opera d'arte: work of art
primavera: spring
scarpe da ginnastica, *le*: trainers
stivali, *gli* (*sg.* lo stivale): boots

Unità 7

Che tempo fa?

STUDENT'S BOOK

Che tempo fa?: What's the weather like?

Entriamo in tema

Bologna: Bologna
Etna, *l'* (*m.*): Mount Etna
Genova: Genoa
Perugia: Perugia
Torino: Turin

Comunichiamo

agosto: August
Alpi, *le*: Alps
amano (*inf.* amare): (they) love
Appennini, *gli*: Apennines
artistico/a: artistic
attraversano (*inf.* attraversare): (they) cross
autunno: autumn
bellezza: gem, beauty
Belpaese, *il*: Italy (literally: beautiful country)
capitale, *la*: capital
circonda (*inf.* circondare): (it) surrounds
clima, *il*: climate
condizioni del tempo, *le*: weather conditions
considerano (*inf.* considerare): (they) consider
diminuisce (*inf.* diminuire): (it) is diminishing, it diminishes
disponibilità, *la*: availability
Est, *l'* (*m.*): East
estate, *l'* (*f.*): summer
estivo/a: summer
Europa: Europe
fiume, *il*: river
forma: shape
geografia: geography
grado: degree
in giù: downwards
in realtà: in actual fact
inverno: winter
laghi, *i* (*sg.* il lago): lakes
largo/a (*pl.* larghi/larghe): wide
Lazio, *il*: Lazio
Lombardia: Lombardy
marzo: March
meta: destination
migliaia, *le* (*sg.* il migliaio): thousands
minore: minor
mite: mild, temperate
montagna: mountain
monte, *il*: mountain
naturale: natural
neve, *la*: snow
nevica (*inf.* nevicare): it snows
nevicata: snow fall
Nord Africa, *il*: North Africa
novembre: November
Ovest, *l'* (*m.*): West
particolarmente (*avv.*): especially
Piemonte, *il*: Piedmont
piovoso/a: rainy
pista: piste, slope
ricchezza: riches, treasures
rinascimentale: Renaissance
Sardegna: Sardinia
scelgono (*inf.* scegliere): (they) choose
sci, *lo* (*pl.* gli sci): skiing
sciatore, *lo*: skier
simile: similar
soffiano (*inf.* soffiare): (they) blow
sotto lo zero: below zero
stagione, *la*: season
stretto/a: narrow
tanto/a/i/e: much / many
temperatura: temperature

Impariamo le parole
I mesi dell'anno

aprile: April
dicembre: December
febbraio: February
gennaio: January
giugno: June
luglio: July
maggio: May
mesi dell'anno, *i*: months of the year
ottobre: October
settembre: September

Espressioni per descrivere il tempo

c'è la nebbia: it's foggy
è nuvoloso: it's cloudy
fa bel tempo: the weather's good
fa brutto tempo: the weather's bad
fa caldo: it's hot
fa freddo: it's cold
tira vento: it's windy

Facciamo grammatica

africano/a: African
ammiro (*inf.* ammirare): I admire
copre (*inf.* coprire): (it) covers
forse: maybe
interamente (*avv.*): completely
moltissimo (*avv.*): very much
numeroso/a: numerous
paesaggio: landscape
pronomi diretti, *i*: direct object pronouns
si riferisce a: it refers to
vento: wind

Comunichiamo

ama (*inf.* amare): he / she loves
buonissimo/a: excellent, really good
camminata: walk
Che fortuna!: You lucky thing!
chiamare: to call
ci sono 15 gradi: it's 15 degrees
contento/a: happy
domani (*avv.*): tomorrow
dopodomani (*avv.*): day after tomorrow
frequentato/a: visited
gli piace: he likes
in alternativa: alternatively
interessa (*inf.* interessare): (it) interests
mamma: mum
meraviglioso/a: wonderful, gorgeous
mi fermo (*inf.* fermarsi): I'll stop, I stop
mi sto divertendo un sacco (*inf.* divertirsi): I'm having a really good time
penso di sì: I think so
per il resto: moving on
phone center, *il*: phone centre, Internet café
pronto: hello (on the phone only)
ricominciare: to resume
scalata: climbing
si muore di caldo: it's scorching hot
sta piovendo (*inf.* piovere): it's raining
stanno chiudendo (*inf.* chiudere): they are closing
sto telefonando (*inf.* telefonare): I am phoning
tesoro: darling
trattano (*inf.* trattare): they treat
vita notturna, *la*: night life

Facciamo grammatica

accompagno (*inf.* accompagnare): I'll accompany, I accompany
affettuoso/a: affectionate
arrabbiato/a: angry
bugia, *la* (*pl.* le bugie): lie
cartina stradale, *la*: street map
disturbo (*inf.* disturbare): do I disturb?, I disturb
Dove si trova...?: Where is ... situated?, Where is ...?
ingrassare: to get fat
niente di particolare: nothing in particular
non dire: don't tell, don't say
ombrello: umbrella
per niente: not at all
previsioni del tempo, *le*: weather forecast
pronomi diretti atoni, *i*: unstressed direct object pronouns
(venite) pure: please do (come)
regalo: present
siciliano/a: Sicilian
state lavorando (*inf.* lavorare): are you working?, you are working (plural)
sto finendo (*inf.* finire): I am running out of, I am finishing
stradale: road
telefonare: to telephone
zio/a, *lo/la* (*pl.* gli zii / le zie): uncle / aunt

Impariamo le parole
Avverbi di quantità

quantità, *la*: quantity

Facciamo grammatica

cade (*inf.* cadere): (it) falls
diminuiscono (*inf.* diminuire): (they) reduce (in number)
ha nevicato (*inf.* nevicare): it snowed, it has snowed
pioggia, *la* (*pl.* le piogge): rain
scorso/a: last

Conosciamo gli italiani

a volte: at times
abbiamo intervistato (*inf.* intervistare): we have interviewed, we interviewed
Adriatico: Adriatic
all'ordine del giorno: par for the course, typical
altocumulo: altocumulus
anomalia: anomaly , aberration
argomento: topic
autostrada: motorway
cambiamenti climatici, *i*: climate change
cambiamento: change
"C'è un sole che spacca le pietre": "It's hot enough to fry an egg"
"C'è una nebbia che si taglia col coltello": "The fog's as thick as pea soup"
cielo: sky
"Cielo a pecorelle acqua a catinelle": literally: "clouds like sheep, rain in heaps"
climatologo: climatologist
colpa: fault
coltello: knife
comunicatore, *il*: spokesperson
considerare: to consider
corrente, *la*: current
credenza: belief
dichiara (*inf.* dichiarare): he / she declares
direi (*inf.* dire): I would say
distinzione, *la*: distinction
espressione, *l'* (*f.*): expression
"Fa un freddo cane": "It's brass monkey weather"
falso/a: false
farei (*inf.* fare): I would make
fatto, *il*: fact
fitto/a: dense, thick
fondo di verità: foundation of truth
guerra: war
improvvisamente (*avv.*): suddenly
in fondo: essentially
in marcia: on the march
in un certo senso: in a way
manda (*inf.* mandare): (he / she) sends
metaforico/a: metaphorical
meteorologico/a: meteorological
mi propongo (*inf.* proporsi): I have set myself
mito: myth
netto/a: clear
"Non ci sono più le mezze stagioni": "spring and autumn don't exist anymore"
noto/a: well-known
nube, *la*: cloud
nuvola: cloud
obiettivo: objective, aim
pecorelle, *le*: little sheep
perturbazione, *la*: weather front
"Piove come Dio la manda": "It's raining cats and dogs"
preoccupato/a: worried

protetto/a: protected
proverbi, *i* (*sg.* il proverbio): proverb
rassicurante: reassuring
riparano (*inf.* riparare): (they) shelter
scientifico/a: scientific
si affacciano su (*inf.* affacciarsi): (they) look out over
significa (*inf.* significare): (it) means
significano (*inf.* significare): do they mean?, they mean
smontare: to correct, to dismantle
società, *la*: society
sono passate (*inf.* passare): (they) have passed, (they) passed
spacca (*inf.* spaccare): (it) splits, (it) breaks
stereotipo, *lo*: stereotype
tramonta (*inf.* tramontare): (it) sets
viceversa: vice versa
vuol dire (*inf.* vuole): it means

Si dice così!

aumenta (*inf.* aumentare): (it) increases
è ventoso: it's windy

Sintesi grammaticale

bosco, *il* (*pl.* i boschi): forest
di nuovo (*avv.*): again
gerundio: gerund
ho visitato (*inf.* visitare): I have visited, I visited
penisola: peninsular
pronome personale diretto, *il*: personal direct object pronoun

WORKBOOK

Vocabolario

cadono (*inf.* cadere): (they) fall
fiore, *il*: flower
fioriscono (*inf.* fiorire): (they) flower
foglie, *le* (*sg.* la foglia): leaves
innevato/a: snowy
nebbioso/a: foggy
pianta: plant
regione, *la*: region
soleggiato/a: sunny

Grammatica

accendi (*inf.* accendere): do you turn on?, you turn on (singular)
accompagna (*inf.* accompagnare): (he / she) accompanies
accompagni (*inf.* accompagnare): will you take?, you take (give a lift)
aiuti (*inf.* aiutare): will you help?, you help (singular)
aspettare: to wait
avverto (*inf.* avvertire): I'll let you know, I let you know (singular)
carta geografica: map
disturbo (*inf.* disturbare): do I disturb?, I disturb
giardinaggio: gardening
ho bisogno di...: I need ...
macchina fotografica: camera
me: me
navigatore, *il*: Sat Nav
passaggio: lift
pista da sci: ski slope
prendere le ferie: to take one's holidays
presto (*inf.* prestare): I'll lend, I lend
principiante: beginner
profondamente (*avv.*): deeply
raccogli (*inf.* raccogliere): do you pick?, you pick (singular)
ringrazia (*inf.* ringraziare): (he / she) thanks
riparare: to repair
sciare: to ski
sfortunatamente (*avv.*): unfortunately
te: you
tranquillo/a: don't worry, relax
valigie, *le* (*sg.* la valigia): suitcases
viaggi (*inf.* viaggiare): you travel (singular)
viaggio (*inf.* viaggiare): I travel

Per concludere

cannoli, *i*: cannoli
ombra: shade, shadow
sensibilmente (*avv.*): substantially

Parola chiave

ammazzare il tempo: to kill time
atmosferico/a: atmospheric
cronologico/a: chronological
denaro: money
entro un limite definito: by a given time
trascorrere: to spend, to pass (time)

Unità 8

Che cosa hai fatto nel fine settimana?

STUDENT'S BOOK

fine settimana, *il*: weekend
hai fatto (*inf.* fare): did you do?, have you done?, you did, you have done (singular)

Comunichiamo

abbiamo ascoltato (*inf.* ascoltare): we listened, we have listened
abbiamo ballato (*inf.* ballare): we danced, we have danced
abbiamo bevuto (*inf.* bere): we drank, we have drunk
abbiamo fatto colazione (*inf.* fare): we had breakfast, we have had breakfast
ci siamo divertiti (*inf.* divertirsi): we enjoyed ourselves, we have enjoyed ourselves
ci siamo divertiti un sacco: we had a great time, we have had a great time
ci siamo fermati (*inf.* fermarsi): we stopped, we have stopped
compagno di casa, *il*: flat mate
divertente: fun
è stata (*inf.* essere): (it) was, (it) has been
esagerare: to go too far
fammi sapere: let me know
finalmente (*avv.*): finally
gruppo: group
ha organizzato (*inf.* organizzare): (he / she) organised, has organised
ha parlato (*inf.* parlare): (he / she) spoke, (he / she) has spoken
hai conosciuto (*inf.* conoscere): have you met?, did you meet?, you have met, you met
hai dato (*inf.* dare): have you sat?, did you sit?, you have sat, you sat (exam)
hai detto (*inf.* dire): you have told, you told
hanno bevuto (*inf.* bere): they drank, they have drunk
ho avuto (*inf.* avere): I had, I have had
ho capito (*inf.* capire): I understood, I have understood
ho conosciuto (*inf.* conoscere): I met, I have met
ho parlato (*inf.* parlare): I spoke, I have spoken
ho praticato (*inf.* praticare): I practiced, I have practiced
ho trovato (*inf.* trovare): I found, I have found
ieri sera (*avv.*): yesterday evening
nazione, *la*: country
pensionato universitario: university accommodation
privacy, *la*: privacy
raccontare: to tell
ragazzi Erasmus, *i*: Erasmus students
serata: evening
si è organizzato (*inf.* organizzarsi): it has organised itself, it organised itself
si sono divertiti (*inf.* divertirsi): (they) had fun, (they) have had fun
siamo arrivati (*inf.* arrivare): we arrived, we have arrived
siamo diventati (*inf.* diventare): we became, we have become
siamo rimasti (*inf.* rimanere): we stayed, we have stayed
siamo stati (*inf.* essere): we were, we have been
siamo tornati (*inf.* tornare): we returned, we have returned
sono riuscito (*inf.* riuscire): I managed, I have managed
sono tornati (*inf.* tornare): they returned, they have returned

stamattina (*avv.*): this morning
vivace: lively

Impariamo le parole
Attività del tempo libero

accademia: academy
affollato/a: crowded
artista, *l'* (*m./f.*): artist
attimo: moment, instant
emergente: rising, budding
esposizione, *l'* (*f.*): exhibition
essere interessato a...: to be interested in ...
fare spese: to go shopping
fermo/a: stationary
galleria: gallery
guardare la tv: to watch TV
il più possibile: as much as possible
infermiera, *l'* (*m.* l'infermiere): nurse
ingegnere elettronico: electrical engineer
iniziativa: initiative
insegno (*inf.* insegnare): I teach
interessato/a: interested
liceo: high school
mi rilasso (*inf.* rilassarsi): I relax
natura: nature
navigare su internet: to surf the Net
niente: nothing
non sto fermo/a un attimo: I'm continuously on the go
ospedale, *l'* (*m.*): hospital
passione, *la*: passion
per piacere: for pleasure
pinacoteca: art gallery
riposare: to rest
stare a contatto: to be in contact
tecnologia: technology
vero/a: true

Facciamo grammatica

ho visto (*inf.* vedere): I watched, I have watched
infinito: infinitive
organizzarsi: to organise oneself
passato prossimo: perfect tense
precedente: previous
rimanere (*p.p.* rimasto): to remain, to stay
soggetto: subject

Comunichiamo

a disposizione: available
abbiamo cercato (*inf.* cercare): we tried, we have tried
abbiamo deciso (*inf.* decidere): we decided, we have decided
abbiamo passato (*inf.* passare): we spent, we have spent
abbiamo trovato (*inf.* trovare): we found, we have found
abbiamo visto (*inf.* vedere): we saw, we have seen
apertura: opening
baciami (*inf.* baciare): kiss me
centomila: one hundred thousand
commedia: comedy, play
comunale: council, town, public
consumazione, *la*: drink
contemporaneo/a: contemporary
drammatico/a: drama
è andato (*inf.* andare): (he / she) went, has gone
è uscito (*inf.* uscire): (he / she) went out, has gone out
eccezionale: exceptional
fare tardi: to be out late
fiamma: flame
figlio unico: only child
fotografia: photograph
fotografico/a: photographic
gente, *la*: people
ha lavato (*inf.* lavare): (he / she) washed, has washed
ha spostato (*inf.* spostare): (he / she) moved, has moved
hai dormito (*inf.* dormire): did you sleep?, have you slept?, you slept, you have slept (singular)
ho dormito (*inf.* dormire): I slept, I have slept
ho incontrato (*inf.* incontrare): I met, I have met
ho sistemato (*inf.* sistemare): I tidied, I have tidied
ho spolverato (*inf.* spolverare): I dusted, I have dusted
ho stirato (*inf.* stirare): I ironed, I have ironed
ingresso: entrance fee
lo immagino (*inf.* immaginare): I can imagine
memoria: memory
metafisico/a: metaphysical
mi sono alzato (*inf.* alzarsi): I got up
moto, *la* (*pl.* le moto): motorbike
musica dal vivo: live music
pittura: painting
prevendita: booking fee
riposarsi: to rest
sentire: to listen to
si è alzato (*inf.* alzarsi): (he / she) got up
siamo andati (*inf.* andare): we went, we have gone
siamo stati (*inf.* essere): we were, we have been
sono uscito (*inf.* uscire): I went out, I have gone out
spettacolo, *lo*: show
successo: hit
torta di mele: apple pie
vi siete divertiti (*inf.* divertirsi): did you have fun?, have you had fun?, you had fun, you have had fun (plural)

Impariamo le parole
Espressioni di tempo

l'altro ieri (*avv.*): day before yesterday
penso (*inf.* pensare): I think
poco fa (*avv.*): a short while ago

Facciamo grammatica

decidere (*p.p.* deciso): to decide
è avvenuto/a (*inf.* avvenire): (it) has happened, (it) happened
fare ginnastica: to do exercise
giornale del giorno, *il*: today's paper
hai bevuto (*inf.* bere): did you drink?, have you drunk?, you drank, you have drunk (singular)
ho bevuto (*inf.* bere): I drank, I have drunk
incontrare: to meet
massaggi, *i* (*sg.* il massaggio): massages
pantaloni, *i* (*sg.* il pantalone): trousers
participio passato: past participle
poesia: poetry
raccogliere (*p.p.* raccolto): to pick

Conosciamo gli italiani

abbiamo chiesto (*inf.* chiedere): we asked, we have asked
aggregazione, *l'* (*f.*): gathering
alcol, *l'* (*m.*): alcohol
altissimo/a: very loud, very high
consumo di alcol: alcohol consumption
consumo: consumption
detesta (*inf.* detestare): (he / she) hates
è un must: (it) is a must
energia: energy
entusiasmo: enthusiasm
esagerare: to overdo it
fa parte (*inf.* fare; *p.p.* fatto): it is part
fondamentale: essential
gruppo musicale: band
ha detto (*inf.* dire): (he / she) told, said / (he / she) has told, has said
locale all'aperto, *il*: open air venue
luogo, *il* (*pl.* i luoghi): place
molto di più: much (more)
pericoloso/a: dangerous
principalmente (*avv.*): mainly
scambiare una parola: to have a conversation
serve (*inf.* servire): one needs
sesso: sex
sono andato/a (*inf.* andare): I went, I have gone
suonano (*inf.* suonare): (they) play

Sintesi grammaticale

sedersi: to sit down

WORKBOOK

Funzioni

a te: to you
civico/a: civic, public
felicità, *la*: happiness
ho assaggiato (*inf.* assaggiare): I tasted, I have tasted
siamo ritornati (*inf.* ritornare): we returned, we have returned
Ti è piaciuto?: Did you like it? (singular)

Vocabolario

amo (*inf.* amare): I love
dovrei (*inf.* dovere): I should
ho controllato (*inf.* controllare): I checked, I have checked
ho invitato (*inf.* invitare): I invited, I have invited
posta: post
siccome: since, given that
sono ingrassato/a: I have put on weight
sono stanco/a morto/a: I am dog tired

Grammatica

bolognese: from Bologna
bucato: washing
dottore, *il*: doctor
è andato via (*inf.* andare via): (he / she) has left, (he / she) left
ha cominciato (*inf.* cominciare): (he / she) has started, (he / she) started
hai aperto (*inf.* aprire): have you opened?, did you open?, you have opened, you opened (singular)
hai cucinato (*inf.* cucinare): have you cooked?, did you cook?, you have cooked, you cooked
hai fatto presto: you made good time, you have made good time
hai spento (*inf.* spegnere): have you switched off?, did you switch off?, you have switched off, you switched off
ho comprato (*inf.* comprare): I bought, I have bought
ho messo (*inf.* mettere): I put, I have put
ho portato (*inf.* portare): I brought, I have brought
ho preparato (*inf.* preparare): I prepared, I have prepared
ho riordinato (*inf.* riordinare): I have tidied, I tidied
ho scritto (*inf.* scrivere): I wrote, I have written
mi sono rilassato (*inf.* rilassarsi): I relaxed, I have relaxed
oddio: Oh my goodness
sei arrivato (*inf.* arrivare): you have arrived?, did you arrive?, you have arrived, you arrived
siamo restati (*inf.* restare): we remained, we have remained
sono nato (*inf.* nascere): I was born
sono partiti (*inf.* partire): (they) have left, (they) left
sorella: sister
stereo, *lo*: stereo
ti sei messa (*inf.* mettere): you have put on, you put on (singular)
trattoria: trattoria, restaurant

Per concludere

buonissimo/a: excellent
giapponese, *il*: Japanese

Parola chiave

apparire (*p.p.* apparso): to appear, to emerge
impazzire: to go mad
intenzione, *l'* (*f.*): intention
mostrare: to show
pazzo/a: mad
reale: real, true
spuntare: to appear, to emerge
uscire (fuori) dai gangheri: to lose one's temper, to fly off the handle
uscire (fuori) dal coro: to go against the tide
uscire (fuori) di testa: to go mad
uscire allo scoperto: to stand up and be counted

Test 4

al Centro: in the Centre
al Nord: in the North
al Sud: in the South
correttamente (*avv.*): accurately
emozionante: exciting
relazione, *la*: report
sereno/a: clear (sky), sunny
sparso/a: scattered
squadra: team
tifoso: fan
traduttore, *il*: translator
verso mezzanotte: around midnight

Unità 9

La nuova famiglia italiana

STUDENT'S BOOK

Entriamo in tema

il meno possibile: as little as possible
inevitabilmente (*avv.*): inevitably
regole da seguire: rules to follow
rifugio: refuge
si litiga (*inf.* litigare): one argues
sicuro: safe, secure

Comunichiamo

Accidenti!: Damn it!
Che bello!: How lovely!, That's wonderful!
Che peccato!: What a shame!
Che rabbia!: How infuriating!
chirurgo: surgeon
Congratulazioni!: Congratulations!
da quanto tempo!: long time no see!
disappunto: disappointment
Favoloso!: Wonderful! That's great!
gioia: joy
ha sempre qualcosa da fare: he / she has always got something to do
in pensione: retired
Mannaggia!: Damn!
meraviglia: surprise
mi sposo (*inf.* sposarsi): I'm getting married
moglie, *la* (*pl.* le mogli): wife
non sta fermo un minuto: he / she is always on the go
nonno/a, *il/la*: grandfather / grandmother
occasione, *l'* (*f.*): opportunity
parentela: relationship
salutami tutti: say hello to everyone for me
stipendio, *lo*: pay
sufficiente: sufficient

Impariamo le parole - La famiglia

cognato/a, *il/la*: brother-in-law / sister-in-law
cugino/a, *il/la*: cousin
madre, *la*: mother
nipote, *il/la*: nephew / niece, grandson / granddaughter
padre, *il*: father
suocero/a, *il/la*: father-in-law / mother-in-law

Facciamo grammatica

andare d'accordo: to get on
casalinga: housewife
contrario/a: against
convivenza: cohabitation
favorevole: in favour
felice: happy
festa di matrimonio: wedding
inutile: unnecessary, pointless
restauro: restoration
rivedono (*inf.* rivedere): they meet up
si fermano (*inf.* fermarsi): they stay
unito/a: united, close
vita matrimoniale: married life

Comunichiamo

amore, *l'* (*m.*): love
andrà (*inf.* andare): (it) will go
avvocato: solicitor, barrister
badare: to look after, to care for
cambierò (*inf.* cambiare): I will change
carattere, *il*: personality
ci amiamo (*inf.* amarsi): (we) love each other
ci siamo sposati (*inf.* sposarsi): we got married, we have got married
ci sposeremo (*inf.* sposarsi): we will get married

coppia: couple
crisi di coppia, *la*: couple crisis
dito, *il* (*pl.* le dita): finger
dividere: to share, to split
dividere le spese: to share the costs
dovrà (*inf.* dovere): (it) will have to
eterno/a: eternal
fedi, *le* (*sg.* la fede): wedding rings
giovinezza: youth
guadagnare: to earn
ho voglia di...: I feel like ...
indipendenza: independence
inferno: hell
inventa (*inf.* inventare): make up
invitati, *gli*: guests
ipotetico/a: hypothetical
muove (*inf.* muovere; *p.p.* mosso): (he / she) moves
non è fatta: (it) isn't designed
non muove un dito: (he / she) doesn't lift a finger
partecipazione, *la*: invitation
penserò (*inf.* pensare): I will think
pittrice, *la* (*m.* il pittore): painter
potremo (*inf.* potere): we will be able
prenderemo casa insieme (*inf.* prendere; *p.p.* preso): we will move in together
provenienza: origin, provenance
rifiuto (*inf.* rifiutare): I reject
riservato/a: reserved
sbaglia (*inf.* sbagliare): (he / she) is wrong
se tutto andrà bene: if all goes well
sicurezza: security
sinceramente (*avv.*): to be honest
single: a single life
socievole: sociable
spirito libero: free spirit
sposarsi: to get married
stanno divorziando (*inf.* divorziare): they are getting a divorce
staremo (*inf.* stare): we will be
stress, *lo*: stress
stressante: stressful
tomba: burial place
tradizionale: traditional
un sacco di...: loads of
vita di coppia: coupledom

Impariamo le parole

Relazione di coppia e stato civile

a prima vista: at first sight
all'inizio: at the start
divorziare: to divorce
fidanzarsi: to get engaged
innamorarsi: to fall in love
separarsi: to separate
stato civile, *lo*: marital status

Facciamo grammatica

conveniente: advantageous
convivere (*p.p.* convissuto): to cohabit
era (*inf.* essere, *p.p.* stato): (he / she) was
mi sembrava (*inf.* sembrare): (he / she) seemed to me
racconta (*inf.* raccontare): (he / she) tells her story
ti fermi (*inf.* fermarsi): are you stopping?, you are stopping, you stop
timido/a: shy
voglio bene (*inf.* volere bene): I love

Conosciamo gli italiani

affermano (*inf.* affermare): (they) state
attaccamento: bond, attachment
battesimo: baptism
complessivamente (*avv.*): overall
comunione, *la*: holy communion
determinano (*inf.* determinare): (they) cause, (they) are causing
distante: far
divorzi, *i* (*sg.* il divorzio): divorces
economicamente (*avv.*): financially
edificio: building
evoluzione, *l'* (*f.*): evolution
familiari, *i* (*sg.* il familiare): relatives
fase, *la*: period, phase
fattore, *il*: factor
invariato/a: unchanged
maggiormente (*avv.*): to a greater extent
mamma: mum
mammismo: literally: excessive attachment to one's mother
mammone, *il*: mummy's boy
modello: model
necessità, *la*: necessity
religioso/a: religious
si riuniscono (*inf.* riunirsi): (they) gather together, (they) get together
sia... sia...: both ... and ...
sociale: social
struttura: structure
trasformazione, *la*: transformation

Si dice così!

divorziato/a: divorced
esaurito/a: sold out
presta (*inf.* prestare): (he / she) lends, is lending
separato/a: separated

Sintesi grammaticale

aggettivi possessivi, *gli*: possessive adjectives
borsa: bag
connettivi temporali, *i*: time sequencing words
esclusione, *l'* (*f.*): exclusion
fa eccezione: (it) is an exception
futuro semplice: future tense
nomi di parentela, *i*: family relationships
nota (*inf.* notare): note

WORKBOOK

Funzioni

accetta (*inf.* accettare): (he / she) accepts
adolescenza: adolescence
adora (*inf.* adorare): (he / she) adores
appena possibile: as soon as possible
comodità, *le* (*sg.* la comodità): comforts, conveniences
consegnare: to hand in
disordine, *il*: mess
fa di tutto: (he / she) does whatever (he / she) can
famiglia allargata: extended family
figura paterna: father figure
libertà, *la*: freedom
lotteria: lottery
ragazzi di oggi, *i*: youth of today
(letto) rifatto: made (bed)
rifiuta (*inf.* rifiutare): (he / she) rejects
si lamenta (*inf.* lamentarsi): (he / she) complains
si vogliono bene (*inf.* volersi bene): (they) love each other, (they) care for each other
spirito, *lo*: spirit
tantissimo (*avv.*): very much
tenere: to keep

Vocabolario

è già da un po' che...: it's already been a while that ...
felicemente (*avv.*): happily
qualunque: any
si fidanzeranno (*inf.* fidanzarsi): they will get engaged

Grammatica

difetto: shortcoming
famiglia numerosa: large family
inaugurare: to inaugurate
pensionato/a: a pensioner
si è comportato (*inf.* comportarsi): he has behaved
si lasceranno (*inf.* lasciarsi): they will split up
ti giuro (*inf.* giurare): I swear (to you)
visita: visit

Per concludere

a partire da: since
amici intimi, *gli*: close friends
anni Ottanta, *gli*: the eighties
continuamente (*avv.*): continuously
famiglie unipersonali: one person families
fenomeno: phenomenon
festa della donna: Woman's Day
formula: composition

ha formato (*inf.* formare): (it) has formed, (it) formed
immigrazione, *l'* (*f.*): immigration
inviterete (*inf.* invitare): will you invite?, you will invite (plural)
né: nor
politica: politics
primato: record
professionalizzazione, *la*: professionalisation
rappresenta (*inf.* rappresentare): (it) represents
rinunciare: to reject, to give up
ritratto: portrait
trentenne, *il*/*la*: man / woman in his / her thirties

Parola chiave

affare di famiglia: family matter
essere figlio di famiglia: to come from money
essere figlio di papà: to come from money
famiglia distrutta: broken family
farsi una famiglia: to start a family
interessi di famiglia: family interests
mettere su famiglia: to start a family
riunire: to reunite

Unità 10

Mi sembra...

STUDENT'S BOOK

mi sembra (*inf.* sembrare): he / she / it seems (to me)

Entriamo in tema

aspetto: aspect
parlare in chat: to chat online
positivo/a: positive
social network, *il*: social networking site

Comunichiamo

a proposito di: talking of
bruttino/a: uglyish
calvo/a: bald
da ora in poi: from now on
di mezza statura: shortish
di persona: in the flesh
grasso/a: fat
ha offerto (*inf.* offrire): (he / she) offered, (he / she) has offered
incontro: meeting, encounter
lasciamo stare: let's not go there
muscoloso/a: muscular
nemmeno: not even
realtà, *la*: reality, real life
rende (*inf.* rendere; *p.p.* reso): (it) makes
rete, *la*: web
sembrava (*inf.* sembrare): (he / she) seemed
serio/a: serious

Impariamo le parole

Descrizioni fisiche

azzurro/a: blue
baffi, *i*: moustache
basso/a: short, low
bianco/a: white
capelli castani: chestnut brown hair
capelli lisci: straight hair
capelli mossi: wavy hair
capelli ricci: curly hair
corto/a: short
di mezza età: middle-aged
magro/a: thin
occhi a mandorla: almond eyes
occhiali, *gli*: glasses
pelle, *la*: skin
pizzetto: goatee
rotondo/a: round
scuro/a: dark

Comunichiamo

corporatura, *la*: build

Facciamo grammatica

dare fastidio: to bother, to annoy
scherzare: to joke, to play around

Entriamo in tema

aggressivo/a: aggressive
amicizia: friendship
apprezza (*inf.* apprezzare): (he / she) appreciates
conflitto: conflict
confronto: debate, confrontation
conservi (*inf.* conservare): you save (singular)
costante: constant
dare peso: to place importance
detesti (*inf.* detestare): you detest (singular)
eccesso: extreme, excess
grigio/a: grey
impressione, *l'* (*f.*): impression
istintivo/a: impulsive, spontaneous
moderato/a: controlled
pensieroso/a: pensive
piangere (*p.p.* pianto): to cry
profilo: profile
ridi (*inf.* ridere; *p.p.* riso): you laugh (singular)
servire: to be needed
solitario/a: loner
tartaruga: tortoise
ti capita (*inf.* capitare): you end up (singular)
volo low cost, *il*: cheap flight

Comunichiamo

accettare: to accept
addirittura: even
allegro/a: cheerful
antipatico/a: unpleasant
chiuso/a: introverted
compagnia: company
confidenze, *le* (*sg.* la confidenza): secrets
entusiasta: enthusiastic
esclusivamente (*avv.*): only
estroverso/a: extrovert
il peggiore: the worst
in compagnia di: in the company of
invadente: intrusive
le cose vanno male: things go badly
lunatico/a: moody
maleducato/a: rude
né... né...: neither ... nor ...
novità, *la*: new thing, innovation
ottimista: optimistic
permaloso/a: sensitive, touchy
pregio: quality
pregiudizi, *i* (*sg.* il pregiudizio): prejudice
punto di vista: point of view
triste: sad
umore, *l'* (*m.*): mood

Impariamo le parole

Descrizione del carattere

ambizioso/a: ambitious
anche a me: to me too
aperto/a: open
arrogante: arrogant
citazione, *la*: quotation
critiche, *le* (*sg.* la critica): criticism
di cattivo umore: in a bad mood
dolce: sweet
educato/a: polite, courteous
fisico/a: physical
furbo/a: clever, cunning
ha buone maniere: (he / she) has good manners
mi arrabbio (*inf.* arrabbiarsi): I get angry
modesto/a: modest
neanche a me: to me neither
pacifico/a: easy-going
proprio/a: own
riflessivo/a: contemplative
riflette (*inf.* riflettere): (he / she) reflects
scherzo, *lo*: joke
scherzoso/a: playful
si offende (*inf.* offendersi; *p.p.* offeso): (he / she) takes offence
si vanta (*inf.* vantarsi): (he / she) boasts
stupido/a: stupid
su di me: about me
teso/a: tense
tollera (*inf.* tollerare): (he / she) tolerates
verbale: verbal
violenza: violence

Conosciamo gli italiani

a tutti i costi: at all costs

alternativo/a: alternative
andare avanti: to get on
apparire, *l'* (*m.*): appearance
aspetto fisico: physical appearance
avere, *l'*: having
bel fisico: good body, good physique
chirurgia plastica: plastic surgery
chirurgo plastico: plastic surgeon
cifra: sum (of money)
consiglio: advice
conta (*inf.* contare): (it) matters, (it) counts
contro: against
copertina: magazine cover
corpo: body
curare: to look after, to care for
danno importanza: (they) place importance
eleganza: elegance
enorme: enormous
esagerato/a: overstated
essere, *l'* (*m.*): being
estetista, *l'*: beautician
fisico: body, physique
importato/a: imported
in crescita: in growth
istituto di bellezza: beauty parlour
migliorare: to improve
motivato/a: motivated
pazienza: never mind, patience
plastica: plastic
professionalità, *la*: professionalism
qualsiasi: any
quello che conta: what matters
rapidissimo/a: very rapid
regolarmente (*avv.*): regularly
riguarda (*inf.* riguardare): (it) concerns
scandalo, *lo*: outrage
scandaloso/a: scandalous
sembrare, *il*: seeming
simpatia: congeniality
snello/a: slim
successo: success
taglio di capelli: hair cut
telegiornale, *il*: news programme

Si dice così!

capelli biondi: blond hair
caratteristiche, *le* (*sg.* la caratteristica): features
carnagione, *la*: skin tone
chiaro/a: light, pale
Com'è di carattere?: What's his / her personality like?
Com'è di fisico?: What does he / she look like?
mi sembrano (*inf.* sembrare): they seem (to me)
occhi castani: brown eyes
occhi chiari: light eyes
occhi scuri: dark eyes
robusto/a: big-built

Sintesi grammaticale

pronomi personali indiretti, *i*: personal indirect object pronouns

WORKBOOK

Funzioni

ci siamo visti (*inf.* vedersi): we met, we have met
cordiale: friendly, cordial
fisicamente (*avv.*): physically
introverso/a: shy, introverted
sorriso: smile

Grammatica

assolutamente (*avv.*): absolutely, totally
avvertire: to advise
cerchi (*inf.* cercare): you are looking for, you look for (singular)
ha perdonato (*inf.* perdonare): (he / she) has forgiven, (he / she) forgave
invito: invitation
messaggio: message
mi è sembrato (*inf.* sembrare): he seemed (to me)
prestito: loan
provo (*inf.* provare): I will try, I try
semplice: easy
traslocare: to move house
voto: grade, mark

Per concludere

affascina (*inf.* affascinare): (it) attracts, (it) appeals
andare in bici: to ride a bike
bici, *la* (*pl.* le bici): bike
ha cose da dire: he / she has things to say
ipocrita: hypocrite
piacere di conoscerti: pleased to meet you (singular)
profondo/a: deep
sguardo, *lo*: look, expression
viso: face

Parola chiave

cose di questo tipo: things of this type
paragone, *il*: comparison
sei proprio il mio tipo: you really are my type
un tipo di lavoro: a type of work

Test 5

affittare: to rent
canzone, *la*: song
Da quanto tempo stai con...?: How long have you been going out with ...?
diffusione, *la*: distribution
discretamente (*avv.*): well enough
ha maggiore diffusione: (it) is more widely spoken
indipendente: independent
verdure, *le* (*sg.* la verdura): vegetables

Unità 11

Prendiamo il treno!

STUDENT'S BOOK

Entriamo in tema

ad alta velocità: high speed
collega (*inf.* collegare): it connects
Diretto, *il*: fast train
effettua (*inf.* effettuare): it makes
Eurostar, *l'* (*m.*): Eurostar
Intercity, *l'* (*m.*): Intercity
Interregionale, *l'* (*m.*): cross country service
Locale, *il* (*m.*): stopping service
regione, *la*: region

Comunichiamo

abbazia: abbey
che ne dici di...?: how about ...?
ci informiamo (*inf.* informarsi): (we) find out
ci muoviamo (*inf.* muoversi; *p.p.* mosso): will we get around?, we get around
direttamente (*avv.*): directly
fare footing: to go jogging
fare un salto: to pop in
in provincia di: in the province of
pericolo: danger
provincia: province
rifiutare: to decline
risalire: to go back up
salto: jump
si informano (*inf.* informarsi): they find out
terme, *le*: spas
ti va...?: do you fancy ...?
tutti dicono che: everyone says that

Facciamo grammatica

ferrovie, *le*: railways
funziona (*inf.* funzionare): (it) functions, (it) works
invidiare: to envy
non preoccuparti: don't worry
posto a sedere: place to sit, seat

Impariamo le parole

Mezzi di trasporto

elicottero: helicopter
nave, *la*: ship

Comunichiamo

binario: platform
Buon viaggio: Have a good trip
destinazione, *la*: destination
durata: duration**seconda classe**: second class
partenza: departure
senta (*inf.* sentire): excuse me
stazione di cambio: station where a train change is needed

Impariamo le parole

Alla stazione

allontanarsi: to move away
carrozza: carriage
cuccetta: couchette
è in partenza: (it) is departing
è vietato...: ... is banned, ... is forbidden
giallo/a: yellow
linea: line
portiamo un ritardo di 20 minuti: we are running 20 minutes late
posto prenotato: reserved seat
servizio ristorante: restaurant service
si pregano i signori viaggiatori: passengers are asked
suoneria: ringtone
treno in arrivo: there is a train arriving
volume, *il*: volume

Entriamo in tema

è durato (*inf.* durare): did it last?, it lasted

Comunichiamo

abbiamo speso (*inf.* spendere): we spent, we have spent
andavamo (*inf.* andare): we went
andavate (*inf.* andare): did you go?, you went (plural)
avevate (*inf.* avere): did you have?, you had (plural)
ci alzavamo (*inf.* alzarsi): we got up
era (*inf.* essere; *p.p.* stato): (it) was
facevamo spese (*inf.* fare; *p.p.* fatto): we made purchases
facevate (*inf.* fare; *p.p.* fatto): did you do?, you did (plural)
guardavamo (*inf.* guardare): we looked at
hotel, *l'* (*m.*): hotel
prendevamo (*inf.* prendere; *p.p.* preso): we had, we took
uscivamo da (*inf.* uscire): we left
vedevamo (*inf.* vedere; *p.p.* visto): we saw
visitavamo (*inf.* visitare): we visited

Facciamo grammatica

c'era altro da fare: there was something else to do
esserci (*p.p.* stato): to be there

Conosciamo gli italiani

a pagamento: chargeable
accessibile: accessible
accesso: access
acquisto: purchase
agenzia: (travel) agency
al servizio di: at the service of
aperitivo di benvenuto: welcome aperitif
assistenza: assistance
beneficiare: to benefit
cambio: change, alteration
chiamando (*inf.* chiamare): calling
circolazione, *la*: journey
collegamento: departure, connection
collegarsi a Internet: to connect to the Internet
convenienza: convenience
copertura telefonica: telephone coverage
dedicato/a: dedicated
è in possesso di: (he / she) holds, has
eccellenza: excellence
effettuato/a: made
esclusivo/a: exclusive
ferroviario/a: rail
freccia: arrow
Frecciarossa, *il*: Frecciarossa train
guidato/a: signposted
in coincidenza: connecting (of transport)
investire: to invest
lungo (*avv.*): along
monitor, *il*: screen
noleggio: hire
oro: gold
platino: platinum
presa elettrica: electrical socket
prima classe: first class
prodotti: products
quotidiano, *il*: daily newspaper
regionale: regional
segnalano (*inf.* segnalare): (they) point out
sia... che...: both ... and ...
tempo di percorrenza: journey time, duration
tramite (*avv.*): via
tratta: route
vettura: carriage

Si dice così!

non mi va: I don't fancy it

Sintesi grammaticale

indefiniti, *gli*: indefinites
nulla: nothing

WORKBOOK

Funzioni

controllore, *il*: conductor
fare la valigia: to pack
magari: perhaps
potresti (*inf.* potere): you could (singular)
raggiungere (*p.p.* raggiunto): to catch up with
ti ringrazio (*inf.* ringraziare): thanks (I thank you)

Vocabolario

anticipo: advance
benzina: petrol
bigliettaio: ticket clerk
decollo: take off
ferrovia: railway
per mare: by sea, on the sea
permettere (*p.p.* permesso): to allow
privato/a: private
ricco/a: rich
si sta muovendo (*inf.* muoversi; *p.p.* mosso): it is moving
sottoterra: underground
tram, *il*: tram
trasportare: to transport
urbano/a: urban

Grammatica

avventura: adventure
bagnato/a: wet
idraulico: plumber
impegnato/a: involved
incidente, *l'* (*m.*): accident
malissimo (*avv.*): very badly
mi annoiavo (*inf.* annoiarsi): I was bored
romanzo: novel
spiacevole: unpleasant
splende (*inf.* splendere): (it) shines, (it) is shining
voleva (*inf.* volere): (he / she) wanted

Parola chiave

andare d'amore e d'accordo: to get on like a house on fire
mettersi d'accordo: to make arrangements
trovarsi d'accordo: to be in agreement

Unità 12

Ti vesti alla moda?

STUDENT'S BOOK

ti vesti (*inf.* vestirsi): do you dress?, you dress (singular)
ti vesti alla moda?: do you follow fashion? (singular)

Entriamo in tema

capo di abbigliamento, *il*: item of clothing
stilista, *lo/la*: fashion designer

Comunichiamo

a righe: striped
camerino: changing room
camicetta: blouse
cassa: till
Che taglia porta?: What size do you take? (formal)
domande: questions
gonna: skirt
in vetrina: in the window
La ringrazio (*inf.* ringraziare): thanks (I thank you) (formal)
maglione, *il*: jumper

marrone: brown
misura: size
orribile: horrible
ottiene (*inf.* ottenere): (he / she) obtains
Porto la...: I'm a size ...
Posso aiutarLa?: Can I help you? (formal)
prendilo (*inf.* prendere, *p.p.* preso): take it (buy it)
prova: try
provare: to try (on)
richieste: requests
scontato/a: discounted
taglia media: medium
taglia: size
ti stanno meglio: (they) suit you better, (they) fit you better
vita: waist

Impariamo le parole
Abbigliamento

a fantasia: multi-coloured
a fiori: floral
a pois: spotted
a quadri: checked
a tinta unita: plain coloured
calze, *le* (*sg.* la calza): socks
cappello: hat
cappotto: coat
cintura: belt
cravatta: tie
giacca, *la* (*pl.* le giacche): jacket
giubbotto: outdoor jacket
guanti, *i*: gloves
maglietta: t-shirt
porto una S: I am a small
scarpe, *le*: shoes
sciarpa: scarf
un paio di...: a pair of ...

Facciamo grammatica

blu: blue
cotone, *il*: cotton
elegantissimo/a: very elegant
mi passi...: will you pass me ...?, you pass me (singular)
signorina: Miss

Entriamo in tema

basta il pensiero: it's the thought that counts
hai riciclato (*inf.* riciclare): have you recycled?, did you recycle?, you have recycled, you recycled (singular)

Comunichiamo

bracciale, *il*: bracelet
compleanno: birthday
compragli (*inf.* comprare): buy him
d'acciaio: steel
d'argento: silver
da uomo: men's
dimmi tutto: let's hear it
dovrebbe (*inf.* dovere): (it) should
dubbi, *i* (*sg.* il dubbio): doubts
gioielleria: jewellery shop
ha dei dubbi: (he / she) has doubts
materiale, *il*: material
prendigli (*inf.* prendere; *p.p.* preso): get him
regalagli (*inf.* regalare): give him (as a present)
regalare: to give as a present
sta' tranquilla (*inf.* stare): don't worry

Impariamo le parole
Materiali, difetti, accessori e negozi

accessori, *gli* (*sg.* l'accessorio): accessories
anello: ring
calzature, *le*: shoe shop
cartoleria: stationer's
collana: necklace
guida turistica: guidebook
lana: wool
orecchini, *gli* (*sg.* l'orecchino): earrings
pelle, *la*: leather
pelletteria: leather goods store
portachiave, *il*: key ring
portafoglio: purse, wallet
quaderno: exercise book
sandali, *i* (*sg.* il sandalo): sandals
seta: silk

Facciamo grammatica

attentamente (*avv.*): closely
conservare: to keep
gioielli, *i*: jewellery
informarsi: to find out
insistere (*p.p.* insistito): to insist
marca: brand name
mercato: market
ricordarsi: to remember
saldi, *i*: sales

Conosciamo gli italiani

a prima vista: at first sight
abito: outfit
anoressia: anorexia
appositamente (*avv.*): specifically
campagna pubblicitaria: advertising campaign
ci saranno (*inf.* esserci; *p.p.* stato): there will be (plural)
coinvolgono (*inf.* coinvolgere; *p.p.* coinvolto): (they) involve
collezione, *la*: collection
costosissimo/a: very expensive
desiderano (*inf.* desiderare): they desire
driver, *i* (*sg.* il driver): driving forces
evento: event
fondamentale: principal
giocattolo: toy
gioco, *il* (*pl.* i giochi): game
giro di affari: turnover
globale: global
hanno recepito (*inf.* recepire): (they) have acknowledged, (they) acknowledged
imbarazzato/a: embarrassed
incredibile: incredible
intorno a (*avv.*): generated from (literally: around)
magrissimo/a: very thin
manifestazione, *la*: show
nostalgico/a: nostalgic person
organizzatore, *l'* (*m.*): organiser
orgoglioso/a: proud
passerella: cat walk
prodotto/a: produced
professionista, *il/la*: professional
rappresentano (*inf.* rappresentare): (they) represent
segno: influence, mark
sfilano (*inf.* sfilare): (they) parade
sfilata di moda: fashion show
sicuramente (*avv.*): without doubt
sognare: to dream
solito/a: usual
stanno diventando (*inf.* diventare): (they) are becoming
tendenza: trend
viceversa: vice versa
video, *il* (*pl.* i video): video
visione, *la*: vision, view

Si dice così!

indossa (*inf.* indossare): (he / she) wears, is wearing
jeans, *i*: jeans
veste (*inf.* vestire): (he / she) dresses

Sintesi grammaticale

imperativo: imperative

WORKBOOK

Funzioni

ci vuole (*inf.* volerci): (it) is needed
eventualmente (*avv.*): if need be
Le piace (*inf.* piacere; *p.p.* piaciuto): do you like it?, you like it (formal)
parere, *il*: opinion
vestito/a: dressed

Vocabolario

a vita bassa: low waisted
collo: neck
coprire (*p.p.* coperto): to cover
Desidera altro?: Anything else?
estroso/a: quirky
ginocchio, *il* (*pl.* le ginocchia / i ginocchi): knee
in maniera ricercata: in a dressy way
indossano (*inf.* indossare): (they) wear
indossi (*inf.* indossare): you wear (singular)

largo di spalle: big on the shoulders
lino: linen
occassione, *l'* (*f.*): occasion
Posso esserLe utile?: Is there anything I can help you with? (formal)
sopra (*avv.*): over
spalla, *la* (*pl.* le spalle): shoulder
tacco alto: high heel
testa: head
uomo d'affari: business man

Grammatica

cambio di stagione: change of season
dare un'occhiata: to take a look
gioiello: piece of jewellery
scaffale, *lo*: shelf
togliti (*inf.* togliersi; *p.p.* tolto): take off

Parola chiave

locuzione avverbiale, *la*: adverbial phrase
lutto: mourning
mettersi (*p.p.* messo): to put on
spogliarsi: to undress
svestirsi: to undress
togliersi i vestiti (*p.p.* tolto): to remove one's clothes
vestirsi come un damerino: to dress like a dandy

Test 6

frigo, *il* (*pl.* i frigo): fridge
in ogni caso: at any rate
istruzione, *l'* (*f.*): instruction
odore, *l'* (*m.*): smell
scaldabagno, *lo*: boiler
va a male: (it) will go off, (it) goes off
velocissimo/a: very fast

Unità 1

Funzioni

1. 1. Sono americano/inglese/brasiliano ...; 2. Sono di New York/Londra/Rio ...; 3. Il mio indirizzo è ...; 4. Il mio numero di telefono è ...

2. 1. Qual, 2. Dove, 3. Quanti, 4. Di dove, 5. Qual

3. 1. formale/formale, 2. formale/informale, 3. informale/informale, 4. formale/formale

4. 1. ti chiami, 2. dov'è/E tu?, 3. si chiama, 4. Buongiorno, 5. Quanti/ha, 6. dove

5. Risposta libera

Vocabolario

6. *Cuba = cubano*, Messico = messicano, Bolivia = boliviano, Corea = coreano, Brasile = brasiliano, Italia = italiano, *Finlandia = finlandese*, Francia = francese, Canada = canadese, Norvegia = norvegese, Giappone = giapponese, Irlanda = irlandese

7. 1. italiana, 2. inglese, 3. spagnolo, 4. tedesca, 5. canadese, 6. russa, 7. francese, 8. marocchina, 9. argentino

8.
nome: Sandro, Mike, Erica e Lara, Robert, Amelie e Lauran, Robert, Josè, Raul e Sara
cognome: Rossi, Tafuri, Schneider, Murphy, Givon, Pearson, Guerreira, Lopez
nazionalità: italiana, americana, tedesca, inglese, francese, canadese, brasiliana, spagnola
città: Risposta libera
età: Risposta libera

9. Risposta libera

10. 1. avere, 2. essere, 3. avere, 4. essere, 5. avere, 6. essere

11. 1 = uno, 12 = dodici, 5 = cinque, 21 = ventuno, 18 = diciotto, 0 = zero, 77 = settantasette, 80 = ottanta, 13 = tredici, 31 = trentuno, 58 = cinquantotto, 33 = trentatré

Grammatica

12. 1. Sì, sono americano; 2. No, non è in classe; 3. No, non ho 25 anni; 4. Sì, hanno fame; 5. Sì, è stanca; 6. No, non è di Parigi; 7. Sì, sono a casa; 8. Sì, siamo amici

13. 1. Noi siamo italiani; 2. Voi avete ventidue anni; 3. Noi abbiamo un libro di italiano; 4. Veronica e Caterina sono studentesse; 5. Voi avete un cellulare nuovo; 6. Loro sono di New York; 7. Voi siete stranieri

14. *maschile singolare*: tavolo, libro, foglio, amico, orologio; *maschile plurale*: studenti, zaini, ragazzi; *femminile singolare*: porta, finestra; *femminile plurale*: sedie, penne

Per concludere

15. 1. Di dove siete, ragazzi?; 2. George non è inglese; 3. Qual è il tuo numero di telefono?; 4. Mi chiamo Marco e ho 24 anni; 5. Come si scrive il tuo nome?

16. 1. Come *ti* chiami? / Come si *chiama*?; 2. Io *ho* venti anni; 3. *Buongiorno*, signora Rossi!; 4. Sono *americano/americana*; 5. Io e Pablo *siamo* amici

17. Risposta libera

Pronuncia

18. Risposta libera

19. chi: 1, 3, 5, 7, 10, 11; ci: 2, 4, 6, 8, 9, 12

20. che: 1, 4, 5, 8, 11, 12; ce: 2, 3, 6, 7, 9, 10

Parola chiave

21.
funzione principale: interrogativo per fare domande
altri interrogativi: Cosa?, Dove?, Chi?, Quale?, Quanto?
domande con come: Come ti chiami?, Come si scrive?, Come stai?, Come si pronuncia?, Come si dice?
domande con altri interrogativi: Chi è Maria?, Qual è il tuo indirizzo?, Qual è il tuo numero di telefono?, Quanti anni hai?

Unità 2

Funzioni

1. d, b, e, c, a

2. Risposte possibili: 1. Ciao Marco. Sto bene, grazie. E tu?; 2. Marco, conosci Michelle, la mia amica francese?; 3. Michelle, lui è Marco, un mio amico. 4. No, frequento un corso di storia dell'arte all'Università

Vocabolario

3. 1. Franco fa il meccanico, 2. Antonio fa il cuoco, 3. Elisa fa l'insegnante, 4. Elena fa la cameriera, 5. Pietro fa l'ingegnere, 6. Francesca fa la commessa

4. 1. anni, 2. a, 3. Frequento, 4. Ho, 5. in, 6. fare, 7. cameriera, 8. ristoranti

5. Risposta libera

Grammatica

6. 1. parla, 2. lavoriamo, 3. leggono, 4. chiudete, 5. dorme, 6. vedi, 7. partono, 8. mangiano, 9. apre, 10. risponde

7. 1. vieni; 2. sta; 3. vengono; 4. bevo; 5. vanno; 6. bevono; 7. sto; 8. facciamo, andiamo; 9. stiamo; 10. faccio, vengo; 11. fate, state, venite; 12. fanno

8. il libro, l'orologio, le amiche, la casa, la materia, la chiave, la banca, lo stadio, gli amici, l'ospedale

9. Possibili combinazioni nomi-aggettivi, ne sono possibili altre: 1. l'albergo caro, 2. i compiti facili, 3. le lezioni difficili, 4. gli alberi alti, 5. lo zaino vuoto, 6. la macchina veloce, 7. lo stadio pieno, 8. il libro interessante, 9. la casa grande

10. 1. a, 2. a, 3. in, 4. in, 5. in, 6. a, 7. a, 8. da

Per concludere

11. 1. Frequento la facoltà di Medicina a Roma; 2. Anna fa l'insegnante in una scuola privata; 3. Ciao Marco, questa è Luisa, la mia ragazza; 4. Lino e Gina vengono a Firenze; 5. Mark è americano, ma abita in Italia

12. 1. *Dove* lavori?/Che *lavoro fai*?; 2. Faccio *l'*insegnante; 3. *La* lezione di italiano è difficile; 4. Gli studenti *fanno* il test; 5. Julie va *in* Italia per le vacanze

Pronuncia

13. Risposta libera

14. gi: 1, 3, 4, 6, 8, 12; ghi: 2, 5, 7, 9, 10, 11

15. ge: 1, 3, 6, 7, 8, 11; ghe: 2, 4, 5, 9, 10, 12
Parola chiave
16.
funzione principale: esprimere movimento
funzione secondaria: chiedere come si sta
posti dove puoi andare: in piazza, in palestra, in pizzeria, a letto, a Roma, a teatro
contrari: tornare, ritornare
espressioni con andare *con significato di movimento*: andare a casa, andare a fare un giro
espressioni con andare *con altri significati*: come va?; va bene

Unità 3

Funzioni
1. 1. f, 2. e, 3. c, 4. a, 5. b, 6. d
2. 1. è possibile, 2. portare, 3. fumare, 4. non può, 5. portare
3. Risposte possibili: 1. Professore, può ripetere, per favore?; 2. Posso chiudere la finestra?; 3. Scusa, puoi parlare a voce alta?/puoi alzare la voce?; 4. Papà, posso prendere la macchina stasera?; 5. Scusi, può aggiungere del ghiaccio nella Coca, per favore?
Vocabolario
4. 1. tavolino, 2. prendere, 3. menu, 4. preferisce, 5. sceglie, 6. con la, 7. chiede, 8. prendono, 9. chiamano, 10. pagano
5. 1. latte, 2. panino, 3. gelato, 4. cornetto, 5. cappuccino, 6. bicchiere, 7. marmellata, 8. tramezzino
6. *cose da mangiare*: carne, pesce, arance, grissini, mele, mozzarella, pane, uva, lattuga, patate; *cose da bere*: vino, acqua, succo di frutta, birra; *contenitori*: scatola, bustina, bottiglia, pacco; *misure e pesi*: etto, grammi, litro, chilo
7. 1. b, 2. d, 3. e, 4. c, 5. a
8. Risposta libera
Grammatica
9. A. Ti piace, mi piace; B. piacciono; C. non piace; D. Non mi piacciono
10. A. usciamo, finisco, preferiscono; B. partite, riesce, partiamo; C. capisco
11. 1. Sono un tipo sportivo e vado in palestra. *Ci* vado almeno 2 volte alla settimana; 2. Gli italiani vanno spesso al bar. *Ci* vanno principalmente a colazione e dopo pranzo; 3. Marta va a Palermo domani. *Ci* resta tutta la settimana; 4. Vado sempre in vacanza in Toscana. *Ci* torno ogni estate; 5. Sara e Elena sono Roma ma vivono a Firenze. *Ci* vivono da tre anni
Per concludere
12. 1. Vai tu al supermercato o ci vado io?; 2. Conosco il bar *Le contrade*, ci faccio colazione ogni mattina; 3. Non mi piacciono i cornetti con la crema; 4. Questa sera Paolo e Miriam mangiano a casa; 5. Mi piace organizzare cene con gli amici
13. 1. Mi *può* portare il conto?; 2. Scusi, posso *pagare* con la carta di credito?; 3. Cameriere, scusi, *posso* fumare in questo locale?; 4. È *possibile* avere un'altra birra, per favore? Questa è calda!; 5. Mi può *dare* un'altra bustina di zucchero?; 6. Cameriere, *può* portare un menu per favore?
14. Risposta libera

Pronuncia
15. Risposta libera
16. cci: 1, 4, 5, 6, 8, 10, 12, 13, 14, 17; ci: 2, 3, 7, 9, 11, 15, 16, 18, 19, 20
Parola chiave
17.
categoria grammaticale: aggettivo
sinonimi (cibi, alimenti): gustoso, saporito, delizioso
contrari (cibi, alimenti): disgustoso, insapore, cattivo
sinonimi (persone): affettuoso, gentile, onesto
contrari (persone): malvagio, cattivo, disonesto
espressioni con buono: buona idea, che buono!
altro: buona musica, buon libro

Unità 4

Funzioni
1. 1. c, 2. g, 3. d, 4. f, 5. b, 6. a
2. A. Sono le dodici/È mezzogiorno; B. Sono le cinque e un quarto/Sono le cinque e quindici; C. Sono le quattordici e quarantacinque/Sono le tre meno un quarto; D. Sono le sette e quaranta/Sono le otto meno venti
Vocabolario
3. 1. l'autobus, 2. a piedi, 3. prima del semaforo, 4. prendi, 5. scendere, 6. dritto, 7. di fronte, 8. lontano dall'
4. La Scuola di italiano per stranieri è aperta dal lunedì al sabato dalle nove alle diciotto e trenta; La Banca Monte dei Paschi è aperta dal lunedì al venerdì, la mattina dalle otto e quarantacinque alle tredici e il pomeriggio dalle quattordici e quarantacinque alle diciassette; L'Ufficio dei Vigili Urbani è aperto il lunedì, mercoledì e venerdì dalle otto e trenta alle dodici e trenta e il martedì e il giovedì dalle quindici alle diciassette e trenta
5. 1. vuoi, 2. devi, 3. Puoi, 4. devi, 5. può, 6. possono, 7. vogliono, 8. Vuoi, 9. devi, 10. puoi
6. 1. al traffico, 2. prendere, 3. parcheggio, 4. i vigili, 5. a piedi, 6. centro
7. Lunedì mattina, 12 e trenta, *Visita museo di arte con Laura*; Martedì dalle 10 alle 12, *Lezione di italiano*; Mercoledì pomeriggio, ore 17, *Lezione di tennis*; Giovedì ore 10, *Scambio di conversazione con Mario*; Venerdì sera, *Aperitivo da* Korè *con i ragazzi*; Sabato, ore otto e un quarto, *Appuntamento in centro per cena fuori*; Domenica, *LIBERA tutto il giorno!!!*
Grammatica
8. 1. un, 2. un, 3. una, 4. una, 5. un, 6. una, 7. uno
9. 1. La, una; 2. una, la; 3. un, il; 4. la, una; 5. la, un; 6. una, La
10. 1. vogliono, 2. vuole, 3. volete, 4. voglio, 5. vuoi, 6. vogliamo
11. 1. devi, 2. deve, 3. devono, 4. dobbiamo, 5. dovete, 6. devo
12. 1. possiamo, 2. può, 3. posso, 4. puoi, 5. possono, 6. potete
13. 1. Tu sai giocare bene a calcio (A); 2. Non sappiamo a che ora sono arrivati a casa i ragazzi (C); 3. Maria adesso sa tutta la verità (C); 4. Mio figlio ha due anni e già sa parlare (A); 5. Gli italiani non sanno parlare le lingue straniere (A)

Per concludere

14. 1. Scusi, sa dove è l'albergo *Jolly*?; 2. Per andare in Piazza di Spagna deve prendere la metropolitana; 3. Scusi, dove posso comprare un biglietto per l'autobus?; 4. Il pullman per Firenze parte alle 18 da Piazza Gramsci; 5. La stazione è aperta dalle 6 a mezzanotte; 6. Senta, scusi, a che ora passa l'autobus per andare allo stadio?

15. 1. È tardissimo, devo *andare* a casa; 2. *È* mezzanotte e Marco è ancora fuori; 3. Scusi, mi *può* dire dov'è la stazione?; 4. *Il prossimo* fine settimana voglio fare un giro fuori città; 5. John è *uno* studente attento e intelligente; 6. La biblioteca è aperta tutti i giorni *dalle* 9 alle 18.30

16. Risposta libera

Pronuncia

17. Risposta libera

18. gli: 1, 3, 5, 7, 9, 10; li: 2, 4, 6, 8, 11, 12

Parola chiave

19.

verbi: fare, comprare, convalidare, vendere

compro un biglietto in...: edicola, biglietteria, tabaccheria

tipi di biglietto: giornaliero, a tempo, settimanale

per mezzi di trasporto: autobus, metropolitana, pullman

per altro: concerto, mostra d'arte, turno in uffici o negozi

Unità 5

Funzioni

1. 1. D, 2. C, 3. B, 4. A

2. Risposta libera

3. 1. e, 2. c, 3. a, 4. d, 5. b

Vocabolario

4. 1. poltrona, 2. posate, 3. specchio, 4. lavatrice, 5. armadio, 6. libreria, 7. comodino, 8. lampada, 9. tappeto, 10. frigorifero, 11. cuscino, 12. lavandino, 13. forno, 14. divano, 15. lavastoviglie

5. Attenzione: in alcuni Paesi ci potrebbero essere consuetudini e disposizioni differenti (per esempio, in Gran Bretagna il lavandino può anche essere in camera da letto), quindi, se la risposta è giustificata, per alcuni oggetti possiamo avere soluzioni differenti.

Stanza da letto: 3, 5, 6, 7; *Cucina*: 2, 10, 13, 15; *Soggiorno*: 1, 3, 6, 8, 9, 11, 14; *Bagno*: 4, 12

6. 1. passo l'aspirapolvere, 2. spolvero, 3. passo, 4. stiro, 5. apparecchiano, 6. lavano, 7. buttano

7. 1. matrimoniale, 2. parcheggio, 3. l'aria condizionata, 4. telefono, 5. doppia, 6. bagno

8. 1. libera, 2. divano, 3. tavolo, 4. prenotare, 5. albergo, 6. veloce, 7. portineria, 8. colazione

Grammatica

9. 1. c'è, 2. ci sono, 3. sono, 4. ci sono, 5. c'è, 6. sono, 7. è, 8. sono, 9. è, 10. c'è, 11. c'è, 12. ci sono

10. 1. a, 2. sul, 3. dei, 4. nell', 5. delle, 6. ai, 7. a, 8. alle

11. 1. Il mio appartamento è *al* quarto piano di un palazzo antico; 2.In tutte le stanze *dell'*albergo c'è l'aria condizionata; 3. Ho uno splendido balcone con vista *sul* mare; 4. Il costo di una casa dipende molto *dalla* zona in cui si trova; 5. I proprietari di alberghi criticano il comportamento *dei* turisti italiani; 6. I prezzi degli affitti sono molto diversi *nelle* varie città italiane; 7. In un albergo di lusso è importante anche la qualità *del* ristorante; 8. In Italia non è comune lasciare grosse mance *ai* camerieri; 9. La camera singola viene 40 euro *al* giorno; 10. L'affitto *degli* appartamenti in centro è molto caro

Per concludere

12. 1. Nella casa ci sono tre stanze grandi e luminose; 2. La periferia è la zona più economica della città; 3. Divido la casa con alcuni amici; 4. L'appartamento di Marco è lontano dal centro; 5. Chiedo sempre il bagno in camera in albergo

13. 1. L'appartamento è al numero 34 *della* strada principale; 2. Nella mia casa *ci sono* ancora pochi mobili; 3. *Tra la* cucina e il soggiorno c'è la mia camera da letto; 4. Arrivo in albergo alle 18 in punto; 5. Scusi, nella stanza *c'è* l'aria condizionata?

14. Risposta libera

Pronuncia

15. Risposta libera

16. sci: 1, 3, 5, 6, 8, 9, 10, 12, 13, 14, 16, 20; sco: 2, 4, 7, 11, 15, 17, 18, 19

Parola chiave

17.

aggettivi della casa: luminosa, accogliente, calda

tipi di casa: appartamento, monolocale, villa

parti della casa: corridoio, soggiorno, salotto

pagare la casa: padrone di casa, affitto, contratto

pulire e riordinare la casa: passare lo straccio, spolverare, lavare i piatti

Unità 6

Funzioni

1. 1. c, 2. f, 3. e, 4. b, 5. d, 6. a

2. Risposta libera

Vocabolario

3. 1. in ritardo, 2. in orario, 3. con calma, 4. immediatamente, 5. giusto in tempo

4. Risposta libera

5. 1. corso, 2. sostenere, 3. questo appello, 4. la facoltà, 5. mensa, 6. segreteria, 7. laurearmi, 8. biblioteca

Grammatica

6. 1. mi incontro, 2. vede, 3. si vedono, 4. prepara, 5. mettiamo, 6. saluta, 7. incontro, 8. lavo

7. 1. si, 2. si, 3. mi, 4. ci, 5. si, 6. ti, 7. vi, 8. si

8. Risposte possibili: 1. Quando ti svegli di solito?; 2. A che ora fai colazione?; 3. In quanto tempo ti prepari la mattina?; 4. Arrivi in tempo all'università?; 5. Cosa fai il pomeriggio dopo le lezioni?; 6. Di solito ceni fuori o ceni a casa?; 7. Quando esci la sera?

9. 1. ...non ci vestiamo in maniera sportiva; 2. ...non si mettono il vestito nero; 3. ...non ci prepariamo in fretta; 4. ...non vi svegliate presto; 5. ...non si riposano il pomeriggio; 6. ...non vi annoiate quando visitate un museo; 7. ...non ci divertiamo quando andiamo in discoteca; 8. ...non vi addormentate tardi

10. 1. Non faccio mai colazione al bar; 2. Marco e Marina non stanno mai insieme; 3. Dopo pranzo, non mi riposo quasi mai; 4. Per andare al lavoro non prendo quasi mai l'autobus; 5. Le lezioni non finiscono mai prima delle 17; 6. Il sabato sera non mangio quasi mai fuori

11. 1. Non mangio mai la carne; 2. Non fumo quasi mai/

fumo raramente; 3. Vado spesso in palestra; 4. Esco raramente; 5. Spesso/Generalmente studio in biblioteca
Per concludere
12. 1. La mattina *non* mi alzo *mai* tardi; 2. Ragazzi, uscite *spesso* la sera?; 3. Di solito *mi incontro* con i miei amici; 4. Perché *non studi* quasi mai il pomeriggio?; 5. *Mangiamo sempre* alla mensa universitaria
13. 1. Giuliana si pettina e si trucca in dieci minuti; 2. Tutte le mattine Francesco si rade e poi si fa la doccia; 3. Spesso la sera ci addormentiamo sul divano; 4. Marco e Francesca si svegliano ogni mattina alle 7.30; 5. Vado in palestra almeno tre volte alla settimana; 6. Paola e Roberta non si prendono una vacanza da un anno; 7. Massimiliano non si diverte con noi e diventa nervoso; 8. Vi mettete un vestito elegante per il matrimonio di Carlo e Francesca?
14. Risposta libera
Pronuncia
15. Risposta libera
16. ni: 1, 3, 4, 5, 7, 9, 12, 13, 15, 19; gno: 2, 6, 8, 10, 11, 14, 16, 17, 18, 20
Parola chiave
17.
sinonimi: regolare, attento, preciso, esatto
contrari: impreciso, ritardatario, inesatto, approssimativo
nomi: aereo, autobus, treno, persona
verbi: partire, essere, arrivare, tornare
altre espressioni: puntuale come un orologio

Unità 7
Funzioni
1. Risposte suggerite: 1. Principalmente al Centro-Sud; 2. Principalmente in Sardegna e a Nord-Ovest; 3. La temperatura è mite, ci sono venti gradi, c'è il sole ma possono esserci temporali; 4. A Cagliari fa freddo, ci sono 11 gradi e piove; 5. Le città più calde sono Firenze e Venezia con 21 gradi; 6. La città più fredda è Cagliari con 11 gradi
Vocabolario
2. 1. estate, 2. autunno, 3. inverno, 4. primavera
3. *nome*: pioggia, neve, vento, nuvola, sole, nebbia; *aggettivo*: piovoso, innevato, ventoso, nuvoloso, soleggiato, nebbioso; *verbo*: piove, nevica, tira vento
4. 1. in mezzo, 2. neve, 3. stagione, 4. stagione, 5. gennaio, 6. regione, 7. laghi, 8. clima
Grammatica
5. 1. Sì, la conosco - No, non la conosco; 2. La passo... (*a piacere*); 3. Sì, le visito - No, non le visito; 4. Sì, lo posso prendere/posso prenderlo - No, non lo posso prendere/non posso prenderlo; 5. Sì, so dov'è - No, non so dov'è; 6. Sì, le guardo - No, non le guardo; 7. Sì, li raccolgo - No, non li raccolgo; 8. Sì, lo faccio - No, non lo faccio
6. 1. a (li), 2. e (la), 3. g (la), 4. c (Le), 5. f (lo), 6. b (lo), 7. d (lo)
7. 1. Ci, 2. ti, 3. vi (aspettarvi), 4. vi, 5. Mi, 6. ti, 7. ti (lasciarti)
8. 1. Franco mi saluta ogni volta che mi vede; 2. Devo passare a prenderti o ci vediamo in centro?; 3. Bambini, domani vi porto al mare; 4. Laura non ci ringrazia mai quando la aiutiamo
9. 1. c, 2. g, 3. h, 4. b, 5. e, 6. a, 7. d, 8. f
10. 1. sta leggendo, 2. stai ascoltando, 3. sta facendo, 4. sto partendo, 5. stanno dormendo, 6. sta giocando, 7. stanno scrivendo, 8. sta piovendo
11. 1. molte, 2. poco, 3. molto, 4. poche, 5. molte, 6. molto, 7. pochi, 8. molti, 9. poco, 10. poca
Per concludere
12. 1. In Irlanda *piove* spesso; 2. In inverno nella mia città il tempo è molto *piovoso*; 3. Qui all'ombra fa freddo. Andiamo in un posto più *soleggiato*; 4. Non posso venire in viaggio con voi perché ho *pochi* soldi; 5. La temperatura sta *scendendo* sensibilmente; 6. In Sicilia *nevica* poco in inverno; 7. Paolo, *ci accompagni* a casa, per favore?; 8. Massimo e Gianni stanno *mangiando* un gelato; 9. Londra è una città *nebbiosa*; 10. Quando viaggio, visito *molti* musei
13. 1. L'inverno sta finendo e aumenta la temperatura; 2. Che tempo fa in questo periodo nella tua città?; 3. In Italia vengono molti turisti perché c'è un clima mite; 4. Luisa sta andando a Roma/in Francia, invece i miei amici stanno andando in Francia/a Roma; 5. Leggo molti libri specialmente quando sono in vacanza in estate; 6. Molti italiani vanno in vacanza al mare generalmente ad agosto; 7. I cannoli sono dolci tipici siciliani e li mangio sempre quando vado in Sicilia; 8. Possiamo andare al mare perché il tempo è bello e fa caldo
14. Risposta libera
Pronuncia
15. Risposta libera
16. fa: 1, 3, 4, 6, 9, 11, 12, 14, 16; va: 2, 5, 7, 8, 10, 13, 15, 17, 18, 19, 20
Parola chiave
17.
tempo atmosferico
espressioni con fare*:* fa bel tempo, fa brutto tempo, che tempo fa?
espressioni con essere*:* c'è un tempo splendido, com'è il tempo?, il tempo è bello/brutto/nuvoloso/soleggiato, essere in tempo
tempo cronologico
espressioni con significato di trascorrere*:* passare il tempo, il tempo passa
espressioni con significato di entro un limite definito*:* essere in tempo, arrivare in tempo
altre espressioni: ammazzare il tempo, il tempo è denaro

Unità 8
Funzioni
1. 1. C, 2. I, 3. A, 4. G, 5. D, 6. H, 7. E, 8. F, 9. B
2. Domande possibili: 1. (Paolo) Cosa hai fatto sabato scorso/lo scorso fine settimana?; 2. Ah, bella Siena... Come ci sei andato?; 3. Sei andato con qualcuno?/Con chi ci sei andato?; 4. Cosa avete visto a Siena?; 5. Dove avete mangiato?; 6. E quando siete ritornati?
Vocabolario
3. 1. c, 2. f, 3. b, 4. e, 5. d, 6. a
4. 1. scorsa, 2. fa, 3. ieri, 4. fa, 5. scorso, 6. stamattina
5. 1. sono andate a una festa, 2. ha fatto una passeggiata, 3. sei andato a teatro, 4. avete visitato una mostra, 5. hanno fatto un po' di sport, 6. ha letto un libro, 7. ha fatto spese, 8. ho guardato

6. 1. si è alzato, 2. delle, 3. degli, 4. a fare, 5. ha visitato, 6. la sua ragazza, 7. hanno trovato, 8. hanno deciso, 9. quacosa, 10. della

Grammatica

7. 1. è uscita, 2. è andata, 3. sono restate, 4. è partito, 5. sono nate, 6. siete tornati, 7. ci siamo divertiti, 8. si sono alzati, 9. si sono messe, 10. vi siete rilassati

8. 1. sono partita, 2. sono arrivata, 3. ho incontrato, 4. abbiamo fatto, 5. abbiamo bevuto, 6. abbiamo visto, 7. ho mangiato, 8. ho preso, 9. ho visitato, 10. sono tornata, 11. Ho cenato, 12. ho guardato, 13. ho ascoltato, 14. sono andata, 15. è stata, 16. mi sono divertita

9. 1. Ho visto degli amici, 2. Ho bevuto del vino, 3. Ho conosciuto delle ragazze, 4. Ho messo dello zucchero nel caffè, 5. Ho comprato dei libri, 6. Ho preparato della pasta per cena, 7. Ho portato dei dolci, 8. Ho scritto delle e-mail

10. 1. Avete già fatto gli esercizi?; 2. Oddio è tardissimo! E devo fare ancora la doccia!; 3. Avete visitato il Duomo? Io non ho ancora potuto visitarlo; 4. Sono già le 11 ma Matteo non si è ancora alzato; 5. Il dottore è già andato via? Quando lo posso trovare?; 6. Sei già arrivato a casa? Hai fatto presto; 7. Tuo figlio ha 6 anni? Allora ha già cominciato ad andare a scuola; 8. Non ho ancora riordinato la casa, ma voglio farlo questo pomeriggio

11. 1. Sì, l'ho visitata/No, non l'ho visitata; 2. Sì, le ho aperte/No, non le ho aperte; 3. Sì, li ho finiti/No, non li ho finiti; 4. Sì, l'ho letto/No, non l'ho letto; 5. Sì, le ho fatte/No, non le ho fatte; 6. Sì, l'ho mangiata/No, non l'ho mangiata; 7. Sì, le ho portate/No, non le ho portate; 8. Sì, l'ho spento/No, non l'ho spento; 9. Sì, l'ho fatto/No, non l'ho fatto; 10. Sì, li ho cucinati/No, non li ho cucinati

Per concludere

12. 1. La settimana scorsa siamo andati a fare una passeggiata, 2. Ieri sono andata al cinema e ho visto un film interessante, 3. Abito a Roma da un mese ma non ho ancora visto il Vaticano, 4. Anna e Franco hanno frequentato un corso di giapponese un anno fa, 5. Elena ha cucinato degli spaghetti al pesto buonissimi, 6. Yumo è arrivata in Italia due mesi fa e già parla un po' di italiano, 7. Ho comprato i biglietti del concerto e li ho pagati 35 euro, 8. Ieri ho incontrato Simona e Miriam e le ho invitate alla festa

13. 1. Ieri è *stata* una bella giornata; 2. Hai veramente *degli* amici simpatici!; 3. Marina è *uscita* ieri sera con Marcello; 4. Hai portato i libri o li hai *dimenticati* a casa?; 5. Sabato sera non mi *sono* divertita per niente; 6. Lo scorso fine settimana non siamo usciti e siamo *rimasti* a casa; 7. Non ho *ancora* finito di fare gli esercizi; 8. Ho conosciuto Marisa il mese *scorso*

14. Risposta libera

Pronuncia

15. Risposta libera

16. ti: 1, 3, 4, 6, 8, 10, 13, 14, 16, 18; di: 2, 5, 7, 9, 11, 12, 15, 17, 19, 20

Parola chiave

17.

sinonimi: andare fuori, fare un giro

contrari: entrare, stare/restare a casa

con significato di diventare molto nervoso: uscire (fuori) dai gangheri

con significato di apparire, spuntare: uscire fuori

con significato di mostrare le reali intenzioni: uscire allo scoperto

con significato di dire o fare cose diverse rispetto agli altri: uscire (fuori) dal coro

con significato di impazzire, diventare pazzo: uscire (fuori) di testa

Unità 9

Funzioni

1. (g.) B/D (f.), (g.) E/A (f.), (g.) F/C (f.)

2. 1. Congratulazioni!; 2. Che fortuna!; 3. Che sfortuna!; 4. Che bello!; 5. Accidenti!

Vocabolario

3. 1. Sono marito e moglie e sono i genitori di Francesca, 2. Anna è la figlia di Marco e Giorgia e la sorella di Francesca, 3. Alberto è il figlio di Fabio e Maria e il cugino di Francesca, 4. Luigi e Valentina sono i nonni di Francesca, 5. Maria è la zia di Francesca, 6. Marcello è il fratello di Francesca, 7. Francesca è la nipote di Maria, 8. Francesca è la nipote di Luigi e Valentina, 9. Luigi è il padre di Giorgia e il suocero di Marco, 10. Fabio è il cognato di Giorgia

4. 1. b, 2. a, 3. e, 4. f, 5. d, 6. c

Grammatica

5. 1. loro, 2. loro, 3. vostri, 4. nostra, 5. miei, 6. suoi, 7. vostra, 8. sua, 9. tuo, 10. mia

6. 1. la; 3. le; 4. i; 6. la, i; 8. i; 9. il; 10. i

7. 1. andranno; 2. scriverò; 3. ci sposeremo; 4. farai, comprerò; 5. continueranno; 6. incontrerai; 7. finirò; 8. sarete, partirete; 9. amerò; 10. Potrai, dovrai

8. 1. Vuoi continuare a convivere o pensi di sposarti prima o poi?; 2. Non ci siamo ancora sposati, ma ci sposeremo l'anno prossimo; 3. Mio padre è pensionato, mia madre invece lavora ancora; 4. Voglio bene a mio fratello ma litighiamo spesso; 5. Ho litigato con Giorgio perché si è comportato male con me

Per concludere

9. 1. Voglio molto bene *alla* mia famiglia; 2. Giorgio e Laura *si sposano* tra un mese; 3. Devi decidere se vuoi sposare Marco *o* se lo vuoi lasciare; 4. Più tardi Giorgia *andrà* a prendere i suoi figli a scuola; 5. Li conosco da 10 anni ma non conosco ancora i *loro* genitori; 6. Stasera Nino prende *la sua* macchina; 7. *Sono* sposato con Marcella da tre anni; 8. Io e Martina *siamo* fidanzati e stiamo bene insieme

10. 1. Passo le feste con la mia famiglia; 2. I miei genitori sono sposati da venti anni; 3. Quali sono i tuoi progetti per il prossimo anno?; 4. Marcello e Gaia stanno insieme da molti anni ma non vogliono sposarsi; 5. La famiglia italiana attuale è molto diversa dalla famiglia di trenta anni fa; 6. Ci saranno molti invitati al matrimonio o inviterete soltanto gli amici più intimi?

11. 1. marito, 2. genitori, 3. coppie, 4. o, 5. famiglia, 6. Ma, 7. perché, 8. si sposano

12. Risposta libera

Pronuncia

13. Risposta libera

14. si: 1, 4, 5, 8, 9, 10, 12, 14, 15, 17; zi: 2, 3, 6, 7, 11, 13, 16, 18, 19, 20

Parola chiave

15.

sinonimi: parenti, familiari
nomi di familiari: genitori, fratelli, cugini
aggettivi: unita, allargata, reale, distrutta, tradizionale
verbi: mettere su, farsi una, amare, riunire
altre espressioni: affare di famiglia, essere figlio di papà/di famiglia, interessi di famiglia

Unità 10

Funzioni

1. 1. D, 2. H, 3. B, 4. G, 5. C, 6. F, 7. A, 8. E

Vocabolario

2. 1. mossi, 2. calvo, 3. robusto, 4. giovane, 5. anziano, 6. aggressivo, 7. antipatico, 8. maleducato

3. *Maria*: (nazionalità) italiana; (fisico) alta, magra; (occhi) azzurri; (capelli) neri, lisci, lunghi; *Pablo*: (nazionalità) brasiliana; (fisico) alto, un po' grasso; (occhi) neri; (capelli) lunghi, ricci

4. Carattere: interessante, forte, tranquillo, nervoso, brutto, noioso, aperto; Caratteristiche fisiche: carino, robusto, chiaro, forte, muscoloso, brutto, calvo, scuro

5. Maria è italiana e abita a Roma. È una ragazza brutta e fa l'infermiera in un ospedale. Ha 25 anni ed è bassa e grassa. Ha gli occhi neri e i capelli biondi, ricci e corti. Io non la conosco molto bene ma mi sembra maleducata e triste anche in situazioni difficili.
Il fidanzato di Maria si chiama Pablo: ha 32 anni, ed è brasiliano, di Rio. Pablo fa il cameriere a Roma in un ristorante in Via Condotti, vicino a Piazza di Spagna. È sempre antipatico con tutti; è basso e magro; ha la pelle chiara, gli occhi azzurri e i capelli corti e lisci.

Grammatica

6. A. A me sì; B. Neanche a me; C. invece, mi è sembrato; D. mi sembrano; E. Non mi è sembrato

7. 1. Le; 2. mi; 3. vi, Vi; 4. Le (farLe); 5. gli; 6. ti (chiederti), Mi; 7. Ci; 8. gli

8. 1. Nadia è una ragazza molto intelligente e io le voglio bene; 2. Se incontro Maria, le dico che la cerchi; 3. Ho visto Luigi e Franco e gli ho dato l'invito per la mia festa; 4. Sandro non mi ha ancora perdonato. Ogni volta che lo vedo vorrei parlargli/gli vorrei parlare per chiedergli scusa; 5. Da un po' non sento mia madre. Adesso le scrivo un messaggio e più tardi provo a chiamarla al telefono; 6. È uscito l'ultimo film di Brad Pitt e oggi voglio assolutamente vederlo! Ho telefonato anche a Marta e Mario per invitarli al cinema e gli ho detto di avvertire anche Franco

Per concludere

9. 1. Buongiorno Dottore, io sono Marco Rossi. Piacere di *conoscerla*; 2. Non sopporto gli arroganti e *non* mi piacciono neanche gli ipocriti; 3. Giulia è molto carina e simpatica, *ma* sua sorella è un po' antipatica; 4. I tuoi amici mi *sembrano* persone interessanti; 5. Marcello prende le decisioni immediatamente. Insomma è un tipo *istintivo*; 6. Non mi piace molto parlare in chat, e a *te*?; 7. Ecco il numero di Mario, così puoi *telefonargli* e invitarlo alla festa; 8. Valerio non va in discoteca perché non *gli* piace ballare

10. 1. Alberto non mi sembra una persona molto aperta; 2. Ho conosciuto Mary su Facebook e oggi la incontro; 3. Come è Vito di carattere?; 4. Caterina è la ragazza con gli occhi chiari; 5. A Nino piace conoscere sempre nuove persone/persone nuove; 6. Anna ha i capelli biondi e la carnagione chiara; 7. Neanche a me piace il carattere di Mario; 8. Elena è un tipo allegro e socievole

11. 1. tipo, 2. gli, 3. mi, 4. corti, 5. scuri, 6. corporatura, 7. a me, 8. sembrano, 9. gentile, 10. timido, 11. gli, 12. anche a me, 13. piacevole, 14. lo (sentirlo), 15. lo (frequentarlo)

12. Risposta libera

Pronuncia

13. Risposta libera

14. sso: 1, 3, 4, 7, 9, 11, 12, 15, 19; so: 2, 5, 6, 8, 10, 13, 14, 16, 17, 18, 20

Parola chiave

15.

sinonimo di persona: ho conosciuto un tipo, ti ha cercato un tipo
sinonimo di genere: un tipo di persona, cose di questo tipo, un problema di tipo grammaticale, un tipo di lavoro
aggettivi con tipo: interessante, intelligente, noioso
espressioni: sei proprio il mio tipo, sei proprio un bel tipo
nella lingua parlata sinonimo di come *per fare paragoni*: un paese tipo l'Italia, una persona tipo Maria

Unità 11

Funzioni

1. Impiegato: 1, 3, 4; Viaggiatore: 2, 5, 6

2. 1. Che ne dici di andare al cinema?; 2. Mi dispiace ma non posso; 3. Certo, volentieri; 4. Da che binario parte?; 5. Portiamo ritardo?; 6. Un biglietto per Milano, per favore

3. 1. ti va di venire, 2. non posso, 3. Che ne dici, 4. d'accordo
Risposte possibili: 1. Perché è in ritardo e deve ancora fare la valigia, 2. Va a Bologna da sua cugina, 3. Perché deve consegnare un lavoro lunedì mattina, 4. Perchè c'è lo sciopero, 5. L'accompagna Anna con la macchina

4. 1. f, 2. c, 3. b, 4. a, 5. e, 6. d

Vocabolario

5. 1. c, 2. b, 3. a, 4. e, 5. d

6. 1. prendo la metro, 2. andare, 3. salire sul treno, 4. prendo la bici, 5. salgono, 6. scendere alla, 7. scendere

7. 1. mare, 2. autobus, 3. prezzo, 4. via, 5. biglietto, 6. cuccetta, 7. biglietto, 8. binario

Grammatica

8. 1. nessun, 2. niente, 3. Nessuno, 4. nessun, 5. nessuno, 6. nessuna

9. 1. Mi alzavo la mattina presto e prendevo l'autobus per andare a lavorare; 2. Era una bella giornata: il sole splendeva e non faceva troppo caldo; 3. Elisa aveva un bellissimo gatto che si chiamava Felix; 4. Passavate tutta l'estate al mare o facevate qualcosa di diverso?; 5. Non capivo bene gli italiani quando parlavano velocemente; 6. Dovevo studiare molto se volevo superare gli esami; 7. Francesca credeva di cucinare bene, ma in realtà cucinava malissimo; 8. Perché non andavi mai alle feste? Non ti piacevano?

10. 1. è uscito, pioveva; 2. è arrivato, cenavano; 3. leggeva, preparavo; 4. ho telefonato, dormiva; 5. leggevo, ho cominciato; 6. ha avuto, era; 7. abbiamo visto, ci è piaciuto; 8. mi sono svegliato, ho fatto, sono andato, sono tornato, dormiva, sono uscito; 9. ero, bevevo, hanno detto; 10. è finita

Per concludere

11. 1. Subito dopo che *sono arrivato* alla stazione il treno è partito; 2. Roberto, che *ne* dici di andare a fare un giro questo fine settimana?; 3. Attenzione, treno in arrivo. *Allontanarsi* dalla linea gialla; 4. Quando *eravamo* piccoli io e mio fratello giocavamo sempre insieme; 5. D'estate andavo sempre in campagna dai nonni e una volta *siamo andati* al mare; 6. Ieri volevo studiare, ma poi *sono* uscito; 7. Non mi va *di* uscire stasera, preferisco restare a casa; 8. Qualche volta vado a lavoro in autobus, qualche volta *a* piedi; 9. Quando parlava Francesco *diceva* sempre le stesse cose; 10. Oggi è una bella giornata ma ieri *faceva* freddo

12. 1. Ero molto impegnato perché frequentavo le lezioni ogni mattina; 2. Quando ero in Italia prendevo il treno perché era comodo; 3. Scusi, da che binario parte il prossimo treno per Firenze?; 4. Sono scesa dall'autobus perché era troppo affollato; 5. Ho visitato molte città italiane che prima non conoscevo

13. Risposta libera

Pronuncia

14. Risposta libera

15. pi: 1, 4, 6, 8, 9, 13, 14, 15, 17, 20; bi: 2, 3, 5, 7, 10, 11, 12, 16, 18, 19

Parola chiave

16.

avverbi: per niente, perfettamente, molto

sinonimi per accettare: con piacere, volentieri, va bene

verbi con significato di avere la stessa idea: trovarsi d'accordo, essere d'accordo, andare d'accordo

contrari per rifiutare: no, grazie; mi dispiace, non posso

altre espressioni: andare d'amore e d'accordo, restare d'accordo, mettersi d'accordo

Unità 12

Funzioni

1. Risposte possibili: Buongiorno. Senta, quanto vengono le due gonne in vetrina?; Mi potrebbe fare un piccolo sconto?; Senta, posso vedere il maglione rosso in vetrina?; Beh, sì... è molto bello. Quanto costa?; Guardi, non è per me, è un regalo. Se non va bene la misura lo posso cambiare?

2. Soluzioni suggerite: 1. Porto la 40, Porto la media; 2. Che ne pensi?, Secondo te...?; 3. Maria indossa i jeans..., Marco porta una giacca blu...

Vocabolario

3. 1. d, 2. f, 3. e, 4. l, 5. g, 6. a, 7. c, 8. i, 9. b, 10. h

4. 1. numero, 2. Secondo me, 3. vanno, 4. taglia, 5. largo di spalle, 6. un paio, 7. Porta, 8. vengono, 9. cambiare, 10. scontrino

5. 1. D, 2. B, 3. C, 4. A

6. 1. pelletteria, 2. marrone, 3. stretto, 4. giubbotto, 5. taglia, 6. collana, 7. pantaloni, 8. di lana

Grammatica

7. 1. quella (agg.); 2. questo (agg.), quello (pron.); 3. quei (agg.); 4. questi (agg.); 5. queste (agg.), quelle (pron.); 6. quei (agg.), quelli (pron.)

8. 1. Lava, 2. Metti, 3. Fa'/Fai, 4. Scegli, 5. Di', 6. Va'/Vai, 7. Pulisci, 8. Esci, 9. Pensa

9. 1. provalo, 2. telefonami, 3. regalale, 4. Vestiti, 5. Mettiti

10. 1. Non mi dire/dirmi quello che pensi!; 2. Non prendere la mia macchina!; 3. Non mi regalare/regalarmi un gioiello!; 4. Non ti mettere/metterti il vestito elegante!; 5. Non andare a fare spese!; 6. Non ti togliere/toglierti il giubbotto!

Per concludere

11. 1. Non mettere quella camicia perché è sporca; 2. È il compleanno di Elisa, falle un bel regalo; 3. Quell'orologio che ho visto in gioielleria costa 250 euro; 4. Non comprare niente in quel negozio, ha dei prezzi altissimi; 5. Fammi vedere la cravatta e i pantaloni neri che hai comprato

12. 1. Marco oggi *indossa* una giacca blu; 2. Mi piacciono molto *quei* pantaloni grigi; 3. *Porto* la taglia 42; 4. Mi *fa* uno sconto, per favore?; 5. *Dimmi* la verità!; 6. Anna, *decidi* tu dove andare stasera

13. Risposta libera

Pronuncia

14. Risposta libera

15. qua: 1, 5, 6, 9, 11, 12; que: 2, 4, 8; qui: 3, 7, 10

Parola chiave

16.

sinonimi: indossare, mettersi, portare

contrari: svestirsi, spogliarsi, togliersi i vestiti

avverbi e locuzioni avverbiali: bene, male, in maniera elegante, in modo sportivo, con gusto, in fretta

vestirsi come...: un signore, un damerino

vestirsi di...: rosso, bianco, lana

vestirsi a...: festa, lutto

Test 1 (Unità 1-2)
Funzioni
1. 1. Come si chiama?; 2. Quanti anni ha?; 3. Che lavoro fa?; 4. Di dov'è?; 5. Come sta?;
2. 1. Mi chiamo ...; 2. Ho ... anni; 3. No, non sono italiano. Sono ...; 4. No, non parlo il portoghese
Grammatica
3. il libro, l'albero, l'amica, la ragazza, lo zaino, l'agenda
4. 1. è, 2. hanno, 3. siamo, 4. avete, 5. siete
5. 1. mangio; 2. studia; 3. capite; 4. stanno; 5. facciamo; 6. vanno, prendono; 7. andiamo; 8. fa, beve
6. 1. La macchina nuova, 2. I ragazzi simpatici, 3. Le pizze calde, 4. I lavori difficili, 5. Le ragazze eleganti
7. 1. a, 2. in, 3. a, 4. in, 5. a
Vocabolario
8. 1. francese, 2. inglese, 3. irlandese, 4. tedesca, 5. americano
9. 5 = cinque, 7 = sette, 13 = tredici, 8 = otto

Test 2 (Unità 3-4)
Funzioni
1. B, F, H, A, D, C, G, E; C, G, E, A, H, F, I, L, B, D
Grammatica
2. 1. Gli, 2. uno, 3. un, 4. un', 5. la, 6. il, 7. gli, 8. le, 9. le, 10. L', 11. la, 12. una, 13. un, 14. i, 15. il, 16. il
3. 1. voglio, vuole; 2. possiamo, dobbiamo; 3. fanno; 4. sanno; 5. preferisco, preferisce; 6. finiscono; 7. sa
4. 1. piace, piace; 2. piacciono; 3. piace; 4. piace
Vocabolario
5. 1. b, 2. e, 3. _, 4. c, 5. d, 6. a

Test 3 (Unità 5-6)
Funzioni
1. Soluzioni suggerite: (Saluti e prenoti una camera) Buonasera. Vorrei prenotare una camera singola; (Rispondi) Per due notti, lunedì e martedì prossimi; (Chiedi il prezzo della camera) Scusi, quanto viene la camera?; (Chiedi il permesso di portare il gatto) Bene. Senta, posso portare il mio gatto?; (Dici il tuo orario di arrivo in albergo e saluti) Bene. Allora arrivo in albergo alle 12, circa
2. 1. e, 2. b, 3. a, 4. c, 5. d
Grammatica
3. 1. ci sono, 2. è, 3. sono, 4. ci sono, 5. sono
4. 1. c'è, 2. c'è, 3. ci sono, 4. c'è, 5. ci sono
5. 1. alla, dell'; 2. ai; 3. Nelle; 4. dalla
6. 1. mi alzo, si alza; 2. si vestono; 3. ci rilassiamo; 4. vi divertite; 5. mi riposo; 6. ti svegli; 7. mi metto, si mette; 8. si annoiano
Vocabolario
7. 1. cucina, 2. bagno, 3. stanza da letto, 4. studio, 5. soggiorno
8. 1. ufficio, 2. alzarsi, 3. coinquilino, 4. qualche volta, 5. piccola

Test 4 (Unità 7-8)
Funzioni
1. 1. e, 2. c, 3. b, 4. a, 5. d
Grammatica
2. A. Lo, lo, Lo; B. Li, La, la; C. mi, ti; D. Le, Le
3. 1. leggo, 2. sto lavorando, 3. andiamo, 4. sta studiando, 5. frequentate
4. 1. siamo andati, 2. è stata, 3. ci siamo divertiti, 4. è piaciuto, 5. abbiamo mangiato, 6. siamo andati, 7. ho bevuto, 8. hanno bevuto, 9. è stata, 10. siamo tornati
5. 1. molto, 2. molte, 3. molte, 4. molto, 5. molti
Vocabolario
6. 1. nuvoloso, 2. piogge, 3. nuvola, 4. soleggiata, 5. fa caldo

Test 5 (Unità 9-10)
Funzioni
1. A. Io sono sposato; B. litighiamo; C. Siamo fidanzati; D. Favoloso!; E. Che peccato!
Grammatica
2. 1. la mia, 2. le vostre, 3. la tua, 4. tuo, 5. i loro, 6. Il suo, 7. Mia, 8. i suoi
3. 1. finirò; 2. sarai; 3. affitteremo; 4. parlerà; 5. compreremo; 6. andranno; 7. comincerà, avrà
4. 1. ti, 2. vi, 3. gli, 4. Le, 5. mi, 6. le, 7. gli
5. 1. o, 2. perché, 3. All'inizio, 4. ma, 5. Poi
Vocabolario
6. Risposta possibile (per una lista più ricca rivedi l'unità 10). gli occhi: castani, rotondi, piccoli; i capelli: lunghi, neri, corti; il carattere: simpatico, timido, aggressivo

Test 6 (Unità 11-12)
Funzioni
1. 1. E, B, C, F, H, A, D, G
2. Risposte suggerite: A. Mi dispiace ma non posso, devo studiare; B. Mh... non so. A che ora è il film?; C. Va bene, mi hai convinto. Andiamo con la macchina o con l'autobus?; D. Bene. Dove ci vediamo?; E. Ok, allora quando arrivi a casa mia mi fai uno squillo al cellulare e io scendo
Grammatica
3. A. andavo, restavo, sono andato; B. ero; C. hai fatto, sono andato, sono andato; D. frequentavano, pranzavano, studiavano
4. 1. quei, 2. quelle, 3. Quel, 4. Quella, 5. quegli
5. 1. chiudi, 2. sta', 3. rispondi, 4. lasciami, 5. usalo, 6. accendi, 7. ricordati, 8. finiscilo, 9. apri, 10. divertiti
Vocabolario
6. 1. un paio, 2. stretti, 3. maglione, 4. cambiare, 5. scontrino

Audio CD Index

Student's book

Traccia **1**: Unità 1, Comunichiamo, 1 [0'53'']
Traccia **2**: Unità 1, Comunichiamo, 5 [1'32'']
Traccia **3**: Unità 1, Comunichiamo, 8 [1'31'']
Traccia **4**: Unità 1, Comunichiamo, 20 [0'47'']
Traccia **5**: Unità 1, Comunichiamo, 25 [0'56'']
Traccia **6**: Unità 1, Comunichiamo, 27 [1'30'']
Traccia **7**: Unità 2, Comunichiamo, 1 [1'38'']
Traccia **8**: Unità 2, Comunichiamo, 11 [1'18'']
Traccia **9**: Unità 3, Comunichiamo, 1 [1'35'']
Traccia **10**: Unità 3, Comunichiamo, 15 [0'59'']
Traccia **11**: Unità 3, Comunichiamo, 20 [1'35'']
Traccia **12**: Unità 4, Comunichiamo, 2 [1'21'']
Traccia **13**: Unità 4, Comunichiamo, 16 [1'23'']
Traccia **14**: Unità 5, Comunichiamo, 2 [1'39'']
Traccia **15**: Unità 5, Comunichiamo, 13 [1'38'']
Traccia **16**: Unità 6, Comunichiamo, 9 [1'44'']
Traccia **17**: Unità 6, Comunichiamo, 11 [0'45'']
Traccia **18**: Unità 7, Comunichiamo, 9 [1'47'']
Traccia **19**: Unità 7, Facciamo grammatica, 12 [0'37'']
Traccia **20**: Unità 8, Comunichiamo, 9 [1'21'']
Traccia **21**: Unità 9, Comunichiamo, 2 [1'28'']
Traccia **22**: Unità 10, Comunichiamo, 1 [1'59'']
Traccia **23**: Unità 11, Comunichiamo, 2 [2'09'']
Traccia **24**: Unità 11, Comunichiamo, 12 [0'54'']
Traccia **25**: Unità 11, Comunichiamo, 18 [1'36'']
Traccia **26**: Unità 12, Comunichiamo, 1 [1'37'']
Traccia **27**: Unità 12, Comunichiamo, 13 [1'29'']

Workbook

Traccia **28**: Unità 1, Pronuncia, 18 [0'46'']
Traccia **29**: Unità 1, Pronuncia, 20 [0'52'']
Traccia **30**: Unità 2, Pronuncia, 13 [0'54'']
Traccia **31**: Unità 2, Pronuncia, 15 [0'47'']
Traccia **32**: Unità 3, Pronuncia, 15 [1'10'']
Traccia **33**: Unità 4, Pronuncia, 17 [0'48'']
Traccia **34**: Unità 5, Pronuncia, 15 [1'18'']
Traccia **35**: Unità 6, Pronuncia, 15 [1'10'']
Traccia **36**: Unità 7, Pronuncia, 15 [1'08'']
Traccia **37**: Unità 8, Pronuncia, 15 [1'10'']
Traccia **38**: Unità 9, Pronuncia, 13 [1'18'']
Traccia **39**: Unità 10, Pronuncia, 13 [1'03'']
Traccia **40**: Unità 11, Pronuncia, 14 [1'20'']
Traccia **41**: Unità 12, Pronuncia, 14 [0'43'']

L'italiano all'università 1 for English speakers is completed by:

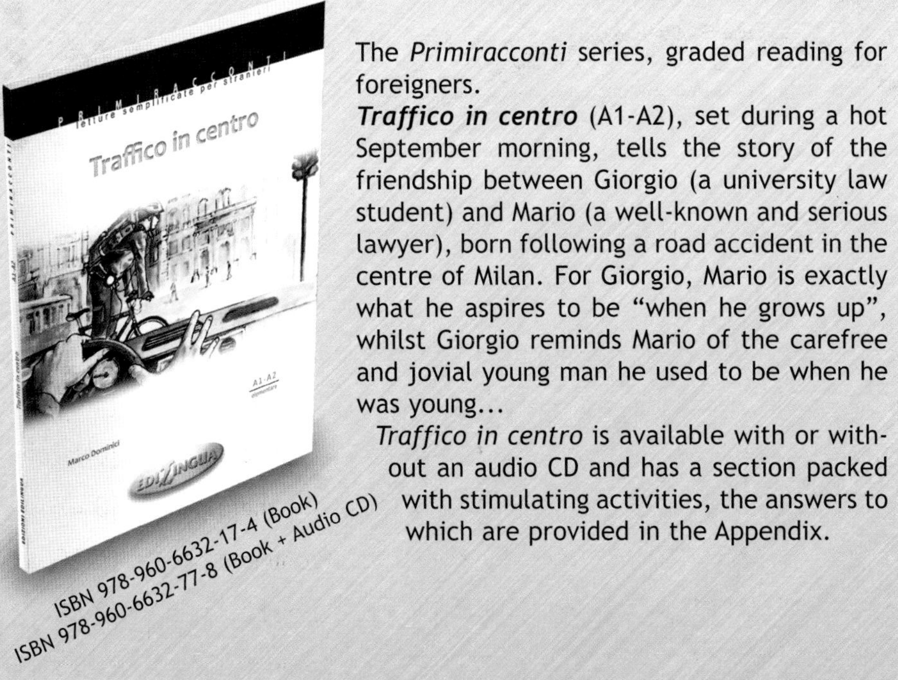

The *Primiracconti* series, graded reading for foreigners.
Traffico in centro (A1-A2), set during a hot September morning, tells the story of the friendship between Giorgio (a university law student) and Mario (a well-known and serious lawyer), born following a road accident in the centre of Milan. For Giorgio, Mario is exactly what he aspires to be "when he grows up", whilst Giorgio reminds Mario of the carefree and jovial young man he used to be when he was young...
Traffico in centro is available with or without an audio CD and has a section packed with stimulating activities, the answers to which are provided in the Appendix.

ISBN 978-960-6632-17-4 (Book)
ISBN 978-960-6632-77-8 (Book + Audio CD)

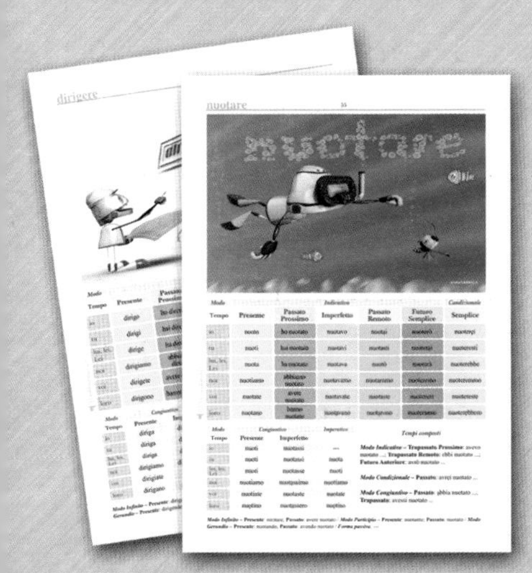

I verbi italiani per tutti

This book uses a "multimedia" approach to present around 100 of the most commonly used Italian verbs. It provides the conjugation of each verb in all the tenses and moods, clearly presented in two easy-to-read, coloured tables.
Every verb is also accompanied by an illustration that presents it being enacted, and students can even listen to how the conjugated verb is pronounced by going online.
Furthermore the book contains a comprehensive Appendix with more irregular verbs, a list of verbs with the prepositions they require, and a multilingual glossary (English, French, Spanish, Portuguese and Chinese).

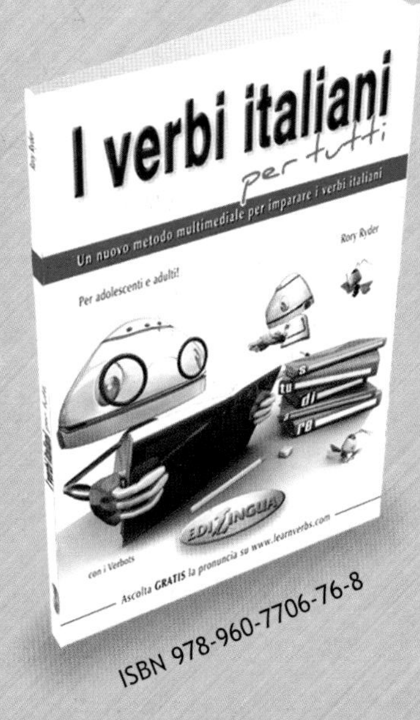

ISBN 978-960-7706-76-8

Via della Grammatica for English speakers (A1-B2)

This book provides valuable support to *L'italiano all'università 1* and *2*. the book contains 40 units, practice activities and self-assessment test - all in full colour.
Each unit uses simple language and numerous examples to address one or more aspects of grammar, before providing activities that are stimulating and fun.
Vocabulary is introduced gradually and authentic texts, on a variety of cultural, literary or everyday topics, offer students the chance to enrich and deepen thier knowledge of Italy.
The book includes the answers, which are undoubtedly a necessary element for self-teaching and assessment.

ISBN 978-960-693-050-8

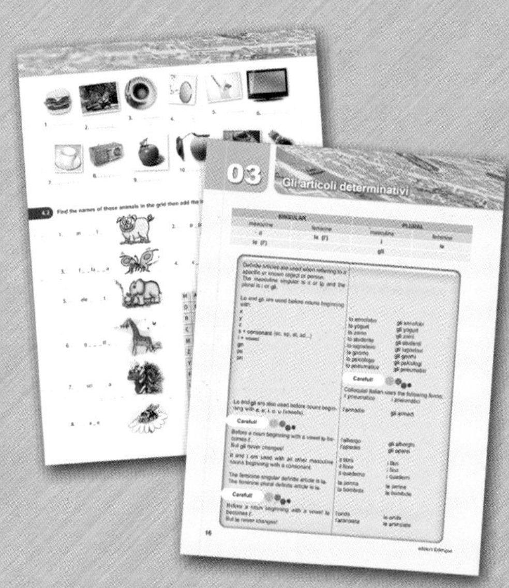

**The first platform for students, teachers and schools of Italian.
Simple. Effective. Free.**

Go to www.i-d-e-e.it where you will find:

Your interactive Workbook!

You can practice when and where you like, using your computer, tablet or smartphone and receive immediate feedback and your answers automatically corrected.

A range of digital tools

Voice recorder, dictionary, glossaries, calendar, interactive grammar, messages etc.

A worldwide student community

Making new friends who are studying Italian like you is easy.

Large amounts of extra interactive material

Video clips, audio recordings, tests and games created by your teacher, the class blog and much more.

To use the platform, go to www.i-d-e-e.it and enter **the code** you find on the right.